LUMIÈRE

Kris Hadar

- *Le livre du tarot.*
  – la clef de votre évolution.
  Louise Courteau, Éditrice, 1985.
- *Le grand livre du tarot.*
  – Tome 1 : Méthode pratique de l'art divinatoire.
  Éditions de Mortagne, 1988.
- *La numérologie du caractère,*
  clef de la connaissance de Soi.
  Éditions de Mortagne, 1984.
- *Le livre de la numérologie,*
  la clef de la connaissance de soi et d'autrui.
  Louise Courteau, Éditrice, 1987.
- *La numérologie à 22 nombres :*
  – Tome 1 : La connaissance de l'être. (1990)
  – Tome 2 : L'enfance. (1991)
  Éditions de Mortagne.
- *L'œuvre de Jean Roy :*
  – Le livre venu d'ailleurs. (1987)
  – Porte ouverte sur le monde parallèle. (1988)
  Éditions de Mortagne.

À paraître :

- *Le grand livre du tarot.*
  – Tome 2 : Guide pour les tirages.
- *La numérologie à 22 nombres :*
  – Tome 3 : L'adolescence.

Kris Hadar - Jacques Vallerand

- *Lumière (récit spirituel).*
  Éditions de Mortagne, 1992.

À paraître :

- *Lumière*
  – Tome 2 : Les Êtres de Lumière

Édition :
Les Éditions de Mortagne
250, boul. Industriel
Bureau 100
Boucherville (Québec)
J4B 2X4

Distribution :
Tél.: (514) 641-2387
Téléc.: (514) 655-6092

Dépôt légal :
Bibliothèque nationale du Canada
Bibliothèque nationale du Québec
1er trimestre 1992

ISBN: 2-89074-418-3

1 2 3 4 5 – 92 – 96 95 94 93 92

IMPRIMÉ AU CANADA

LUMIÈRE

Kris Hadar
Jacques Vallerand

À Christine et Suzanne.
Leur lumière a auréolé
la gestation de ce livre.

TABLE DES MATIÈRES

CHAPITRES

* *
*

PRÉAMBULE

Ce récit s'inspire d'événements authentiques.

Le succès d'une vie bien remplie ouvre la voie vers le monde des Maîtres réalisés. Mais la vie n'a rien d'un roman bien ficelé, même si les ficelles de style font ou défont le succès d'un livre. La critique, le cas échéant, s'en chargera.

Les hauts et les bas, l'avancée audacieuse et la retraite stratégique, la brisure et l'exaltation, l'enlisement et la libération ne sont que des méandres existentiels, un cours d'eau plus ou moins bien canalisé qui conduit à *Lumière*, avec plus ou moins de détours. Inutile donc d'examiner dans leurs moindres détails les berges de notre parcours et filons droit au port — respect du lecteur oblige, lui et sa patience.

La trame des événements a été ramenée à l'essentiel et l'ordre chronologique bouleversé : simple question de formulation afin d'assurer la cohérence d'un cheminement authentique et se situer par rapport à sa propre réalisation.

Ce préambule stylistique, classique dans toute œuvre qui se veut témoignage, introduit les motivations de la rédaction. Tout livre un tant soit peu honnête sert une ligne directrice que nous résumerons en quelques idées forces :

- La Connaissance n'est pas le privilège d'élus bénis des dieux. Nous sommes tous des enfants de Dieu, et donc tous en droit de prétendre à la divinité. D'où notre parti pris de démystifier l'aspect élitiste de la spiritualité prôné par certains groupes de pensée. Mais soyons clairs ! Il n'est pas dans notre intention de participer à quelque querelle de chapelle que ce soit. Notre sincérité nous suffit.

- La Connaissance, par essence unique, revêt de multiples vêtements selon l'expression culturelle de celui qui la reçoit. Elle est accessible à quiconque fait preuve de bonne volonté.

- L'accès à la Connaissance exige un minimum d'outils. Au même titre que le langage reste encore le seul moyen pour exprimer la pensée, ces outils doivent tailler les pierres de SA vérité afin de construire sa demeure intérieure et permettre à chacun de rencontrer *Lumière*. Dans cette optique, nos expériences ne sont que des références.

- L'autonomie et la liberté de pensée assurent la maîtrise de soi et éloignent les faux gourous et les marchands de l'inutile. Seul l'esprit libre développera des certitudes pour construire son existence. Notre témoignage ne repose pas sur des élucubrations mais sur une réalité démontrable ou, à défaut, cohérente. On y puisera en toute indépendance les éléments de sa propre compréhension. *Lumière* a toujours refusé que l'on adhère à sa pensée sans être à même d'en mesurer la justesse et d'en vérifier les fondements. Nous n'offrons donc rien qui vise à justifier la faiblesse de caractère ou l'abandon au bénéfice d'un Maître. Il faut payer de sa personne pour découvrir sa véritable nature de *Fils de lumière*.

- Quiconque aspire à l'éternité a le droit de sortir de la mort pour devenir *Être de lumière*. Cette évidence pour les uns, ce vœu pieux pour les autres, n'est pas une allégorie. C'est une sentence inéluctable : en tant que nous-mêmes, nous n'aurons pas plusieurs choix. La tragédie, ce n'est pas la mort, conséquence de la vie, mais la mort sans retour, conséquence de l'ignorance.

On peut donc pénétrer *Lumière* sans idée préconçue, en laissant ses convictions de côté et en acceptant de le rencontrer. À travers nous, IL vous attendait comme il nous a attendus avant d'entamer le dialogue.

Un dernier mot : que le lecteur peu au fait du langage scientifique ne soit pas rebuté par les démonstrations qui émaillent quelques passages. Le savoir illustre la spiritualité. Il ne saurait en aucun cas s'y substituer. Chacun y puisera en conscience ce qui peut l'aider à se dépasser, quitte à négliger ce qu'il jugera trop ardu, voire superflu.

Jacques et Kris

PROLOGUE

Le 24 février 1991, alors que les troupes de la coalition des Nations Unies enfoncent l'armée de Saddam Hussein — nouveaux croisés contre nouveau Saladin —, nous revoyons l'image passée d'un souvenir. Nous sommes deux en un, deux amis. L'un, c'est Jacques, l'autre, Kris.

Vingt ans ! Un campus universitaire du nord de la France. Un *resto-U*, dans l'argot étudiant ! À la *cafette*, des tables, une grande baie vitrée ouverte sur une vallée verdoyante, un bar et une *barmaid* entre deux âges servant des jus de fruits et un café plutôt lavasse.

Près de la sortie, Kris bousculait sans ménagement un *flippeur* que d'autres latitudes nomment *machine à boules* ou *billard électrique*. Jacques admirait en silence le coup de main — le doigté — du jeune étudiant en génie mécanique qui, immanquablement, pulvérisait le compteur et accumulait les parties gratuites sans un seul *tilt*. Jacques ne jouait jamais. Il prenait plus de plaisir à observer le comportement du joueur ou de la foule d'admirateurs agglutinés autour de Kris. Il trouvait des motifs de s'amuser de la compagnie des humains. Puis, lassé, il laissait Kris en plan, repartait à la recherche de l'inaccessible étoile et s'engageait dans la file d'attente du *resto*. Le champion ne s'en offusquait jamais.

Et pour cause ! Kris et Jacques ne s'étaient encore jamais adressé la parole. À peine un salut du coin de l'œil, comme à une vieille connaissance que l'on voit régulièrement mais avec laquelle on n'éprouve pas le besoin de converser. Et puis, quoi dire ? Kris savait vaguement que le curieux badaud venait du Québec et zônait à la faculté de médecine, qu'il grattait — mal — de la guitare et, à ce qu'on disait, écrivait des histoires à faire peur. Quant à Jacques, il se trouvait peu d'affinités avec ce petit robot volubile, obsédé de machines à boules plus ou moins inscrit à l'Institut de technologie, joueur de rugby, envahissant, positivement girouette et marqué d'une barbe en fil de fer barbelé et d'un vieil imper au vert indécis, curieusement torturé.

Il était sans doute écrit quelque part que ces deux originaux devaient se rencontrer. C'est le mystère (ou la mystification), le goût prononcé du *hors-norme* et... «*Les cahiers de cours de Moïse*» de Jean Sendy (Éditions J'ai Lu) — économie de moyens oblige — qui les réunirent. Nous étions à cette époque de renouveau — mais chaque époque est un renouveau — mystique ou religieux où, après les brouillards de la contestation étudiante, on découvrait Jésus sur les scènes de music-hall, et les dimensions de l'Univers dans les pyramides d'Égypte ou d'Amérique Centrale. On apprenait en outre dans des ouvrages de vulgarisation ultra spécialisés, via la fougue journalistique de Robert Charroux, que nos ancêtres n'étaient pas des imbéciles et qu'ils avaient inventé la pile électrique à Bagdad, l'écriture à Glozel ou la photographie aérienne au XIIIe siècle. Jacques éprouvait plus d'affinités pour ces élucubrations que pour la physiologie ou l'anatomie.

Or donc, Jacques sirotait une mixture de café à quelques pas de l'escalier qui canalisait le flux des consommateurs gavés de *bouftance* universitaire. Plongé dans le petit livre au mauvais papier, tout occupé à soulever le voile de l'insondable mystère du père Moïse que le talent de l'auteur étirait à languir comme un roman policier, il ne portait aucune attention à la foule vociférante qui se pressait autour des tables de la cafétéria. À quelque distance de là, Kris venait de bloquer le compteur du *flippeur* au milieu des hurlements de l'assistance. Beau prince, il laissa ses parties gratuites à l'un de ses fans et s'apprêtait à survoler le restaurant pour avaler son assiette sur le pouce, juste à temps pour récupérer ses droits électroniques avant le premier cours...

quand il aperçut Jacques, tranquille, qui dégustait son livre. Il s'approcha :

«Tiens ! Ça t'intéresse, toi aussi ?»

Jacques tourna le livre, en observa le titre, comme pour se persuader qu'il lisait bien ce qu'il lisait.

«Euh... oui ! fit-il, inquiet. Faut pas ?»

Kris fut intarissable et Jacques apprécia. Comme quoi le *flippeur* mène à tout, à la condition d'extraire des circonstances le symptôme juste, le phénomène propice à l'explication. La machine à boules heurtant les butoirs de lumière n'avait rien de vraiment métaphysique. Et pourtant... On appelle ça un épiphénomène, c'est-à-dire un phénomène *dessus*, un truc sans intérêt apparent en somme. Mais ne pas oublier le dessous du dessus ! Au total, après quelque quinze minutes d'un chassé-croisé de questions-réponses bilatérales, les deux compères se découvrirent un intérêt mutuel pour les soucoupes volantes (qui l'eût cru), les chats, les sociétés secrètes, l'ésotérisme et les nouilles au gruyère.

Étrange amitié, curieux échange de deux frères nés sous des cieux différents, de caractères diamétralement opposés et suivant un chemin identique et parallèle, reflet d'images dans un miroir, l'un verso de l'autre, Janus d'une même médaille. Destin, karma et monsieur Hasard-et-Nécessité rédigèrent chacun dans leur langue la conclusion de leur rencontre : plus tard, Jacques le Québécois épousa la France et Kris le Français émigra au Québec. Mais c'est une autre histoire.

Pour l'heure, ils affûtèrent leurs premières armes dans diverses organisations initiatiques ou prétendues telles. Mais ils vécurent surtout avec l'une d'elles, à cause d'elle ou grâce à elle, une aventure qui allait bouleverser leur existence. Par souci de discrétion, nous tairons le nom de cette organisation. Disons simplement qu'elle constitue l'un des principaux maillons de la Grande fraternité.

Bruxelles ! Des membres venus du monde entier se bousculaient dans la masse humaine d'une convention internationale. Kris et Jacques, néophytes donc naïfs, jeunes donc enthousiastes, avaient convenu d'y assister avec leurs compagnons en mysticisme. Il y avait Annie, Francine, Yves, Raymond et d'autres. Le petit groupe organisa le voyage. On répartit les voitures et chacun se cala dans l'inconfort de deux Renault 4 L, une rouge et l'autre blanche. Le symbolisme des couleurs nous avait alors échappé. Annie et Kris conduisaient. Bruxelles, place de Brouker, Mennekenpiss et un salut à l'ami Tintin qui lorgnait du coté de Waterloo ! La convention de Bruxelles déploya les fastes d'une union cosmique. On taira le contenu, le fond et la forme. Mais l'aventure dépassa les frontières du réel pour basculer dans le fantastique.

Le lendemain, Kris et Jacques se retrouvèrent dans les profondeurs d'un sous-sol avec une vingtaine d'autres personnes. Pourquoi eux ? Comment se retrouvèrent-ils là ? Leur mémoire en garde un blanc.

Le maître de cérémonie, après quelques paroles destinées à préparer l'esprit des participants, entonna les incantations. *Aaooumm !* Les assistants, assis, paupières closes, mains sur les genoux, ressentirent les vibrations qui remontaient des pieds à la tête. Ils se sentaient reliés avec ce que l'officiant avait appelé le Monde des Supérieurs inconnus. *RRRaaama !* Les vibrations devinrent des vagues soulevant l'esprit pour le projeter dans une autre dimension. Le vertige, sensation physique s'il en fût, ballottait la conscience dans le tangage d'un navire sur une mer déchaînée. Kris ouvrit les yeux... pour vérifier. Rien n'avait changé. Il les referma. Les vagues érigèrent un raz de marée de couleurs où la lucidité dépassait la clairvoyance. Tout devenait clair, simple, banal, naturel, ordinaire, mais beaucoup plus merveilleux. Puis on nous ordonna de regarder.

Au centre de la pièce se tenait un jeune enfant d'une dizaine d'années vêtu d'une djellaba blanche. Deux yeux noirs transperçaient l'Âme. Les mots humains ne peuvent décrire le puissant rayonnement qui se dégageait de l'apparition. Laissons donc à la pudeur du cœur le privilège de conserver l'amour de cet instant immortel. Les assistants apprirent que la cérémonie visait à élever la conscience des membres présents, afin d'entrer en communication avec un Maître qui se serait incarné le 6 février 1962, dans la communauté druze du Liban. L'assemblée se dispersa en silence. Certains pleuraient. L'actualité de la matière engendre le doute : ce n'était qu'un rêve, un pur produit de l'activité cérébrale, une hypnose collective.

Bouleversé, le petit groupe reprit le chemin du retour. La 4 L rouge d'Annie ouvrait la route. Kris suivait à faible distance. Perdu dans son silence, Jacques rêvassait en fixant la route droit devant lui.

«Dis ! Tu vois ce que je vois ? demanda-t'il soudain.

— Toi aussi ?» s'étonna Kris.

Une aura lumineuse entourait la voiture d'Annie. On a beau être innocent et vouloir garder les pieds sur terre, certaines choses vous dépassent. Il fallait vérifier.

Mine de rien, Kris doubla. Quelques instants plus tard, il aperçut dans son rétroviseur les appels de phares. Il stoppa sur le bord de la route. Jacques sortit le premier, puis Annie qui s'approcha, puis les autres.

«Vous avez vu, vous aussi ?»

Et chacun de se dire la même découverte, de décrire le phénomène : une aura identique entourait la tête de tous les membres de notre groupe, chacun pouvait la voir sans effort.

Passablement émus, ils rentrèrent au campus et reprirent leurs activités universitaires. Curieusement, ils étaient les seuls à percevoir cette lumière étincelante, car personne, parmi leurs connaissances, ne leur fit la moindre remarque.

On se perdit en vaines explications. Claude, le plus en verve, élaborait moult hypothèses :

> «La raison annule une perception qui s'écarte des normes. Ceux qui n'ont pas vécu notre expérience perçoivent mais ne voient pas. Quant à nous, notre vision a été exacerbée pour permettre à la conscience de prendre acte de l'énergie universelle, ou bien, l'expérience

> mystique en soi nous a élevés... et en quelque sorte améliorés. Sommes-nous sujets ou objets ?»

Quoi qu'il en soit, l'aura se résorba progressivement et disparut après une quinzaine de jours, mais demeurait la sensation intime d'une présence permanente.

Les années coulèrent. Comme il arrive à toute entreprise humaine, notre groupe se disloqua et chacun décida de créer sa propre aventure. Kris et Jacques ont voyagé, se sont quittés, revus puis à nouveau quittés. Actuellement, la distance, entre deux continents les sépare à nouveau.

* *
*

La distance et le temps ! 20 ans depuis Bruxelles !

Moi, Kris, je dis que j'aurais pu reconnaître *Lumière* plus tôt. Jacques aussi d'ailleurs. Je me demande ce qu'il fait en ce moment, Jacques... il transpire sur un de mes bouquins, sans doute !

* *
*

1

LE CLOCHARD D'AUSTERLITZ

Personne ne m'attendait, car je n'avais pas annoncé mon arrivée à Paris. Sur les quais de la gare d'Austerlitz, la foule se pressait, anonyme et déjà lasse de la journée à venir. Je suis sorti dans le froid et le crachin du petit matin gris. La file d'attente devant la station de taxi s'allongeait sur le trottoir du boulevard de l'Hôpital. Je visai l'horloge au fronton : 6 heures 30 ! Je jugeai préférable d'attendre une heure avant de réintégrer l'appartement familial de la rue Ledru-Rollin, quelques dizaines de mètres après le pont d'Austerlitz, à l'aplomb des quais de la Rapé et de Bercy. Là-bas, on n'aimait pas le bruit, les réveils intempestifs, les surprises, bonnes ou mauvaises.

«T'as pas cent balles ?»

L'homme me regardait en souriant. Je sursautai, à la fois intrigué et dégoûté par la saleté du bonhomme. Le bord de sa casquette cachait le fond de ses yeux. Sa barbe hirsute piquait ses joues émaciées. Un paletot élimé, incolore, voûtait ses épaules. Je le jaugeai à l'estime : cinquante ans, à quelques années près ! Je fouillai dans mon sac, à la recherche de mon porte-monnaie, tâtai le plastique enveloppant le sandwich oublié depuis Bordeaux.

«Tenez ! dis-je en tendant le sandwich.

— Mince ! Un prince ! s'exclama le clochard. Ça s'arrose. Tu prends un verre ?»

Amusé, j'allais refuser l'invite, par réflexe devant l'inconnu. Mais qu'avais-je à perdre ? Une heure !

«C'est moi qui paye !» insista le bonhomme.

Le buffet de la gare était déjà bien réveillé. Le garçon prit la commande.

«Et pour monsieur ? susurra-t'il à mon compagnon avec cet air de suffisance propre aux prétentieux.

— Le *Môssieur*, y prendra un café ! Une fois n'est pas coutume», rétorqua le clochard.

L'homme sortit une cigarette d'un paquet ratatiné et le poussa sur la table.

«Sers toi, l'étudiant !»

Je n'ai pas répondu, pas même étonné du flair de mon vis-à-vis. Étudiant ? Du bout des lèvres et des livres ! Je souris. Je n'avais rien à faire qu'attendre une heure. Je ne fumais pas encore beaucoup à l'époque. J'ai cessé plusieurs fois depuis. Alors, j'ai écouté.

Il s'appelait Julien, il avait trente-cinq ans seulement ! L'apparence ! Il me raconta sa vie, mâchonnant le sandwich d'une main et fumant de l'autre.

«J'ai mal commencé le jour où j'ai raté mon baccalauréat. J'aurais pu être quelqu'un. J'en ai décidé autrement, moi seul. J'vis d'expédients, d'aumônes, j'dors sur les bouches d'aération du métro. J'voyage aussi, mais pas très loin. C't un choix. J'bois pas. Tous les clodos sont pas des alcoolos.»

Je n'osais l'interrompre. Julien était un savant amateur qui avait forgé sa connaissance dans le livre de la cloche. Aujourd'hui, bien des années plus tard, je veux imaginer que j'avais rencontré un Maître qui devait me transmettre la Connaissance de l'Univers. Avec des lambeaux effilochés de souvenirs, je reconstruis une scène qui n'a jamais eu lieu. Je recrée le merveilleux dans ce geste ostentatoire que Julien aurait pu faire mais que seule fabrique ma capacité à fondre en une seule scène plusieurs images disparates cueillies dans les tiroirs de ma mémoire : il m'ouvrait le troisième œil, me transmettait les pouvoirs psychiques et dévoilait les secrets des dieux. À force d'y croire, je sens que ce dut être ainsi. En fait, je traduis une impression en une succession de séquences-cinéma, faute de quoi je n'aurais rien à quoi me raccrocher. Qu'est-ce que le réel supposé tel, au fond, sinon un ensemble barbare de schémas mentaux forgés par les subtilités biochimiques du cerveau ?

Ce clochard en savait autrement plus que moi, à l'époque, puisqu'il s'éloigna rapidement de la simple narration d'une vie volontairement marginale pour créer l'ambiance propice aux confidences et, du coup, me faire perdre conscience de l'environnement. Il glosa quelques instants sur le temps qui passe et m'enveloppa progressivement dans les méandres de la philosophie. Je n'eus pas le temps de m'en rendre compte, car son parler enivrant gardait le ton de ses origines. Il m'envoûtait.

«Tout le monde habille l'événement à sa façon, dit-il. Mais c'est une manie qui vient de loin, un sous-produit de l'enfance. Y a du mystère en chacun de nous. Il vient de l'époque où le bébé vagissant ressemble à un tube digestif à peine capable de pensées primaires. Du moins, c'est ce que croit l'adulte qui a tué son Âme d'enfant en raisonnant sur son *savoir*. Seul celui qui a gardé le goût du merveilleux sait que l'enfant sait. Ça se goûte comme l'arôme d'un bon cépage, ça ! Le nouveau-né vit en parfaite harmonie avec son Âme : il est *Connaissance*. Tu as déjà vu un bébé ? Il te fixe pas dans les yeux; il observe le tour de ta tête. Il n'a pas besoin de parler, juste de voir ton aura pour connaître tes pensées.»

Il engouffra la dernière bouchée du sandwich et se frotta les mains pour en faire tomber les miettes.

«L'enfant *connaît* des choses. Les adultes les ont perdues mais s'acharnent à les retrouver.

— Vous m'intriguez», dis-je.

Julien se ramassa au fond de la banquette de moleskine.

«Pas besoin de remonter au déluge ! Tu sors du ventre de ta Mère où tu flottais dans la béatitude. Paf ! Tu te retrouves tout seul dans un lit trop grand, les draps serrés t'étouffent. Tu parles d'une déception ! Le réveil est brutal : un autre a pris ta place près de ta Mère et reçoit la tendresse qui t'est due. Rappelle-toi, si tu peux encore : tu commences à marcher. Les meubles, les lits, les pièces de la maison, les objets t'écrasent. Le monde démesuré et inconnu t'effraie. Les adultes sont des monstres : toi, le fragile, tu te traînes à quatre pattes, tu ne vois que leurs jambes. Tu dois supporter le souffle de ton Père quand il immobilise ton visage dans ses grosses mains. Ta Mère aussi est immense; mais elle, la nature l'a parée de douceurs. Il y a moins de risques. Tu peux t'abandonner au berceau de ses bras et soupirer dans la rivière de ses cheveux. Seulement, il y a l'autre, l'autorité avec la grosse voix ! L'injustice ! T'aurais du refuser de grandir. Alors, pourquoi t'es devenu un adolescent ?»

Le malaise ! Je me redressai et regardai autour de moi pour vérifier que personne ne nous entendait.

«Au fond, je crois que je ne me suis jamais posé la question.

— Tu crois ! La belle affaire ! La mémoire oublie trop facilement ce qu'elle ne devrait jamais perdre. C'est un sophisme, petit ! Passons ! Mon bonhomme, t'as grandi et tes parents biologiques n'y sont pour rien. Tu le dois à tes VÉRITABLES PARENTS SPIRITUELS, tes VRAIS TUTEURS. Tu les as vus, toi seul pouvais les voir.

— Votre histoire fait un peu cliché. Je n'ai pas beaucoup connu mon Père.»

Il leva le doigt vers le ciel qui se limitait, par chance, au plafond de stuc rococo du buffet de la gare.

«Il veut vraiment finasser, l'étudiant, fit-il en prenant le plafond à témoin. Hermès Trimesgiste, trois fois grand devant l'Éternel, béni soit-il, l'affirme dans la table d'émeraude : *Ce qui est en haut est comme ce qui est en bas pour faire le miracle d'une seule chose*. La famille spirituelle prête ses enfants à la famille biologique. Si on savait ça, on cesserait de tailler l'enfant à son image pour en faire un soldat de plomb ou une machine-outil au nom de l'humanité ou du droit international. Que t'aies connu ou pas ton Père ne change rien au fait que t'as dû te colleter à l'autorité, non ? T'avais sacrément besoin de réconfort. Écoute ça, l'étudiant ! Ta famille spirituelle te consolait dans ton lit, elle transformait tes larmes en diamants que tu pouvais monnayer contre des merveilles. Elle souriait à tes gaucheries mais ça t'aidait à te relever quand tu trébuchais. Quand tu dormais, elle te répétait les mots que t'avais appris dans la journée pour t'apprendre à communiquer avec les humains. Elle te parlait des mystères et t'ouvrait les portes d'autres mondes, loin, insoupçonnés... Elle t'aidait à quitter ton corps pour les visiter. T'y rencontrais d'autres enfants de Dieu, échangeais avec eux les impressions ressenties par l'incarnation dans un corps humain. Elle te donnait des conseils pour affronter les difficultés de la matière afin de pouvoir sourire aux anges. Sais-tu toujours sourire aux anges ? Montre-moi, l'étudiant !»

J'ébauchai une vague grimace. Je n'étais pas prêt, pas encore. Ce discours farci de bondieuseries m'énervait. Allez donc savoir pourquoi on tombe toujours sur un cinglé quand on n'a rien à faire. Et ça arrive toujours dans un café ou dans une gare. Julien haussa les épaules, termina son café en grattant avec avidité le sucre collé au fond. Il alluma une autre cigarette.

«Triste, crispé, terriblement timide ! Et puis, assez moche au fond ! Comment mordre à la vie avec une telle horreur ? Tu crois pas un mot de ce que j'te dis. Tu t'en fous parce que j'suis un vieux débris. J'continue quand même parce que ce moment-ci, tu vas t'en souvenir longtemps. Avant, tu souriais à ta Mère. Tu la sentais complice quand elle te racontait des histoires. Sois lyrique un peu ! Les nains de *Blanche-Neige* avaient tracé un cercle magique autour de ton lit pour éloigner les ombres et te conduire au sommeil. Les fées décrispaient d'un coup de baguette ton corps de pantin en un être de chair souple et agile. Les elfes développaient ton odorat pour réveiller le parfum d'une fleur, sentir le souffle du vent et te diriger dans la jungle des adultes. Ils t'enseignaient à distinguer le sucré de l'amer, le sacré du vulgaire, électrisaient chaque chose vivante pour que tu voies la vérité de la vie, ils te chantaient la chanson des sphères pour accorder tes oreilles à la vérité et au mensonge, approchaient tes doigts de l'invisible pour que tu perçoives le subtil magnétisme des forces de l'ombre.

— Moi, je voyais des petits monstres, des *gripettes* je les appelais. Et puis... une fumée qui sortait de la tête des gens.

— Une fleur de lotus ! Tu la vois toujours ?

— Non ! Et ça fait bien longtemps...

— Ça reviendra. J'pourrais te faire souvenance d'autres merveilles. Mais à quoi bon ? Tous les enfants de la terre savent bien que les gnomes, les farfadets, les géants et les ogres existent. Mais ils connaissent aussi les *Êtres de lumière* qui, dans les moments de solitude, leur enseignent les mystères de Dieu. Ce sont des amis que les adultes rabaissent à l'imaginaire enfantin parce qu'ils ont la mémoire courte... mais comment leur en vouloir ? Ce sont aussi des enfants trahis par la cassure de l'adolescence.

Tu croyais que tes parents... que ta Mère savait aussi ce que tu savais. Mais ton arbre sur le dessin devait être vert, pas rouge, le ciel bleu, même si tu le voyais jaune ou mauve. Tes personnages étaient des cercles de couleur entourés de lumière, sans corps mécanique. On disait : "Il ne dessine pas de corps parce qu'il n'a pas conscience du sien." Et puis, le coup de grâce ! Un jour que tu parlais dans ta chambre avec ton ami, l'*Être de lumière,* tu as entendu chuchoter derrière la porte : "Il invente des histoires. Il faut le faire examiner." Alors, ton ami secret t'a dit qu'il devait partir et que désormais, tu serais seul pour grandir. Il devait passer le relais à tes parents... ou à ceux qui les représentaient. Si t'étais à la hauteur, il reviendrait. Entretemps, il garderait le contact à travers ton esprit. J'vois que tu commences à t'rappeler. Il est donc parti, et avec lui tous les pouvoirs des elfes et des *gripettes*. Les éducateurs, les professeurs et les bonnes-âmes de l'instruction t'ont convaincu qu'on t'racontait des histoires pour t'endormir et que tes amis ne vivaient que dans tes rêves.

— Ils n'ont pas dit les choses comme ça. Ils m'ont simplement raconté d'autres histoires.

— Des histoires de France, du Canada, de géographie, de sciences et de mathématiques... Quelle différence ? T'es rentré dans l'*âge ingrat*, celui qui dure longtemps. Certains n'en sortent jamais. Parfois, une voix perçait la brume mais elle était de plus en plus floue et lointaine. L'*Être de lumière* ? Par réaction, t'as fermé ton cœur. Une révolte, juste pour essayer ! T'as plus rien entendu. T'arrivais encore à sortir de ton corps quand tu dormais. T'en aurais parlé, on t'aurait conduit chez un psychiatre qui aurait rassuré tout le monde, en disant que c'était normal, que c'était à cause de la croissance...

— Un peu caricatural non ? Je n'ai jamais eu besoin de psy...

— Vraiment ?»

Honteux comme un voleur pris en faute, je dus convenir que... bon, j'avais frôlé les soins d'un docteur de l'esprit parce que je faisais de grosses colères et qu'à quinze ou seize ans, je n'arrivais pas à me faire entendre.

«T'as assez de jugeote, répondit sentencieusement Julien, pour voir au-delà de la simplicité apparente de la caricature et pour habiller le principe des dépouilles de l'anecdote. Chacun y accroche la vérité de sa propre expérience. Quant aux histoires, le laïus n'a jamais fait défaut à tes professeurs pour te faire avaler des couleuvres à seule fin de remplacer tes histoires par les leurs.

— Même si leurs histoires étaient... vraies ?

— Pouvais-tu les vérifier ? Vraies ou fausses, ce n'est pas le problème. Mais l'étonnant, c'est que tout humain a un talent extraordinaire pour gober ce qu'on lui raconte sans se demander une seconde si c'est pas des bobards.

— Mais enfin, il y a une vérité...

— Peut-être ! Mais elle vient jamais des autres !

— Vieux débat, rétorquai-je, énervé. Illusion du monde et des sens... Bah !

— T'y es pas du tout, l'étudiant ! J'me fiche pas mal de savoir si on vit d'illusions ou pas. J'te répète, c'est pas mon problème. J'te dis que le monde de l'enfant est aussi réel que celui des adultes ! Par exemple, le catéchisme enseigne l'angiologie : les anges aident les humains, les archanges les défendent, les chérubins leur interdisent le jardin d'Éden, les séraphins introduisent certains d'entre eux auprès de Dieu alors que les cohortes déchues de Lucifer tourmentent les damnés. Parfait ! Alors, qu'est-ce que l'enfer, le purgatoire, les limbes ou le paradis ? Des mondes parallèles ? Pourquoi pas, après tout, puisque Jésus a dit : *Il y a plusieurs maisons dans le royaume de mon Père. Mon royaume n'est pas de ce monde.* Imaginaire enfantin, légendes antiques, *vérités* de la religion, quelle différence ? Des êtres divins pour les uns, de simples extraterrestres pour les autres — excuse moi du peu — auraient enseigné aux hommes l'art de la guerre, l'agriculture, la musique. De leurs souvenirs seraient nées les grandes religions. Vois encore les interventions des dieux dans les amours de Paris et de la belle Hélène. Par chance, il arrive encore qu'un fou génial prenne ses désirs pour la réalité. Et Schliemann, certain qu'Homère racontait pas que des conneries, redécouvre Troie au milieu des sarcasmes des archéologues orthodoxes.

Hélas ! Les adultes construisent un monde de cauchemar. Les rêves sont peut-être notre réalité mais la réalité acquise s'acharne à détruire le rêve. Alors, rêve ou pas, l'actualité supplante le merveilleux par l'apprentissage scolaire, social et religieux. Qu'on abatte LA Religion, il en naîtra une autre... et encore plus intégriste, celle-là. Les enfants n'ont plus le droit de croire au Père Noël, sauf si la cérémonie justifie une nécessité commerciale. Dupé le mioche ? Que non ! puisqu'il entretient dans son subconscient la graine qui germera, dans le meilleur des cas, au premier signe de pensée autonome, au pire quand l'humaine réalité lui sera devenue trop insupportable. Question d'aiguillage en somme. S'agit d'envoyer le train sur la bonne voie ! Et pour ça, on a des livres. T'en veux ? En v'la !

D'abord, je te conseille un premier descriptif avec Baird T. Sparding (*La vie des maîtres*), ou encore une formulation romancée de l'accession à la maîtrise avec Philos (*J'ai vécu sur deux planètes*). Tout un programme ! Ensuite, tu côtoieras utilement les *Grands initiés* d'Édouard Schuré. Saint Yves d'Alveydre te révélera *La mission de l'Inde.* Puis tu visiteras en catimini *Les maisons secrètes de la Rose-Croix* avec Raymond Bernard avant de t'initier à la connaissance extraterrestre avec *Le livre de la vérité* de Raël. Ben, voyons !

À ce moment, tu t'demanderas avec Sarrazin si t'es ou non un Atlante (*Êtes-vous atlante ?*), histoire de contacter une race supérieure. Si tu réponds dans le bon sens, tu pourras entrer dans une société secrète et t'engager sur la voie de la maîtrise. Sinon, va directement en prison sans passer par la case départ !

Dans le style grand spectacle, accorde-toi une bouffée de rigolade avec *Le phénomène d'Uri Geller.* La récréation terminée, tu t'initieras aux *Techniques de visualisation créatrice* de Shakti Gawain, à la réalisation de l'esprit avec le prolixe Rampa. Enfin, t'accéderas à l'au-delà grâce au *Livre des esprits* de Kardec ou au *Récit d'un voyageur de l'astral* de Maurois-Givaudan.

J'ajoute en vrac les grimoires, les opuscules tirés à compte d'auteurs, les feuillets ronéotypés ou les grosses briques régulièrement imprimées à grand renfort de publicité — les études de marché ont bien préparé le terrain — sur Nostradamus, Nicolas Flamel, Saint-Germain, Cagliostro... et j'en passe.

J'évoquerai enfin les ouvrages disons... révélés : *Bible, Coran, Védas, Sepher Yetzira, Sepher Ha-Zohar, Bahir* et autres manuscrits sur la Gnose, l'Hermétisme, l'Alchimie, le Vaudou, la Magie, les Talismans et la Sorcellerie. J'inclurai également pour n'oublier personne, les études sur le développement du subconscient, de la mémoire, les exposés de trucs et de recettes pour réussir dans la vie, cesser de fumer, obtenir une super mémoire ou faire monter la Kundalini à 500 balles la séance. Je clos le débat avec les tonnes de papier usé et parfois recyclé pour dénicher le fin-fond de vérité dans les sciences humaines, physiques et mathématiques et élucider le mystère de la vie et de l'immortalité... en dépeuplant nos forêts au passage. *Ô vanitas vanitatum !*

J'arrête ici l'énumération, sans préjuger de la valeur ni du contenu ni du contenant... encore que l'un ne vaut que par l'autre. Il y a du bon rarement, du moyen parfois, du médiocre souvent. Quant au pire, il est toujours à venir. *Mais le meilleur est toujours caché dans la forêt multiple.*»

Julien s'arrêta et leva les yeux pour fixer un point lointain au-dessus de mon épaule.

«Je me rappelle... j'étais plus jeune, on se demandait comme ça, avec des copains, si on n'avait pas trouvé son Maître. On répondait aux publicités qui t'proposaient de faire apparaître ton guide ou de t'donner des trucs pour l'identifier... comme s'il était pas assez grand garçon pour se manifester lui-même. On achetait des statuettes de déesses indiennes, des gris-gris magnétiques, des bagues du bonheur... À hurler ! Le rêve jaillit à chaque coin de vie d'adulte : c'est le désir secret, plus ou moins fantasmé, de rencontrer LE Maître. Mots de passe et confidences d'alcôve, rituels d'admission du néophyte, grande initiation dans le royaume du paraître ! On visualise les cérémonies dans une crypte, des cagoules et des tabliers, des signes à en perdre le sens commun, et l'apothéose dans la remise ultraconfidentielle des secrets de la Grande Pyramide. Ça vaut bien un film de série B pour mettre en scène la soif de pouvoir, le sacerdoce altruiste... ou simplement pour se sortir de la routine. Mais quel que soit le clinquant du spectacle, la question sera toujours la même : pourquoi la vie et la mort ? Traduire : SAVOIR !

Alors, à défaut de certitude, on s'arrache les livres de mortels privilégiés qui, eux, SAVENT ou qui ont eu soi-disant la chance de RENCONTRER quelqu'un de vraiment... vraiment fort. Pourquoi eux et pas nous ? Y a-t'il vraiment si peu d'élus ? En attendant, authentiques ou pas, les bouquins nous font faire notre cinéma. Ça devient un jeu de rôle. T'es le héros ! Ça dure le temps du livre, juste assez pour réaliser à la fin que t'es un zéro fini quand le patron, le flic, le percepteur ou le mauvais temps se rappellent à ton bon souvenir. C'est rien que le passé qui remonte, le reste de vieux espoirs quand tu croyais encore au Père Noël. Et pourtant... T'aimerais tellement y croire encore, au Père Noël, pas vrai ?»

Son front se plissa d'une ride de lassitude.

«Personne n'échappe à son sort. Seule la forme change. La solitude est pénible mais la supporter est essentiel à la fonction d'être une grande personne. Le moule social imprime ses rituels et fixe ses conventions dans les automatismes inconscients, à l'école, en famille, dans la hiérarchie du pouvoir ou au travail. T'échappes à rien, à aucune des engeances de la vie terrestre. Tu t'crois original, sinon tu t'flinguerais. Tu continues dans l'espoir de construire quelque chose avant que l'ouragan pulvérise ton château de sable. Ça s'appelle vivre, grandir, faire des études, faire son boulot, prendre le train... rencontrer un clodo qui dégoise sa solitude... C'est vrai, j'ai choisi la solitude des hommes, mais pas celle de l'esprit. Vagabond sans doute, j'découvre le monde avec mes vrais *Amis*. Et tu sais la meilleure ? Je ne manque de rien; *on* pourvoit à mes besoins.»

Il se pencha vers la table et, d'une main, empauma son paquet de cigarettes tandis que de l'autre il déposait la monnaie des consommations.

«Ça va être l'heure, l'étudiant ! *On t'attend de l'autre côté du pont. Fais pas attendre ton Monde.*»

Il se leva et, pour la première fois, je perçus de la peine dans ses yeux, ou alors la fatigue qui commençait à voûter ses épaules. Il renifla, contourna la table et s'en alla en marmonnant :

«Au moins, on pourra pas dire que j'ai pas essayé...»

Sur le coup, je n'ai rien compris. J'ai baillé. Il était maintenant — un coup d'œil à l'horloge — huit heures moins le quart. Faire attendre mon monde ! Il était encore tôt, j'allais réveiller la famille. Je ramassai mes affaires et sortis dans l'aube d'hiver qui pointait au-dessus des toits, au-delà de la Seine. Le ciel était plomb-sombre et lâchait quelques gouttes d'avertissement. J'ai marché tranquillement, traversé le pont et je suis rentré chez moi. Comme de juste, personne n'était levé. Après les salutations maussades, je suis allé à la cuisine et, recru de fatigue, j'ai trempé les lèvres dans un reste de café réchauffé. Moi aussi, on ne peut pas dire que je n'avais pas essayé. Mais qu'est-ce que Julien voulait dire, au fond ? Il n'avait pas précisé de quel monde il parlait ni quel pont je devais vraiment traverser.

C'était en 1972. Depuis, je l'ai rencontré, *mon Monde*.

Je l'avais fait attendre. C'est tout simple. Quand arrive enfin ce qu'on désire de toutes ses forces, on n'y croit pas. Pire, on le refuse. Alors, au début, je n'ai pas voulu le reconnaître. La Connaissance, oui, mais sans obligation, sans ordre ni directive. Personne n'allait me dire quoi faire, où aller. Question de principes et vive la liberté ! Ego ! Bien sûr, *Il* me parlait, *mon Monde*, mais je ne voulais pas entendre. Il ne m'imposait rien mais il me dérangeait. Il m'indiquait le bon côté, j'allais voir l'autre et prenais un malin plaisir à contester ce qu'il me laissait entrevoir.

J'ai joué au con, j'ai cherché l'improbable, j'y suis entré mais j'ai refusé de boire au calice, l'orgueil m'a brisé. Je me suis retrouvé seul. Ma femme m'a quitté. Plus de famille, mes amis à l'autre bout du monde... plus personne ! Du moins le croyais-je, car dans mon désespoir, je dus reconnaître que *mon Monde* était toujours là. Comme une planète Terre dans un grand film de science-fiction, comme une flamme de bougie, comme un tableau sublime, comme une symphonie... Je ne savais pas comment l'appeler, *ce Monde-là*, qui vibrait, oscillait au fond de la poitrine... Il attendait son heure. Encore plus enfant que moi, Il savait m'émerveiller : le parfum d'une fleur, un coucher de soleil, un sourire, un simple soupir cachaient les plus grandes richesses. Mais j'en étais encore à la mièvrerie de la poésie en conserve. En vérité, Il ne m'offrait rien que je ne réclamais. Et moi qui croyais réclamer beaucoup !

Mon Monde à moi ! Je le cherchais depuis si longtemps ! Toutes mes lectures avaient préparé notre rencontre. Mais la lecture et la raison n'ont pas suffi, car lorsqu'il s'est présenté à moi pour la première fois à Bruxelles, je ne l'ai pas reconnu. Je n'arrivais pas à le dessiner, à lui supposer un visage ou une couleur. De l'idée de *Monde* à celui d'Univers, le pas est celui de l'infini. On peut s'y perdre. Je devais revenir à des dimensions plus... humaines.

Donc, j'ai lâché prise. Advienne que pourra ! Il est toujours temps d'apprendre à nager, même quand on perd pied. Le seul risque, c'était, de mourir idiot.

Alors, Il a pris forme.

J'aurais pu l'appeler *Maître*; Il aurait fui en disant :

«Je ne suis pas un objet de vénération. *Je suis ce que tu seras quand tu seras toi.* Seul atteint la maîtrise celui qui s'est réalisé par-delà la vie et la mort. Dans le Monde de la matière, tout se transforme indéfiniment. Tant que je t'accompagnerai, je subirai les mêmes lois d'évolution que toi.»

J'aurais pu l'appeler *Sagesse*; je l'aurais vexé. Le sage ne peut plus évoluer puisqu'il sait tout. Il n'a donc rien à faire ici-bas.

J'aurais pu l'appeler *Guide*; je l'aurais perdu. Pourquoi m'aurait-il imposé une direction puisque tous les chemins mènent à Rome ? *Le vrai chemin est toujours le sien propre.*

Ni Sage, ni Maître, ni Guide, je l'ai imaginé *Veilleur*. Le mot sied bien : l'enfant qui sommeille en moi, ma réalité profonde, est, selon les Hébreux, une Âme qui veille comme une chandelle dans la demeure intérieure pour que la divinité qui l'habite, voit clair en elle. Comme cet *Être lumineux* me permettait de voir clair en moi et, afin de couper court à toute exploitation d'un qualificatif inapproprié, je l'ai simplement appelé LUMIÈRE.

* *
*

2

LE MAÎTRE... ET LES AUTRES

C'était une de ces journées où la force des événements vous oblige à rester avec vous-même. Une solitude. Un silence pesant. Dehors, les gens couraient après je ne sais quelle chimère... et moi, le poids de la claustration sur les épaules, je n'avais pas la force de me lever. Après avoir dépassé matines, mon corps las m'avait traîné sur le tapis de ma chambre. Affalé au milieu des livres qui traînaient avec les restes d'un désœuvrement de divorcé, j'avais machinalement porté mon regard sur les pages encore ouvertes du livre de Gilbert Picard, *L'enfer des sectes*, qui avait accompagné mon insomnie avant que mon cerveau ne se décide à fermer le disjoncteur.

Picard décrivait les méthodes de manipulation et d'endoctrinement employées par les sectes et les gourous. Je m'étais endormi sur l'amertume de la bêtise humaine. La technologie moderne et la science n'y peuvent mais ! On persiste à cultiver les angoisses du Moyen Âge. L'impuissance devant ce constat délabrant taquinait mon amour-propre. Comment pouvait-on élever à ce point des individus doués d'un art consommé pour faire prendre des vessies pour des lanternes ? Étais-je moi-même à l'abri d'un tel piège ? C'était sur cette subtile interrogation que le vide avait soudain fait son nid et m'avait emporté en un tournemain dans le sommeil.

Mais maintenant que j'étais assez bien réveillé, je regardais le bouquin avec le goût de l'absurde qui me dépassait, un absurde d'autant plus insondable que seul, sans compagne ni amis présents — l'ami Jacques avait cru décider de sa vie en retournant au Québec —, hormis de vagues connaissances plus ou moins professionnelles, je m'enfonçais dans le vague à l'âme morose du questionnement permanent.

«Ho ! Kris ! tes questions reflètent-elles toujours ton impuissance à grandir à toi ?» m'interrompit *Lumière*.

Il arrivait toujours sans prévenir et ne tricotait pas dans la dentelle avec les sentiments. Traduire :

«Au lieu d'analyser les problèmes des autres pour justifier une interrogation stérile, prends-toi en charge. Sauve-toi avant de sauver les autres. Charité bien ordonnée commence par soi-même.»

Il triturait à plaisir la lame dans la plaie et ravivait la sanie, là, tout au fond de la blessure. Je pouvais me rhabiller avec mes justifications. Le pacte était clair. Il m'avait dit :

«Parmi ceux qui avancent sur le chemin de la Connaissance, les uns sont *en recherche*, les autres sont... disons *en démarche*. Les premiers n'ont pas trouvé, par définition, savent-ils d'ailleurs ce qu'ils cherchent ? Ils accumulent un fatras d'opinions ou d'idéologies absconses concoctées dans des chapelles, des cénacles, des partis ou des écoles de pensée, courent conférences et séminaires, butinent les livres et les revues spécialisées, enfin dégorgent ce gargouillis au bénéfice de l'Homme providence qui leur a montré la voie et la joie de tout donner pour LE Maître. Maître à penser es philosophies ou es politiques, de Platon à Karl Marx, la mystique de la domination par le savoir enchaîne le *client* à son rôle de faire-valoir ou, plus prosaïquement, de chair à canon. Pauvres otages ! Plus ils en savent, plus ils se croient en sécurité; mais incapables de formuler la moindre opinion autonome, il leur suffit d'accumuler le seul savoir qui abonde dans leur sens pour être sauvés sans effort. Ces ombres égarées craignent la lumière qui dévoilerait leur ignorance.»

Il se tut un instant, puis cassa le court silence d'un éclat inquisiteur.

«Crois-tu en Dieu ?»

À peine le temps de soupirer l'amorce d'un raisonnement :

«Mon Père, je ne sais pas. Ma Mère, oui ! Moi... ?»

L'expression de *Lumière* me transperça tandis que je terminais :

«J'aimerais en être sûr...

— Alors, tu es de ceux qui ont entrepris une *démarche personnelle* pour devenir Maître d'eux-mêmes et ne dépendre de personne. La vie est trop courte pour batifoler dans les ornières des chemins parallèles, mais encore assez longue pour atteindre le bout de l'horizon.»

Il enchaîna :

«Ceux-là trouvent toujours une *Lumière* sur leur chemin, car ils mettent en action les énergies nécessaires pour édifier leur demeure intérieure. *Aide-toi et le ciel t'aidera,* dit le proverbe. Mais c'est à toi de gravir les premières marches. Le ciel fera bien les suivantes. Tu n'as pas besoin de Maître pour atteindre le sommet de ta vérité. Suivre un Maître, c'est épouser sa forme-pensée, c'est penser comme lui. Si lui-même maîtrise sa propre pensée, tu seras son esclave.

Tu dois d'abord chercher les moyens de penser par toi-même et entamer ta propre quête. À toi de trouver comment la vivre. À ta mort, tu seras seul pour franchir le seuil. Personne ne t'aidera. C'est aujourd'hui et non demain que tu dois l'apprendre. On meurt comme on vit, on vit comme on meurt ! Écoute le Christ sur la croix : *Mon Père, pourquoi m'as-tu abandonné ?* Tout fils de Dieu qu'il était, il devait suivre la Loi. Autant pour toi !

Souviens-toi de ton premier jour d'école. "C'est quoi, l'école ?" avais-tu demandé. Ta Mère a répondu qu'à l'école, tu continuerais à faire, par exemple, de la peinture, du bricolage, des rondes... Tu as donc imaginé que l'école prolongerait tes jeux. Le jour de la rentrée, des enfants pleuraient et s'accrochaient à leurs parents pour qu'ils les ramènent à la maison. D'autres gardaient leur calme, sans doute étonnés que cet instant tant annoncé fût si vite arrivé. Mais ils se sentaient en pays de connaissance et prêts à entrer dans l'antichambre du monde adulte.

À la mort, le schéma est identique. Les uns, après avoir vécu de rêves et d'illusions et cru aux promesses d'une survie hypothétique au milieu des flonflons de la fanfare céleste, découvrent une réalité bien éloignée de leurs croyances. En proie à une panique infantile, ils s'accrochent désespérément à la matière, au vide de leur propre néant. Les autres ont cherché durant leur vie à vérifier leur destination par le voyage astral permettant d'appréhender le passage du seuil vers la rédemption et l'Amour, véritables passeports pour l'au-delà. Ils se retrouvent en terrain connu et vivent cette expérience unique avec la lucidité du Connaissant. Ce n'est pas à ta mort qu'il te faudra apprendre ça. C'est maintenant ou jamais. D'ailleurs, rien ne t'interdit de visiter l'école avant d'y aller.

— Maintenant ou *jamais* ? m'exclamai-je.

— Oui, car en tant que toi, avec ce corps comme véhicule et cette conscience humaine qui te singularise, tu n'auras jamais une autre chance. La réincarnation ? Allons ! Ton Âme s'incarnera dans un autre corps qui aura un autre cerveau et donc une autre conscience. Ce ne sera plus jamais toi. La seule vie pour te sortir de la mort, c'est celle que tu vis maintenant. Après, il sera trop tard ! N'anticipons pas. Je t'offre les outils pour t'édifier toi-même, mais à aucun moment, je ne t'informerai de ce sur quoi tu ne te questionnes pas.

— Comment ? À quoi sers-tu donc ?

— Je ne serai que la conscience de ta révélation, la *lumière* illuminant ta certitude. Je verbaliserai les éléments de ta recherche. Tu sais que la mémoire d'un ordinateur contient des dossiers secrets dont l'usager ignore souvent l'existence, à moins d'être un informaticien confirmé. L'amateur n'a pas accès à cette mémoire. De la même façon, si je te révélais les dossiers secrets de ta conscience alors que tu n'as pas suivi le cours approprié, je pourrais te détruire. Mais si tu les découvres toi-même, je t'apprendrai à les lire parce que ton désir te permettra de les comprendre. Les écoles de mystères de l'ancienne Égypte imposaient des épreuves aux postulants non pour les sélectionner mais pour mesurer leur capacité à supporter le poids de la Connaissance. Ton Père aurait tant voulu t'offrir son savoir afin que tu voies plus loin que lui. Qu'as-tu fait ? Tu l'as proprement envoyé promener. Les parents ne peuvent donner à leurs enfants que ce qu'ils réclament et non ce que les parents attendent d'eux.

— Je ne m'opposais pas à ce que m'offrait mon Père mais à la manière dont il me le donnait. Et pour le peu que j'en ai connu... il est mort avant que j'ai l'âge de comprendre.

— Pas de faux-fuyant ! Sa manière se conformait à sa propre maturité et à une expérience que tu n'avais pas. Le fait même de juger son comportement revient, au-delà des ans, à imposer ton propre désir de savoir. Je te renvoie à tes souvenirs de collège, en mai 1968. Le principal vous demandait d'arrêter la grève, sous prétexte qu'il faisait tout pour améliorer la situation. Dans une envolée pleine de flamme, d'impudence et aussi de candeur, tu lui as répondu : "Ce n'est pas parce que vous exposez votre incompétence qu'à notre tour nous ne pourrions pas faire mieux que vous. Vous ne pouvez même plus justifier votre échec. Vous n'avez plus la parole." Et autant pour le respect dû à l'expérience des aînés !

— La belle affaire ! Quel respect pour les aînés ? Tu prétends qu'il ne faut dépendre de personne. C'est ce que j'ai fait, non ? Comme tous les jeunes de mon âge. Alors, ni Dieu, ni Maître, ni Prof...

— Comme tous les jeunes de ton âge, de tous les temps et de toutes les latitudes, en effet ! Comportement idéal, à la condition de ne pas t'enticher d'un faux Maître, sous prétexte qu'on ne reconnaît plus celui que le hasard ou la nécessité t'a donné, parent ou enseignant. Tu confirmes ce que je dis : un père aimant donne ce que l'enfant réclame et non ce que lui-même croit nécessaire.

— Tu parles comme ma Mère : *Dieu ne met jamais plus lourd sur les épaules d'un enfant qu'il ne peut en supporter.*

— Dieu donne en fonction de la volonté que nous mettons à obtenir quelque chose, surtout s'il s'agit de la Connaissance. Je n'irai donc pas au-delà de ce que tu réclames pour t'aider à grandir harmonieusement. Tu as voulu être toi-même et naître à toi. L'accouchement est douloureux, car pour devenir éternellement toi, tu devras vivre la mort de ce que tu as été. Tu éprouveras des regrets. Mais tant que tu iras sincèrement au plus profond de toi-même, je te seconderai et, au besoin, te réconforterai avec amour et patience. Mais n'attends de moi ni compassion ni pitié. La pitié marque les rapports de supérieur à inférieur et non les relations d'égal à égal. Je ne flatterai jamais ta sensiblerie comme un gourou. Mais si tu cherches un ami qui te ressemble et marche avec toi vers ta *Lumière*, je serai celui-là. Tu découvriras que la réalité est moins édulcorée que tu ne crois. Elle est sans haine et sans amour, hors de toute illusion ou sentiment. Elle n'en est que plus merveilleuse car toute simple. Es-tu d'accord ?

— Oui, je le veux !

— Alors, à partir de cet instant, ce que tu veux, nous le voulons et rien de ce que nous n'avons point voulu ne pourra t'arriver.

— Cela signifie que tu seras toujours près de moi ?

— Allons Kris ! Je me répète : tes questions reflètent toujours ton impuissance à grandir à toi.»

Lumière avait attendu patiemment que se termine ma souvenance pour me ramener à l'objet de sa présence d'aujourd'hui.

«Qu'est-ce qui incite les chercheurs à s'exposer naïvement aux griffes des exploiteurs ? Chacun aspire à la reconnaissance sociale et matérielle, dans le milieu professionnel ou familial. Notre système social est basé sur la consommation qui crée des besoins contradictoires et souvent artificiels. Certaines gens sont mieux pourvus que d'autres. C'est normal, quoique pas toujours inéluctable. Très tôt confiné dans une logique de besoin-demande-récompense, l'enfant subit, ici la surprotection de parents-gâteaux, là le laisser-aller d'un système éducatif qui prône la liberté sans limite. C'est oublier que la liberté s'apprend par son contraire et que l'apprentissage passe par la prise en charge personnelle. À terme, l'adolescent n'a plus de références contestables, plus d'initiation sociale, plus de rituels imposés. Le cadre explose, soit parce qu'il est trop prégnant, soit parce qu'il est trop lâche. Untel ne pourra traverser la rue sans l'aide d'un policier, tel autre projettera ses angoisses sur le flic chargé de maintenir un ordre passablement effiloché. Révolté ou soumis, l'adolescent qui n'est pas encore vraiment adulte, ne sait pas penser par lui-même. Il se marie ou dénonce le mariage dans un concubinage officialisé devant les autorités fiscales — s'il vous plaît —, fabrique ses enfants ou refuse la procréation au nom de la liberté du corps, découvre un boulot sans illusion ou pointe à l'assurance-chômage — privilège du droit acquis et de l'État providence — en attendant le versement mensuel des allocations vieillesse... si ses enfants auxquels il aura évité le casse-pipes militaire peuvent encore se permettre de cotiser pour lui. Chemin faisant, une poussière grippe la mécanique : perte d'emploi, accident, maladie, décès... Celui-ci, plus proche de la plante famélique que du roseau pensant, rejoint la masse sans se questionner davantage. Celui-là, plus rare, s'interroge sur sa vraie nature et constate que le monde ne lui fournit aucune réponse. "Ah ! C'est bien le moment de se poser des questions", rétorque l'entourage, en apparence mieux adapté au système. Rejeté, incompris, notre bonhomme fuira dans une marginalité de circonstance, en espérant y trouver les réponses que l'actualité lui refuse.

— En d'autres termes, ceux qui s'adonnent à l'ésotérisme sont tous des *paumés* ?

— En quelque sorte ! Chacun développe des exutoires nécessaires. Le danger, c'est l'exutoire permanent dans la fuite du réel.

— La réalité dans laquelle je vis est illusoire, soit ! Mais le jardin de l'irrationnel est aussi artificiel. Le va-et-vient entre deux illusions confine à l'absurde.

— Ce paradoxe est faux, comme tout paradoxe. La matière existe en soi. C'est un plan de transition pour l'élévation de l'être. Le problème n'est pas la matière mais son usage. Que valent les fondations si l'édifice est discutable ? Et vice-versa ! Il y a loin de la matière et du désir de la transformer, au risque de ne vivre que de fantasmes. Mais qui s'en rend compte ? Le malheureux vit l'ambiguïté avec un sentiment d'incompréhension. Et voilà qu'un jour, quelqu'un lui dit : "Tu es normal. Ce sont les autres qui sont malades. Moi, je te comprends, je peux même parler ton langage." Ainsi reconnu pour ce qu'il croit être, lui qui a refoulé ses émotions dans une solitude pesante et qui a tant besoin de chaleur, transpose son besoin d'amour sur le Maître. Désormais, tout ce qu'il dira sera parole d'évangile.

— C'est sans issue, alors...

— Non, puisque c'est un paradoxe ! Matière et raison objective sont trop fortement liées dans l'expression de notre culture occidentale où la raison se cantonne à la logique cartésienne. Question : La raison est-elle toujours logique ? Par rapport à quelle logique ? Les mathématiciens en auraient long à dire là-dessus. La philosophie zen n'est pas rationnelle, au sens occidental du terme. Est-elle irrationnelle ? Le sens commun nourri par l'objectivité *scientiste* — et non scientifique — réfute l'irrationnel. Et la spiritualité ? Faut-il la rationaliser ? Question purement rhétorique ! Alors, posons comme principe que le spiritualiste est également un scientifique honnête : tous deux adoptent *une attitude de recherche utilisant toutes les techniques du raisonnement inductif et déductif et n'écartant a priori aucune explication dans quelque système de logique que ce soit.* On ne peut plus être concret.

Je m'explique. Il ne s'agit pas de butiner le sujet comme une abeille, mais de bien assimiler l'essence de l'Univers, c'est-à-dire sa réalité profonde, sa nature intime, ses fondements... Notre position s'inspirera d'un double postulat induisant deux démarches complémentaires :

- La compréhension intime du Divin s'appuie sur la matière.

- La compréhension intime de la matière s'appuie sur l'Esprit.
- L'équilibre des deux démarches explique la vie.

Mais la spiritualité demeure la vraie réalité lorsqu'elle est confrontée à sa propre essence. Par exemple, peux-tu par la raison cartésienne, comprendre l'Amour et l'Âme ? Ni l'Âme ni l'Amour ne se mettent en équation et pourtant, ils constituent la réalité profonde de toute existence.

— D'accord ! Mais qu'est-ce que ça changera à ma vie puisque ni l'Âme ni l'Amour ne sont accessibles à la raison ? Qu'ils existent ou pas, je suis toujours dans un rêve puisque je ne peux pas les comprendre par la raison. Ce cercle vicieux justifie autant le matérialisme que la recherche d'un Maître. C'est l'absurdité d'Adam dans le jardin d'Éden. Immortel mais esclave de Dieu, il doit garder le jardin sans en avoir conscience. Le paradis appartient-il aux innocents ? Chassé du paradis, il devient libre et acquiert le savoir, mais au prix de la mort ! Tu parles d'un dilemme !

— Pour sortir d'un cercle vicieux, il suffit de tout reprendre sur une autre base. La raison issue de la Matière ne peut certes pas comprendre l'Amour et l'Âme. Elle peut néanmoins les appréhender si elle ne se cantonne pas dans une réflexion à trois dimensions spécifique à la matière. Autrement dit, il lui suffit d'adjoindre la quatrième dimension, la spiritualité. Alors, tout devient possible pour celui qui veut.

— Je le veux puisque j'ai décidé d'entreprendre *une démarche personnelle*. Comment m'y prendre ?

— Mets d'abord de côté tout ce que tu sais pour naître à toi dans une pensée différente. L'essentiel de ton savoir te prédispose à cette rupture avec toi-même en vue d'acquérir la *Lumière intérieure*. Il repose sur des croyances qui comblent l'incertitude de l'existence adulte. Foi et croyance sont synonymes d'adhésion à un dogme non contestable. L'acte de foi ne repose sur aucune démonstration. La foi incite au martyre et ouvre la voie à l'agression du fanatique qui refuse de reconnaître que sa raison de vivre s'enlise dans un marécage.

— Tout cela me paraît bien compliqué.

— Il en est toujours ainsi lorsqu'on se trouve confronté à ses propres contradictions. Tu m'as dit en hésitant que tu croyais en Dieu. L'as-tu rencontré ?

— Bien sûr que non ! Mais...

— Pourtant, tu es à son image ! Tu crois aussi en l'Âme ? Qu'est-ce que l'Âme ?

— ...

— Un petit effort !

— L'Âme ? Une étincelle divine, mon souffle de vie, mon identité. C'est mon MOI profond, ma Lumière intérieure...

— Ton étincelle divine ! Sans doute ! Mais qu'est-ce que le divin ? Ton souffle de vie ? S'agit-il du Principe vital propre à la Matière ? Une plante, une anguille, la planète Terre elle-même, animées par le Principe de vie, ont-elles une Âme de type humain ? Ton MOI profond ? Profond ou non, le MOI est une donnée psychologique liée à la biochimie cérébrale. Le corps humain serait-il le Dieu de la Matière ? Ta Lumière intérieure alors ? La lumière résulte toujours d'une fusion de deux opposés. Ne serait-ce pas plutôt l'État christique qui correspond justement à la fusion de l'Âme avec ta conscience d'être toi et pas un autre ?

J'ai perçu une forte émotion dans tes paroles. On ressent en effet plus l'Âme en fonction de son propre vécu qu'on ne parvient à la conceptualiser clairement. Or, quiconque croit en l'Âme désire, consciemment ou non, évoluer spirituellement. Mais il existe autant d'approches que d'individus, sur un sujet qui paraît pour le moins flou et incertain. La cacophonie qui s'ensuit explique pourquoi chaque religion est persuadée de sa vérité, au point de vouloir l'imposer à tous. Alors, dilemme ! Comment faire de la spiritualité sans connaître la nature de l'Âme ? Allons plus loin ! *À supposer* que l'Âme soit une étincelle divine incarnée sur terre, dis-moi ce qu'elle vient y faire.

— Évoluer, apprendre ! C'est pourquoi elle a choisi mon corps et qu'elle aura besoin de plusieurs corps et...

— Holà ! Cette logorrhée assène des certitudes sur un concept dont nous venons à juste titre de mettre en évidence le caractère singulièrement mouvant de la définition. Les mots ont la valeur qu'on leur donne. Il faudrait donc définir l'Âme, Dieu, la Matière, etc... Ce n'est ni le lieu ni le moment, et c'est pour clore momentanément le débat que j'ai dit : *à supposer que l'Âme soit une étincelle divine*. Tu dois auparavant aller au bout de tes pensées pour découvrir la valeur de tes propres conceptions.

Contentons-nous pour l'instant de l'acception populaire du mot *Dieu*. Si l'Âme vient de Dieu et que Dieu est parfait (sinon ce ne serait pas Dieu), il faut convenir qu'une parcelle de lui-même possède les caractéristiques parfaites de Dieu. Si Dieu est Absolu, une parcelle de cet Absolu est aussi absolue que Dieu. Retirer une parcelle de l'infini ne diminue pas Dieu infini, sinon Il ne serait plus Dieu parfait. Si Dieu est Connaissance absolue, une parcelle de Lui détient la Connaissance absolue. Si donc l'Âme est parfaite, pourquoi s'incarne-t'elle ? Pour apprendre quoi ? La perfection ? Elle est parfaite en soi ! La perfection ne serait pas à atteindre mais plutôt à conserver. La Connaissance ne serait pas à découvrir puisque chacun la détient. Il s'agirait plutôt d'y avoir accès pour y puiser à volonté. Je te repose la question : que vient faire l'Âme sur terre ? Évoluer ? Apprendre quoi ?

— Que sais-je, moi ? La kabbale, la vie, la médecine, se transformer...

— La kabbale, la médecine et toutes les sciences humaines ne sont qu'un produit du cerveau humain. Or, le cerveau est le premier organe à mourir. Adieu belles sciences qui retournez à la poussière d'où vous avez été tirées ! Tu ne les emporteras pas au paradis. Or, insidieusement, tu réactualises en les justifiant malgré toi, les fondements des distinctions sociales et à l'extrême du racisme. Notre Savoir est l'aboutissement de plusieurs siècles de progrès auquel ont contribué des milliards d'individus. En tant que précurseurs, ils n'y ont pas accès, et pour cause, puisqu'ils sont morts avant. Aurions-nous donc, seuls, le droit d'entrer au paradis sur le seul critère de l'accumulation du savoir ? À ce titre, tes descendants seront mieux placés que toi.

La réincarnation comme un moyen d'apprendre ? D'apprendre quoi ? Laissons pour l'instant la question sans réponse. Admettons cependant que plusieurs vies seraient nécessaires pour atteindre les sommets du savoir humain. Quand cela finira-t'il ? Dans dix, vingt, cent, mille vies ? Si le temps est sans fin, il n'y aura jamais de terme et personne ne se retrouvera *à la droite du Père*. Or, le Monde de la Matière est en perpétuelle mutation. Si tout cela se termine, le savoir accumulé ne sera jamais le Savoir parfait, car la sagesse de chacun n'égalera jamais la Sagesse divine. Réintégrer Dieu Lui apporterait la révélation d'une sagesse humaine imparfaite. Dieu parfait deviendrait imparfait et, par la force des choses... passées, mourrait. Si le savoir humain est la voie obligée vers Dieu, seuls seraient sauvés les savants. Le paysan est donc condamné... moi qui croyais qu'il avait plus de chance que le plus grand des kabbalistes, lui dont la culture de la terre côtoie le bon sens naturel ! Le Savoir comme privilège de classe s'oppose à l'égalité devant Dieu. C'est l'impasse. Il faut chercher ailleurs.

— *Lumière*, ton raisonnement contredit l'opinion générale. Tu ne peux avoir raison à toi tout seul.

— Non Kris ! Tu dois impérativement te détourner de tout ce que tu as appris si tu désires vraiment atteindre à la vraie Connaissance. Convenons donc que tu n'accepteras de ma part jamais rien que tu n'aies toi-même vérifié ou qui ne soit cohérent. Si tes idées s'emmêlent, tu n'auras pas perdu ton temps, car désormais, tu ne croiras plus qu'en toi.

Je t'expose la Connaissance permanente que d'autres ont toujours enseignée avant moi. Cette Connaissance est immuable, quelle que soit son expression. Tu as évoqué la transmigration de l'Âme. Je ne réfute pas la réincarnation en tant que telle mais je conteste le sens qui lui est donné. Pourquoi faudrait-il plusieurs vies pour atteindre Dieu ? Jésus lui-même a dit qu'une seule vie suffisait. Il a bien dit au bon larron que le soir même, il serait avec lui dans le royaume des Cieux et non qu'il aurait besoin de plusieurs autres vies pour s'en sortir.

Arrêtons pour aujourd'hui et médite. Fais table rase de l'acquis, car on ne peut remplir une coupe pleine. Vide ta coupe, lave sa lie, vendange le raisin de tes méditations et bois-en le vin sans le couper de cépages étrangers. Il te donnera l'ivresse de la vraie Connaissance : la tienne.

— Permets-moi une dernière question.

— Tout enfant passe par une phase de pourquoi. Tu trouveras ta *lumière* quand tu ne chercheras plus à me questionner. Retiens bien ceci : *Un jour nous nous retrouverons pour constater que nous n'avons plus rien à nous dire.* Quelle est ta question ?

— Message reçu... quoique je ne sache toujours pas qui est Dieu. Mais en ce qui concerne l'Âme, j'ai l'intime conviction de sa réalité. J'admets même sa nature divine. Si elle est parfaite, si elle ne peut évoluer, pourquoi s'incarne-t'elle ? Quel est le but des réincarnations si elles ne sont pas la conséquence de l'évolution ?

— Une question ? J'en vois deux qui nécessiteraient un long développement. Ton ignorance et celle de tes semblables persisteront tant que tu ne comprendras pas le pourquoi de l'être humain dans l'Univers. Alors, je te dirai ceci :

> *L'Âme s'incarne pour prendre conscience d'elle-même. Cela ne nécessite pas plusieurs vies. Une seule suffit. La réincarnation est une erreur, une remise à zéro, une nouvelle promesse d'amour avec la vie.* Médite ces paroles, elles contiennent la clef du mystère humain.»

* *
*

3

L'ILLUSION DU RÉEL

Par une chaude nuit d'été, allongé sur l'herbe de la campagne irlandaise dans les environs de Newcombe, à l'écart du terrain de camping, la tête tournée vers les étoiles, j'avais l'impression de léviter. J'avais préféré la réflexion solitaire aux activités socio-culturelles du tourisme communautaire. Des brindilles massaient mon corps, vibrant d'énergie tellurique. Je me détendais pour atteindre la légèreté éthérique d'un voyage astral. Occupé à pénétrer l'infini de l'espace, j'avais oublié mon corps... et l'ouvrage auquel j'avais résolu de consacrer ma soirée, un texte hindou du IXe siècle, *Le Mahâpurâna (la Grande Légende)* de Jinasena. Le livre traînait à portée de main, fermé comme il se doit. La paresse ! La terre d'Irlande, la Terre elle-même, me semblait lointaine, inexistante. La brise légère qui troublait ma peau moite d'une fraîcheur imperceptible évoquait le souffle qui accompagne le dédoublement conscient.

Je n'avais pas quitté mon corps, mais c'était tout comme. Je me sentais loin de toute chose matérielle, comme un pur esprit qui transcende l'Univers. Tout avait commencé par cette information à la radio : la nuit serait idéale pour observer les étoiles filantes. Pas plus mais pas moins superstitieux que tout le monde, j'avais trouvé dans cette perspective l'occasion idéale pour fuir la foule et formuler les vœux qui évacueraient mes petits tracas personnels. *Le Mahûpurâna* servirait d'alibi à une veillée de méditation avec la nuit. La vision grandiose m'éloigna de la mystique hindoue plus vite que prévu. J'en étais là à scruter le ciel, cherchant la casserole de la Grande Ourse que je confondais toujours avec la Petite, à force de chercher une batterie de cuisine. Grosse Louche en Amérique du Nord, Charrue en Angleterre, Fonctionnaire céleste en Chine, Charrette ou Chariot en Europe, la Grande Ourse portait tellement de noms que je ne savais plus qui était quoi. Les agriculteurs prétendent qu'il faut observer la Grande Ourse pour connaître le temps : renversée, c'est la pluie assurée. Absurde ! Comment peut-elle se renverser ? Décidément, le support des croyances me dépassait.

Un météorite piqua l'horizon et stria ma pensée. Aussitôt, mes yeux s'illuminèrent pour rendre le ciel complice de mon désir. Insatisfait, avide de nouvelles traçantes lumineuses, mon regard s'égara dans la traînée lactescente divisant le ciel en deux. D'après mon professeur de sciences naturelles, les Anciens, qui savaient trouver la poésie pour décrire le fantastique inconnu, l'avaient appelée la Voie lactée en songeant qu'Héra, la déesse du ciel et épouse de Zeus, répandait son lait sans retenue pour nourrir Héraclès enfant.

La Voie lactée de nos nuits d'été est une tranche de notre Galaxie. Celle-ci ressemble à une soucoupe de 16 000 années-lumière de section sur 90 000 de longueur. Elle tiendrait dans une sphère de 150 000 années-lumière de diamètre. Un essaim de masses globulaires stellaires contenant chacune entre cent mille et dix millions d'étoiles gravitent autour. Des milliards de galaxies tournoient dans l'univers et des milliards d'étoiles dans notre Galaxie. Pour les kungs, des bochimans du désert du Kalahari au Botswana, la Voie lactée soutient la nuit. Ils l'appellent *l'échine du ciel*, comme si l'univers était une bête à l'intérieur de laquelle nous vivons.

«Et combien d'étoiles entretiennent la vie sur des planètes ? dis-je tout haut. Surtout la vie humaine ?»

Je laissai courir l'interrogation.

«Combien de planètes peuvent soutenir la vie ? Une sur dix ? Une sur cent ? Sur mille ? Une sur mille, pas plus ! Mais des planètes habitées par des êtres de type humanoïde ? Au mieux, une sur un milliard ! Toutes proportions gardées, un atome comparé au cosmos qui aurait les dimensions de la Terre, soit un rapport de 10^{-9} pour l'Homme, sur 10^{+9} pour l'Univers. Pourquoi tant de matière pour si peu de résultat, quand le but de la Matière paraît être la création... de l'Homme ? L'observation du ciel conduit au vertige existentialiste, soupirai-je avec ironie. L'admirable et monstrueux schéma de l'espace traverse tous les plans de la Matière vivante. La preuve ? Des millions de spermatozoïdes gigotent dans trois malheureux centimètres cubes d'eau sucrée assaisonnée de quelques microns d'enzymes, à seule fin de courir sus à l'ovule. De cette course mortelle, un seul parvient, et après quelle bagarre, à pénétrer l'élue. Tu parles d'un gaspillage ! Tant d'énergie pour si peu... comme ces étoiles qui se consument pour projeter la lumière, la vie quoi, en pure perte, faute de trouver une planète fécondable.»

Le défi insondable du spectacle étoilé me lassa. Pourquoi tant de questions ? J'allais me lever pour retrouver mes congénères et consacrer au rituel des congés payés devant la télévision.

«Pourquoi abandonner de si charmantes réflexions ?» intervint *Lumière*.

Devant mon air penaud, *Lumière* fit preuve d'indulgence :

«Les mass media donnent accès à une information généralement acceptable. Hélas ! le téléspectateur consomme l'audiovisuel sans discernement et exerce peu sa faculté de réflexion autonome. Cet effet pervers provoque une véritable toxicomanie qui annihile l'esprit critique et façonne le citoyen-électeur dans le moule du conformisme bêtifiant, à coups de jeux-spectacles aux heures de grande écoute. Des variétés et un frigo rempli, version moderne de *Du pain et des jeux* de la foule romaine ! Bref, le public ne pense plus, on pense pour lui. Il ne se pose plus de questions, on répond à sa place. On dit qu'un jeu télévisé qui peut être compris par un enfant de cinq ans assure à coup sûr l'audience nécessaire au financement des publicitaires. Une chaîne de télévision qui ne diffuserait que des émissions culturelles en début de soirée déposerait son bilan dans l'année. Manipulation délibérée ou non, elle entretient l'infantilisme. Or, un individu consacre environ dix ans de sa vie à la télévision. Mais combien de temps consacre-t'il à penser par lui-même ? Comment peut-il me rencontrer ?

Voilà que tu te donnes le droit de réfléchir sur la vision du ciel ! Vaste programme ! Tous les grands hommes se sont arrêtés devant le spectacle de la nuit, car c'est la seule occasion qu'a l'être humain de se situer face au divin. Observe ces étoiles. Elles sont ton espérance et te montrent le chemin à suivre. Nombreux sont ceux qui veulent en percer les mystères par des techniques divinatoires. Que vois-tu ?

— Bien... des étoiles, et là, une filante, en plus !

— Kris, ne te défile pas. *Ils ont des yeux pour voir et ne voient pas*, dit la Bible. Tu ne vois pas les étoiles, mais seulement leur lumière. Notre Soleil lance ses photons — qui révèlent la lumière, d'après la science — à la vitesse de 300 000 kilomètres par seconde. Ils mettent environ huit minutes pour nous parvenir.

— Attends ! Les photons *révèlent* la lumière ?

— Au XXe siècle, on ne sait toujours pas ce qu'est la lumière. On sait ce qui la révèle, en l'occurrence les photons, *des grains de matière de masse nulle (?)*, donc soumis aux lois de la Matière, *y compris à la gravitation puisqu'elle est piégée par les trous noirs. Absurdité scientifique ?* J'y reviendrai plus tard. Évoquer la vitesse de la lumière revient à *constater* que les photons voyagent à cette vitesse, rien de plus, car les photons ne sont pas la lumière proprement dite. Affirmer que c'est une limite infranchissable est aussi absurde que de prétendre, comme au début du siècle, qu'un voyage en voiture au-delà de 50 kilomètres à l'heure provoquerait la mort des passagers. On sauta quand même le pas sans trop de perte mais pour se fixer une autre limite, la vitesse du son... que pulvérisa pourtant sans encombre Chuck Yeager, en 1947. Qu'à cela ne tienne, il fallait une autre frontière ! Va pour 300 000 kilomètres par seconde... alors qu'il ne s'agit que de la vitesse des photons. Pourtant, les ondes gravitationnelles se déplaceraient plus vite que les photons. Apprécie l'ironie ! Einstein lui-même, qui imposa cette limite*, aujourd'hui remise en cause par les plus récentes théories, affirmait que tout était relatif et dépendait du point d'observation, c'est-à-dire pour nous, la Terre tournant autour du Soleil, qui lui-même se déplace dans la Galaxie, Galaxie qui se paye le luxe d'un voyage éclair à 600 000 kilomètres à la seconde dans... dans quoi ?

Donc, la lumière photonique du Soleil met 500 secondes à nous parvenir, soit 8 minutes-lumière environ. L'astre le plus proche du Soleil, Alpha-Centaure est un système triple constitué de deux étoiles, Alpha et Bêta, tournoyant l'une autour de l'autre comme les deux boules d'un haltère, et d'une étoile observatrice, Proxima, qui gravite autour des deux premières. Dans sa rotation, Proxima s'approche de notre système à 4,15 années-lumière alors qu'Alpha et Bêta évoluent à 4,3 années-lumière. Ainsi, la lumière d'Alpha-Centaure a voyagé à la vitesse de 30 000 kilomètres à la seconde pendant 4 années et 4 mois, soit environ 11 650 heures. Mais rien ne dit que lorsque tu perçois son scintillement, Alpha-Centaure ne vit pas au même instant un drame cosmique à 4,3 années-lumière de là ? Nous le saurons dans 4 ans et 4 mois. Il ne s'agit pourtant que de notre plus proche voisine. Que dire des autres étoiles de notre banlieue immédiate, comme l'étoile Bêta d'Andromède, distante de 75 années-lumière ? On ne sera certain de son existence dans notre présent que si elle scintille encore dans 75 ans. On peut toujours extrapoler dans la fiction des voyages interstellaires, mais gare à la disjonction des neurones, car le voyageur-lumière aurait besoin de 90 000 ans pour explorer la Voie lactée d'un bord à l'autre, soit 4 500 générations d'équipage, à raison de 20 ans par génération, avant d'atteindre les confins de la Galaxie. Cette digression

---

* Einstein s'appuya sur la célèbre expérience de Michelson et Morley sur le mouvement de la Terre dans l'éther. Par rapport au Soleil, la Terre se déplace sur son orbite à la vitesse de 30 km/s. Après six mois, cette vitesse est toujours de 30 km/s, mais évidemment dans le sens opposé. Si on émet deux rayons lumineux à six mois d'intervalle, on devrait normalement observer une différence de 60 km/s entre ces deux rayons. Or, l'expérience optique très précise de Michelson ne mit aucune différence en évidence. Einstein, en se conformant au résultat apparemment négatif de l'expérience, posa en principe la constance de la vitesse de la lumière qui, dans le vide et par rapport à tous les observateurs où qu'ils se trouvent, est toujours 300 000 km/s.

astronomique sur la solitude apparente des étoiles ne vise qu'à dresser ce simple constat :

> L'observation du ciel ne dévoile qu'un passé révolu. L'interrogation des étoiles pour connaître l'avenir permet de découvrir comment le passé crée notre futur. L'Univers comme l'Homme possède un devenir en puissance d'être.

— Bah ! Inutile de perdre son temps à interroger le ciel, puisqu'il n'offre que la nostalgie du passé. Le passé appartient au passé et seul le devenir m'intéresse.

— L'illusion matérielle cache une magie plus grande : la raison de l'Homme dans le Cosmos. En comprenant le ciel, tu peux découvrir Dieu et savoir pourquoi la Bible dit que l'Homme est à l'image de Dieu.

— Le passé est-il la seule réalité de l'Homme, et le Nouvel Âge que la concrétisation de faits révolus ? À t'écouter, il n'y a rien de nouveau sous le Soleil : l'Univers fonctionne comme un serpent qui se mord la queue. Seule la conscience, la perception du moment qui passe donne l'illusion d'une progression, d'une évolution. L'Univers est comme mon corps physique qui serait éternel et dont chaque cellule serait un monde qui meurt pendant que d'autres cellules naîtraient dans un corps... divin, parfaitement harmonieux.

— Intéressant ! Mais ne brûlons pas les étapes. Revenons à la lumière des étoiles, non pour enfoncer le clou de ta désillusion mais, au contraire, pour t'aider à naître à toi dans l'optimisme du JE SUIS divin éternel. La lumière qui mesure *humainement* l'espace est une illusion d'optique qui aveugle l'Homme sur son réel fantastique. La lumière (photons) est soumise aux lois de la gravité. Elle ne voyage pas en ligne droite, elle se courbe au cours de son périple. La prétendue limite de la vitesse de la lumière est absurde, car on la définit par une vitesse théorique : 300 000 kilomètres à la seconde dans le VIDE ! Mais où est le vide interstellaire ? *Vide* au sens du dictionnaire : *qui ne contient rien de perceptible; dans lequel il n'y a ni solide, ni liquide; où il n'y a pas de matière.* Le vide interstellaire ne contient-il donc absolument rien ?

— Je ne suis pas ignare. Et je cite : météorites, quelques déchets de l'humanité, déjà — satellites et fusées au rebut —, gaz ionisés à raison d'environ un million d'électrons et d'ions par centimètre cube et dont la température (6 000° C) approche celle du Soleil, nuages de gaz froids constitués de molécules d'eau, d'ammoniac, de monoxyde de carbone, de formaldéhyde, d'acide isocyanique et j'en passe, comètes projetant sous l'action du Soleil quantité de particules dans leur chevelure... Tout est illusion ? Mais... *Lumière*, tu as raison ! Je me rappelle qu'en 1967, la XIIIe conférence générale sur les poids et mesures a défini l'unité de temps, la seconde, par la durée de... écoute bien : *9 192 631 770 périodes de la radiation électromagnétique correspondant à la transition entre deux niveaux hyperfins de l'état fondamental de l'atome de Césium 133, non perturbé par des champs extérieurs*. Quel programme ! Or, cette constante n'a rien à voir avec la vitesse de la lumière. On s'en sert quand même pour mesurer sa vitesse dans un milieu qui n'est pas vide du tout... avec une précision diabolique : 299 792,458 kilomètres en UNE seconde.

— Kris, tu découvres l'obstacle contre lequel bute quiconque désire atteindre à l'état de Connaissant : n'adhère jamais à une pensée ou à un concept sans l'avoir vérifié par toi-même. Toi seul peux tailler la pierre sur laquelle tu édifieras ta demeure. Avec l'amour du travail bien fait et sans tricherie, aucune imperfection ne ralentira ta montée vers TON ciel.

— Soit ! Le ciel du savoir et de la culture est tout relatif. Mais je ne peux pas réinventer la roue pour conduire mon chariot et distinguer le vrai du faux. Je sais ce qu'est la roue, tout de même.

— Voilà l'erreur ! Il faut *savoir* de quoi on parle. Moi, je parle de la *Connaissance*.

— Jeux de mots d'intello !»

Soudain distant, le regard de *Lumière* s'assombrit et se fondit dans la nuit. Je scrutai les ténèbres et distinguai un filigrane incrusté dans un vague souvenir. La solitude renvoya un relent glacial qui traversa mon cœur comme si une partie de moi-même s'était à jamais échappée. La perte de l'être aimé mesure son importance. La félicité crée l'habitude, l'habitude des droits dictatoriaux; le manque de respect fait mourir l'autre à soi. Tout s'achève lorsqu'on perd le caractère sacré qu'est en droit d'attendre celui qui se donne sans réserve.

Errare humanum est, perseverare diabolicum ! Quelque chose m'échappait que je ne comprenais pas parfaitement. *Lumière* parlait du *Savoir* et de la *Connaissance.*

Qu'est-ce que le savoir ? Je sais que je vis. Qu'est-ce qui me le prouve ? Parce que j'ai connaissance de l'air... *Connaissance* ? Non ! J'ai *conscience* de l'air qui circule dans mes poumons mais je *sais* qu'il passe par le nez, les bronches. La vérité est toujours toute simple. Si simple qu'on passe allégrement à côté sans la voir.

«Poursuis sur ta lancée ! J'aime voir un esprit prendre son envol et briller dans la nuit étoilée.

— Je ne te voyais plus. Je t'ai vexé ? répliquai-je.

— Tu t'es blessé tout seul et je ne t'ai pas quitté une seconde. Tu t'écoutais parler et tu ne m'entendais plus. Sous le couvert de l'ironie sur ce prétendu jeu d'intellectuel, tu t'admirais. L'intello, c'est toi ! Tous les êtres pourraient me voir mais leur ego les enchaîne à un point tel qu'ils marchent comme des aveugles au bord du précipice vertigineux de leur propre absence. Continue ! J'admirais tes efforts, car tu es l'enfant qui fait ses premiers pas sur le Grand Chemin.

— Je disais que *prendre conscience* d'une chose, c'est la *connaître*. Je sais que je respire. Mais savoir une chose n'est pas certitude universelle. Des malades opérés n'ont qu'un seul poumon. Je respire aussi par la peau; si je couvre mon corps entièrement de peinture, je peux mourir asphyxié, même si mes conduits aériens ne sont pas obstrués. Donc, la respiration n'est pas un simple passage de l'air dans la trachée mais surtout les échanges gazeux cellulaires.

— L'expression du Savoir est relative. Une chose ne paraît réelle que si elle répond à une définition sur laquelle s'accorde une majorité de personnes.

— Je te suis. Je peux songer à une couleur, rouge par exemple. En dehors des daltoniens, je suis certain que ma conception du rouge recoupe *dans les grandes lignes* celle de la majorité de mes semblables. Rouge, c'est rouge pour tout le monde. Encore que... si j'en viens aux nuances ! Ce n'est toujours qu'une perception des sens que ne confirme pas, tant s'en faut, la spectrométrie qui traduit une couleur en longueur d'onde. Qu'est-ce qui est le plus réel ? Ma perception du rouge ou la longueur d'onde lambda ? Les deux *réalités* me paraissent aussi incomplètes l'une que l'autre, donc imparfaites, donc... fausses. Si la Connaissance est certitude globale, le Savoir est confusion, alors ?

— Pas en tant que tel, Kris. Par l'amour, tu prends connaissance de l'être aimé. "Tu m'aimes ?" demande-t'elle. "Assurément, oui !" réponds-tu spontanément. "Pourquoi ?" poursuit-elle. Et te voilà tout bête. Peut-être voudras-tu lui dire : "Tu es belle, tu as de beaux yeux." Tu termineras ta description élogieuse sans réaliser la blessure que tu as provoquée. Elle répliquera : "Tu n'aimes pas ma bouche, mon menton, mon nez..." Jeu cruel de l'amour-passion ! Que pourrais-tu vraiment lui dire ? Tu l'aimes parce que c'est elle, sans plus. Tu as pris connaissance de son existence. Donc, Connaître, c'est prendre conscience de l'essentiel, de l'essence fondamentale d'une personne ou d'une chose. Le Savoir n'est qu'un outil ponctuel, propre à une situation particulière et servant à comprendre la Connaissance. Il contient en lui-même les germes de la discorde. En morcelant l'aimée, tu élèves la qualité mais isoles le défaut. Est-elle un ensemble parfait et harmonieux ou la simple addition de dispositions physiques ou morales ?

— La Connaissance est-elle supérieure au Savoir ?

— Oui ! Mais sans le Savoir, comment appréhender l'existence ? Le Savoir est une des clés de la Connaissance. À condition de la mettre dans la bonne serrure.

— Sans le Savoir, on ne peut Connaître. Quand on Connaît, on n'a plus besoin du Savoir, mais faut-il encore le savoir !

— Cabotin ! Tout à l'heure, en dehors de l'acquis scolaire, tu ne connaissais rien de la lumière des étoiles. Tu savais qu'elle existait. Maintenant, tu as conscience de l'illusion qu'elle engendre.

— *Lumière*, je me demandais, en observant le ciel, pourquoi il y avait tant de matière pour si peu de résultat : l'Homme...

— Une question mal posée conduit toujours à la confusion. L'accès à la Connaissance commence par de bonnes questions. *Pourquoi tant de matière pour si peu de résultat ?* demandes-tu. En vérité, tu poses deux questions. D'une part, *pourquoi tant de matière ?* D'autre part, *pourquoi si peu de résultat ?* En insistant sur la seconde question, tu escamotes la première. Tu supposes a priori que la réponse à la première va de soi et qu'elle induit la seconde interrogation. Quel est cet a priori ? Que quelqu'un, un dieu, a créé la matière. Faute de vérifier cette assertion, tu ne peux répondre à la seconde question. Par contre, si tu dis : *Pourquoi, dans cette Matière, y a-t'il si peu de vie pensante ?*, tu ne remets pas en cause la matière et tu réfléchis en fonction de la vie dans l'Univers. Ton énoncé initial est une adhésion de fait à l'idée que *quelqu'un* a créé la matière, sans savoir si c'est vrai ou faux, et tu tentes de répondre à autre chose. La conclusion conduit au paradoxe.

— Tu me troubles, *Lumière*. Je n'ai guère prêté attention à ce genre de dialectique.

— Ce paradoxe résume tout le drame de l'ontologie. Il disparaît dès lors qu'on décortique son mécanisme. L'adhésion sans discussion au dogme qu'un Dieu ou... quelque chose a créé la Matière interdit toute autre hypothèse, à savoir que la matière a toujours existé, qu'elle existera toujours et que ni Dieu ni personne n'est parti de rien pour la manifester. Il ne s'agit pas de remettre en cause la *notion du divin,* mais de constater que chacun fonde sa raison et ses actes sur la croyance que la matière a été créée afin, dans un second temps, de trouver comment. Affirmer le contraire, c'est s'obliger à rebâtir entièrement l'édifice. Peu sont capables d'un tel sacrifice intellectuel. D'où l'intolérance, le fanatisme et l'évolution si lente de l'humanité vers sa raison d'être initiale.

— J'aimerais un exemple plus concret.

— Depuis des siècles, l'humanité vit dans la croyance d'un Dieu créateur d'univers. Le premier verset de la Bible : *Au commencement créa Dieu...* est à tel point gravé dans l'inconscient collectif que personne, croyant ou incroyant, n'ose au fond envisager le contraire. La vérité est dans le passé, t'ai-je dit, et le passé concrétise l'avenir, égal à lui-même dans son essence, mais toujours diversifié dans ses formes apparentes. J'ai ajouté qu'il ne fallait jamais croire sans vérification. Or, la Bible confirme à première vue la conception créationiste. À première vue ! Et si ce n'était pas le cas ? Des cohortes de croyants seraient-ils pour autant damnés ?

L'observation des faits renforce, il est vrai, le créationisme. L'Homme naît et meurt. Il est *créé* par ses parents, dit-on, façon subtile d'oublier qu'il n'est que la continuation de l'espèce. Les parents n'ont qu'une mission biologique : permettre la rencontre du spermatozoïde et de l'ovule. Certes, leurs corps physiques les ont élaborés, mais pouvaient-ils faire autrement puisque leur fonction d'humain est inscrite dans les gènes qu'ils ont reçus de leurs parents et qu'ils transmettront à leur enfant ? N'est-il pas illusoire de croire que l'on crée un enfant ? L'humain n'est qu'un transmetteur momentané, le maillon d'une chaîne infinie qui se perpétue sans son autorisation.

— Je vois mal le rapport avec la religion...

— Ah ! Le joli mot que voilà ! Je te parle de *croyances* et non de cultes. Les pourfendeurs de religions sont aussi religieux que les intégristes les plus acharnés. Les scientifiques rationalistes s'en défendent, mais ils subissent malgré eux les vents et marées de l'océan culturel dans lequel ils baignent, au point de s'interroger candidement : *Si aucun Dieu* ***n'a créé*** *la matière, comment la matière* ***s'est-elle créée*** *?* Erreur identique à la tienne : poser une question double comme s'il s'agissait d'une question unique. Lavoisier a beau avoir exprimé l'évidence que *rien ne se perd, rien ne se crée, tout se transforme*, nos chercheurs remplacent le Dieu religieux par un Dieu logique : un atome. Ce n'en est pas moins un acte de foi.

— Un atome ?

— L'affaire du big-bang !

— Tu m'obliges à me rappeler des souvenirs de collège. En gros, voici environ 15 milliards d'années, toute la matière était concentrée en un point de dimension zéro : volume nul, masse infinie ! Un jour, bang ! La matière est propulsée dans tous les sens et crée l'espace et le temps. Mon professeur avait pris un ballon sur lequel il avait collé des pastilles de couleur qui illustraient le phénomène d'un univers en extension et la fuite des galaxies. Il nous expliquait, en le gonflant, que la matière prenait de l'espace et, puisqu'il y avait mouvement entre toutes les particules par rapport au centre, *le fait d'analyser ce mouvement permettait de déterminer un temps...* théorique, certes, mais intimement lié à la matière. D'où la notion de l'espace-temps d'Einstein et du rôle de l'observateur par rapport à l'objet observé. L'abbé Lemaître a le plus œuvré pour faire accepter cette théorie. Par ce subterfuge, il sauvait au moins son Dieu puisqu'il ne pouvait empêcher la science d'évoluer.

— L'Homme n'a pas supprimé le Dieu de la création. Si donc le Dieu des Hommes n'est pas mort et s'il décide de faire exploser ton ballon, que restera-t'il de l'Univers ? Raisonnement circulaire et sophisme : autrement dit, QUI OU QUOI A FAIT EXPLOSER l'atome primordial ? Pourquoi a-t'il explosé ? Que deviendra la matière quand elle se sera répandue et diluée dans l'espace-temps infini qu'elle a créé ? Comment la collision des particules et des antiparticules engendrées par le big-bang peut-elle donner... de la matière, là où le bon sens attendrait de la lumière ? Où se trouve le centre du big-bang ? Je souhaite bien du plaisir aux défenseurs de cette théorie, compte tenu de ce que la lumière révèle l'illusion et non la réalité de l'Univers. Enfin, DANS QUOI se trouvait cet atome primordial, DANS QUOI a-t'il explosé et DANS QUOI la Matière évolue-t'elle ? Pas de réponse ! Pas même l'ombre d'une hypothèse. Ou plutôt si ! Ceux qui, par honnêteté, vont au fond de leur réflexion aboutissent immanquablement à la conclusion qu'impose une question mal posée : Dieu est à l'origine de l'explosion et l'Univers évolue dans Dieu. Retour à la case départ, et vive le mysticisme scientifique... ou la science mystique ! Plus ça change, plus c'est pareil ! Dieu religieux ou Dieu scientifique, c'est toujours Dieu.

— *Lumière*, la formule du big-bang, on la connaît. On peut la reproduire sur ordinateur...

— ... conformément à une formule mathématique *fausse* parce qu'elle inclut la constante de Planck qui représente la plus petite **fraction irréductible** de l'Univers, soit la **dimension** 10^{-43}. Dimension quantique, infinitésimale, peu importe, c'est une dimension, donc un temps ! Autrement dit, avant la première seconde du début de l'Univers, avant que LE TEMPS et L'ESPACE ne soient créés, il y avait déjà quelque chose, donc UN TEMPS ET UN ESPACE, donc... Les scientifiques s'en tirent par une pirouette : *c'est une singularité*. C'est tout dire et ne rien dire du tout. Plonge-toi dans n'importe quel bouquin d'astrophysique et cherche la réponse à la question : DANS QUOI se trouvait cet atome primordial, DANS QUOI évolue l'Univers ?

— Dans... je ne sais pas, moi. Ça me dépasse. J'ai la tête comme une pastèque. La poésie des étoiles chante un ciel illusoire. La Terre n'est qu'un gros caillou, je suis à peu près certain que je suis dessus. Quoique... rien ne le prouve. Elle est peut-être plate ou creuse, qu'est-ce que j'en sais ? Elle tourne peut-être comme une toupie dans un espace-temps fermé, audelà duquel rien n'est possible puisque le cosmos évoluerait dans un milieu inexistant et incréé, excluant par définition la matière. L'Univers évolue dans rien. Absurde ! Rien ne se définit pas. La matière est quelque chose. Rien n'est rien. Plus je sais, plus je réalise que je ne sais rien. Socrate, non ? Tout est illusion. Mes questions n'ont aucun sens. Le marasme ! Mieux vaut être *saint-innocent* que connaissant ! Le vide me fait peur et je me demande à quoi doit me servir tout ce que j'apprends aujourd'hui.

— Épouvantable vérité qui remet tout en cause ! Le savoir sécurise lorsqu'il ne pulvérise pas le miroir aux alouettes. L'attente du Sauveur évite de s'armer pour se sauver soi-même. Reprends Descartes, l'incompris :

> Pour atteindre à la vérité, il faut une fois dans sa vie se défaire de toutes les opinions que l'on a reçues et reconstruire de nouveau, et dès le fondement, tous les systèmes de ses connaissances.

Observe à quel point les scientifiques abusent de la logique cartésienne pour se créer le seul univers qu'ils veulent voir, en oubliant que la logique n'est que la suite d'un doute méthodique préalable et l'instrument pour comprendre ce qui semble illogique : la vie, la mort, l'âme, l'amour, le pourquoi de l'Homme.

Le vide dans lequel pulse le cosmos n'est vide que par rapport à la matière qui paraît si palpable. Un jour, tu découvriras que le vide est plein et que la matière est à l'origine de la spiritualité et de l'Homme. Tu connaîtras la plénitude d'exister et la matière à laquelle tu tiens tant t'apparaîtra vide et éphémère. Alors, tu accéderas à l'état de Connaissant. Aujourd'hui, tu cherches le Savoir pour le pouvoir, pour te grandir aux yeux des autres et non pour toi-même. Tu désires des biens matériels éphémères fabriqués par la mode ou l'air du temps. Tu manques d'humilité. Les sacrifices consentis en vaudront-ils la peine lorsque, au-delà de ce déploiement de puissance, tu retourneras à la poussière ?

Plutôt que de se forger les moyens d'atteindre sa vérité, on donne dans l'ésotérisme de salon avec l'excuse de la spontanéité naturelle, mais sans la discipline indispensable pour atteindre son étoile. Alors, vite, un Maître à penser qui pense à ma place ! Plus simple, mais pas plus économique ! Du reste, *beaucoup d'appelés, peu d'élus* ! Les exclus du grand voyage peuvent se demander s'ils ne se sont pas eux-mêmes mis sur la touche. L'homme-enfant qui ne veut pas vraiment devenir adulte s'insurge dès qu'on lui retire sa sucette. Tout le monde veut la Connaissance mais, à l'évidence, la vérité n'est pas accessible à tous. Il n'est même pas nécessaire de la cacher. L'argument du secret, et donc les fausses révélations, ne valent que pour celui qui cherche au mauvais endroit ou qui ne veut pas chercher par lui-même.

Je te suis apparu lorsque tu *t'es rencontré*. Mais je t'attendais. En restant disponible à tes attentes et non à mon savoir, je ne peux que clarifier ce que tu cherches avec effort et authenticité. Tu aspires à un état, mais tu crains de perdre ce que tu possèdes. Toi seul peux t'aider. Il faut mourir à soi pour renaître en Lumière.

Le ciel de cette nuit est une illusion de tes sens, le bigbang conduit à une impasse ! Au fond, les questions telles qu'elles sont posées induisent leur propre négation. L'Univers existe dans un rien incréé, rien par rapport à la matière. Le passé contient le germe de tes révélations à venir. Cherche donc dans le passé et tu trouveras la permanence de la *Connaissance absolue*. Pose les bonnes questions pour trouver les bonnes réponses.

— Poser les bonnes questions ! Facile, si on connaît déjà les réponses !

— Je t'indique le chemin. Concevons l'hypothèse que le Cosmos n'ait jamais été créé et qu'il pulse depuis toujours dans un Espace-Absolu vide de toute matière. *Pourquoi l'Homme dans l'Univers ?* Mais sans lui, qui saurait que Dieu est ? Existant ou non, Il n'aurait d'existence réelle que pour Lui-même. Mais que serait-Il pour l'Univers-Matière ? Donne-toi donc la peine de lire le livre que tu avais décidé d'ouvrir ce soir.»

Étonné, je tendis le bras. Dans mon geste, le livre glissa sur l'herbe et s'ouvrit.

«Lis ! ordonna *Lumière*.

— *Quelques insensés déclarent qu'un Créateur a fait le monde.*
Une doctrine qui prétend que le monde a été créé est mal venue, et devrait être rejetée.
Si Dieu créa le monde, où était-il avant la Création ?...
Comment Dieu aurait-il pu faire le monde dans aucune matière première ?
Si vous dites qu'il a fait une chose en premier, et puis le monde, vous vous trouvez devant une régression sans fin...
Sachez que le monde est incréé, tout comme le temps, qu'il n'a ni commencement ni fin.
Et qu'il se fonde sur les principes...

— Le passé détient bien les éléments de la vérité du futur. Sache que les chiffres dits arabes ont été en fait inventés par les hindous. Les brahmanes disaient déjà, voici 5 000 ans, que le monde n'était qu'illusion. Les hindous ont inventé le zéro, nombre de rien, de vide. Un rien qui est nécessairement quelque chose puisque les autres nombres ou le cosmos se trouvent en lui.

Personne ne fera évoluer ta conscience contre ta volonté. Tu es à un tournant de ta vie et tu dois le négocier seul. Tu sauras pourquoi l'Homme existe quand tu auras accepté l'irréversible évidence. Pour l'instant, tu dois réajuster trop de données. Je ne peux plus t'aider. *Tourne-toi vers le passé* et puises-y les éléments de ta compréhension future. Je reviendrai quand tu seras prêt. Tu me fais penser au marin qui doit faire face à la vague, au risque de chavirer, et je te dis : À-Dieu-va !»

Lumière s'évanouit dans l'aurore qui pointait à l'horizon de rochers, arides, drus, sans arbres.

«Adieu !» soupirai-je avec amertume.

Les yeux dans le vague, les lèvres serrées, l'esprit en détresse, je me répétais : «Adieu ! Il est parti pour toujours.» Il me fallut plusieurs mois pour réaliser que ce n'était pas *adieu* mais *À-Dieu*. Mais cette nuit-là, je restai de longues heures à contempler le ciel sans qu'aucune étoile filante ne vienne troubler ma méditation. Seule pesait la lumière froide des astres sans vie. Qu'est-ce réellement qu'une étoile filante ? Une étoile qui court le ciel ? Non, c'est un vulgaire caillou, un météorite qui se transforme en lumière et qui retourne à la poussière du néant en percutant l'atmosphère. Une larme coula sur ma joue. Peut-être est-ce à cause d'elle qu'une pensée me traversa l'esprit :

«Si tu ne me crois plus et que ton esprit est trop confus pour croire les autres, je n'aurai pas perdu mon temps, car tu ne croiras désormais qu'en toi. À ce moment seulement, lorsque ton désarroi s'estompera, tu grandiras à la Connaissance.»

Ma lévitation s'achevait dans l'abîme. Je me suis redressé, l'âme nostalgique et le cœur renversé, solitaire, j'allai me coucher, dans un lit aux draps trop froids.

* *
*

4

TRANSITION

Selon l'avis général — opinion publique ou bon sens populaire —, les individus qui rencontrent des êtres comme *Lumière* déborderaient d'une gentille naïveté avec un cœur gros comme ça, et seraient plutôt portés sur la religiosité. Au surplus, totalement dépourvus de personnalité, influençables au-delà de toute mesure et définitivement réfractaires à toute tentative de fonctionnement cérébral à peu près rationnel — le mot *débile* me brûle les doigts. Ces grands enfants goberaient les discours hypnotiques du Maître et nageraient dans la félicité de l'amour universel, au motif que si l'enfer existe, il n'y a personne dedans. Bébé rose et fleur bleue ! Sainte mollesse, priez pour nous, chantez les anges du miel mystique et de la pâmoison.

Mais le caractère ? J'entends la solidité du raisonnement, la sûreté du geste et de l'esprit ! Il en faut une bonne dose pour contrer la norme, les principes établis et le *consensus majoritaire*, supporter la solitude, l'incompréhension des proches, vivre autre chose qu'un désespoir de convention et pousser à son ultime limite cette chimère : se révéler à soi. La tête dans les nuages, peut-être, mais les pieds sur terre ! Et il y a un précédent célèbre : le Maître, le vrai !

Lui en fallait-il du caractère pour passer devant la misère sans lever le petit doigt ? Indifférent ? Insensible ? Dans quel

Évangile est-il écrit qu'Il a secouru *spontanément* les malades ? Ils venaient à lui et Il disait : *Tu as cru, alors tu es sauvé.* Lui qui pouvait pénétrer le cœur des Hommes savait qu'on ne fait pas leur bonheur contre eux mais Il restait disponible à leur attente. C'était déjà porter le poids de leur souffrance. Le Jésus sulpicien et pâmé dans l'éternité, a fait son temps. Doux comme un agneau, l'ami Jésus ? Demandez donc aux marchands du temple ! Le royaume de Dieu se révèle aux simples EN esprit, pas aux simples D'esprit. *Lumière* se manifeste au battant avec une pensée libre de tout dogme et qui s'affirme par ses propres mérites. Le voyage sur la voie de la Connaissance n'est pas sans épreuves mais les faibles s'appuient sur un Maître pour les sauver... moyennant espèces sonnantes et trébuchantes.

Le problème, c'est que personne ne dit comment rencontrer *Lumière*. Trop simple et pas rentable ! Pas plus rentable, en tout cas, qu'apprendre à éviter la maladie ou la mort. La prévention sanitaire ou sociale en a long à dire là-dessus. Les cathédrales hospitalières remplacent celles du Moyen Âge pour réparer les citoyens-enfants avant de les renvoyer dans le circuit commercial à la sortie du garage. Bon pour le service ! Suivant ! À quel prix ? Ça coûte plus cher que de ne pas fumer, pas picoler, conduire en douceur et pas s'envoyer en l'air avec des cochonneries dans le sang ! Quant au reste, on endort la belle-Âme dans l'attente du réveil où un prince-dieu-ange-démon (rayer la mention inutile) les emmènera au royaume de leur espérance. Ça, ça paye !

Lumière se déclare sans ambiguïté. Il suffit de faire preuve d'assez de détermination pour établir un échange animé par la compréhension et le respect mutuels. La rencontre a lieu sous les auspices de la confrontation d'idées. Dans ce jeu de complicité familière et de franchise réciproque, le candidat se veut à la hauteur sans perdre son identité. *Lumière*, pour sa part, connaît les pièges sur le chemin mais ne peut les révéler, car ils sont indispensables pour dégager le diamant de sa gangue. Il tend la main en sachant que l'autre refusera par fierté. Minute ! ça demande une explication.

Les réponses à l'angoisse métaphysique reposent sur des professions de foi construites sur des expériences autant personnelles que collectives : convictions religieuses, morales, politiques, bref, la culture. Un sujet intelligent, à l'objectivité bien ancrée, n'accepte aucune hypothèse a priori, aussi logique soit-elle. Encore que l'intelligence rationnelle n'ait rien à voir avec la compréhension par les tripes. L'intégration profonde dépasse le ratiocinage technique. L'opposition constante du moi, de l'intellect, des valeurs qu'on croit justes ne facilite pas la remise en cause des prérogatives de son propre savoir. Qui est vraiment disposé à abattre ses préjugés pour s'ouvrir à autre chose ? Qui a assez de probité pour accepter une hypothèse hardie pour ce qu'elle est et la laisser reposer jusqu'à ce qu'un élément de preuve infirme ou confirme ce qui semblait initialement absurde, fantastique ou trop banal ? Les clans humains, comme chacun de leurs membres ont de grandes dispositions pour n'accepter que ce qui favorise leurs intérêts ou ce qui conforte leurs valeurs, malgré l'opposition impitoyable des faits.

Or donc, titillons notre méfiance naturelle et prenons pour principe de ne jamais accepter sans vérification aucune idée ou énoncé qui provienne d'un *Maître*... Ça dure un temps ! Éclate alors la révolte, signe avant-coureur du lâcher prise vers une autre dimension ou du refus de sa propre transmutation, puisque (refrain !) on n'accepte pas sans contrepartie de modifier les fondements de son existence. Ça demande du caractère. Oh ! pas pour confronter les convictions (c'est facile, même si ça ne rapporte jamais gros), mais pour reconnaître les errances et accepter la modification. Seulement, ça ne se fait pas en un jour. Pas même en cent ! Alors, un pas en arrière, un pas en avant, un de côté et un bond au-dessus. Et je danse la ritournelle de la comédie humaine : je frétille pour mieux sauter. Dans quoi ? Dans la foire aux croyances, encore ! Et ça recommence ! Voici l'argument : l'Âme issue d'un Principe absolu possède obligatoirement les caractéristiques de cet Absolu. En d'autres termes, l'Âme détient par essence la Connaissance de l'Absolu. Tout le monde est d'accord. Seulement, attention ! Dès qu'un quidam énonce une *vérité*, on ressent un lien sensitif avec notre bonhomme intérieur. Ce chatouillement spirituel est assez ravissant, en somme, et il est réel. Le problème, c'est que par manque de moyens culturels pour apprécier la *manifestation de la vérité,* on ne réalise pas toujours que le quidam en question est un escroc de la foi qui a vicié, déformé, orienté la parcelle de *vérité* à son profit. Au total, on se vautre dans le désarroi des contradictions des vraies-fausses idées justes et dans la solitude de soi : D'où le besoin de compréhension, d'amour, de quelqu'un ou quelqu'une qui nous comprenne... bref, chanson connue !

Je ne suis pas plus grand, pas plus formidable qu'un autre. Je suis un homme à la recherche de moi-même. Ma rencontre avec *Lumière* m'a emballé. Celui-là, enfin, faisait attention à moi, il fouillait mes tripes. Pourquoi ne l'aurais-je pas cru ? J'étais ouvert à son discours, il lisait en moi. Puis j'ai découvert que je changeais. En bien ou en mal ? Je ne pouvais me confier à personne, aucune lecture ne me guidait. Bien sûr, je me suis parfois trahi en évoquant ces entretiens secrets avec des amis... *Amis* ? Ils se fichaient de moi. Me restait au moins la fierté de me savoir différent. Leurs sarcasmes faisaient ma force, moi qui savais. D'où l'arrogance de façade et l'angoisse à l'égard d'une possible manipulation mentale, folie douce ou dure. J'en demandai donc raison à *Lumière*, mais à ma façon. Je décidai de le contredire systématiquement pour lui prouver que j'en savais plus que lui, signe d'un petit orgueil, si nécessaire dans la grande bagarre du monde et si dommageable pour boire à la source intérieure ! J'imaginais Moïse, hésitant devant le rocher : allait-il frapper une seconde fois pour faire jaillir l'eau ? *Le truc va-t'il encore marcher ?* Au fond, un banal, tout banal combat de l'humain contre le sacré et la remise en question nécessaire pour se convaincre qu'on est toujours sur le bon chemin. L'adolescent n'agit pas autrement avec ses parents, à force de les tester jusqu'à leur faire hurler leur ras-le-bol. Enfant de la Connaissance, je vivais la crise d'identité obligée du jeune boutonneux pas mécontent du tout d'avoir contré son mentor. Ça se résumait à peu de chose : il ne comprenait pas mes remarques, il n'était pas à la hauteur de ses principes et de mon estime, il ne m'aimait pas puisqu'il ne dépassait pas les apparences. Mais comme j'étais trop important pour lui, il s'accrocherait. Bref ! Ça m'arrangeait parce que, pour dire vrai, ses petites leçons me cassaient sérieusement les pieds. Ah ! ne plus penser, se laisser vivre, comme les autres...

* *
*

Soyons sérieux ! Malgré l'estime que je lui portais, son dernier discours sur le ciel m'avait bouleversé sur trois points.

- La remise en cause d'un aboutissement conceptuel admis par l'ensemble du monde scientifique après plusieurs siècles de recherche : le big-bang.
- Un Univers physique fonctionnant dans un rien inexistant.
- L'illusion de toute forme de réalité me faisant douter de ma propre existence.

Reprenons !

Facile de critiquer la science, mais elle a fait ses preuves, la bougresse ! *Lumière* m'a recommandé de ne rien croire sans vérifier afin, d'après lui, d'accéder à des plans plus subtils en gardant les pieds sur terre, sans fonder mes convictions sur du sable mouvant. Et voilà que *lui-même* balayait tout mon acquis scolaire et personnel. Sans appui, je devais avoir foi en lui après m'être persuadé, sur ses instances, de n'avoir foi qu'en moi. Capturé par un nouveau Maître, je m'étais fait passer «un Québec»!

L'absurde des croyances, le voilà en trois recettes :

- Recette boulangère : prendre une bonne dose d'énergie fondamentale, pétrir, façonner un pain et servir chaud.
- Recette du petit four : changer la vibration du corps pour marcher sans encombre sur des braises ardentes. Ça y est, je vibre !
- Recette kabbalistique : servir à dix invités 20 cc de whisky chacun avec une bouteille qui n'en contient que 5 cc. Facile, il suffit de dire que ce n'est pas impossible. Et l'incitation à l'alcoolisme en prime !

Par contre, la greffe du bloc cœur-poumon-foie n'est pas une victoire médicale mais celle de l'esprit de l'opéré qui a cru que ça marcherait. Il aurait pu s'éviter bien des problèmes en se persuadant qu'il n'était pas malade et qu'il n'avait pas besoin de la greffe. Le moteur à explosion, l'avion, l'énergie nucléaire, c'est de la frime sans doute ? Sur la lancée, le délire écologiste me lance des œillades : pour bien vivre, rien que des produits naturels, l'agriculture biologique et pas de chimie ! Et l'amanite phalloïde, ce n'est pas naturel, chimique et biologique ? Quant au big-bang, c'est tout simple. Les scientifiques en parlent pour illustrer l'affaire... une image, quoi ! Une image ne peut pas réduire le temps zéro et l'espace zéro en un point zéro-infini. Alors, admettons une fois pour toutes que ça pète un jour, que ça grandit comme un ballon avec des pastilles autour, puis que ça rapetisse jusqu'au point zéro-infini et que ça repart dans tous les sens comme une respiration sans fin et qu'on n'en parle plus ! Parce qu'enfin... les scientifiques n'ont jamais prétendu qu'il n'y avait eu qu'un seul gros boum.

Et puis, zut ! Divorcé ou non, on cherche d'abord à mettre du beurre dans ses épinards, une petite madame pour faire cuire les nouilles et quelques mioches pour clore le conte de fées.

Tout est illusion ? Donc, *Lumière* idem ! Une pincée de paranoïa assaisonnée d'angoisse confectionne toutes les *Lumières* du monde. Mes parents m'avaient convaincu que les *gripettes* de mon enfance étaient des visions imaginaires. Quelle preuve ai-je de l'existence de *Lumière ?* Ma seule conviction intime ne construit pas la preuve du vrai — voir les erreurs judiciaires ! Ses propos ? J'y adhérais parce qu'ils éclairaient DES CONCEPTS QUE JE SAVAIS DÉJÀ ! Mais avec son big-bang, il a dépassé les bornes : *l'Univers physique — ma réalité — dans un Espace-Absolu vide et incréé...* quelles fadaises !

Bon ! En gros, il n'avait pas tort. Un seul ou plusieurs big-bang ne changent rien au raisonnement. L'atome primordial dans lequel se concentre toute la matière et qui explose en donnant l'espace et le temps se trouve bien dans *quelque chose* qui est différent de la matière. Ce quelque chose vide, illimité et infini... c'est quoi ? Personne n'en parle, sauf pour réveiller le vieux mythe de l'*Éther*. On glose à longueur de traité et de conférence sur la formation de l'Univers, des galaxies, des étoiles, en oubliant tout simplement de préciser dans *quoi tout ce beau monde se déplace*. Je vis dans un Monde de matière qui est quoi ? Des deux côtés de la réflexion, dans le maxi-grandiose comme dans le mini-infinitésimal, il n'y a... RIEN ! Ici, au-delà des atomes, la mathématique quantique, puis le vide ! Là, au-delà des galaxies... le vide. Je réunis *ici* et *là* et j'en arrive à une conclusion tout à fait impropre à la consommation : *la matière est la transition entre deux vides* ! Le dogme scientifique fait chou blanc, comme son homologue religieux. D'un côté : *Au commencement créa Dieu*, de l'autre : *Au commencement se créa la matière* ! Faites votre choix ! Mais faites-le ! Sinon, tout a toujours existé et le commencement est un avortement intellectuel. À ce moment, vous virez complètement schizo !

Et hop, du balai ! Inutile, tout cela. À force de capoter dans l'indicible, je réveillais des désirs de sensations plus physiques, d'émotions plus terre-à-terre, plus humaines et moins angélico-divines. D'où recherche effrénée d'une copine — biologie oblige — avec les aléas de la chasse, en plus. On est humain et diantrement humain, pardi !

Alors, elle est arrivée. Mon cœur vide depuis si longtemps demandait à se remplir. Elle était belle et pleine de la rosée de la première fleur du printemps. Ses yeux limpides reflétaient la mer : embruns du vague à l'âme et remous de mon cœur chaviré. Je me suis noyé dans l'amour, le vrai, l'unique, le merveilleux amour qui embrase le sang et les sens. J'ondulais dans ses cheveux comme la brise sur un champ de blé. Je goûtais à ses lèvres le parfum suave d'une pomme reinette. Après le désert, l'oasis. Je m'y suis reposé : son corps souple modela mon corps d'homme et mon cri prit la nuit à témoin de mon vœu d'un futur souhaité et non révolu. Une étoile de fée, filante dans la transparence de mes propres ténèbres, avait accepté d'éclairer ma voie.

La vie a le sens des affaires : donnant-donnant ! Elle m'offrit l'Amour mais me prit *Lumière* ! Convaincu que je ne perdais rien au change et qu'il serait toujours temps de penser au ciel, je vivais sur une autre planète avec l'être aimé.

Présentation : Gwenaelle, un nom fleurant bon le celtisme et le réveil de la Bretagne. Elle le portait avec toute la fierté de sa lignée, celle des elfes et des chevaliers du roi Arthur. La magie du son réveillait la symphonie de la terre et la mêlait, dans la mémoire infidèle des hommes, à la liturgie pastorale de l'Église que l'inspiration du rituel druidique n'avait guère gênée pour mieux l'assimiler.

Ce que j'ai vécu avec Gwenaelle restera mon secret. Dévoiler le beau déflore le sacré. Elle inspirait la découverte de mon saint Graal pour le remplir de son amour. Pour ne pas être en reste, je lui parlais du mystère de la vie que nous appréhendions tendrement. Je lui parlais... mais de quoi d'autre, sinon des enseignements de *Lumière* ?

Prévoyant et minutieux, j'avais rapporté par écrit toutes mes rencontres avec *Lumière*. J'y faisais souvent référence. Le bateleur de foire veut subjuguer la foule, et le coq dominateur déploie sa crête devant sa femelle. Prétentieux mais sûr de moi, j'exposai LE sens de la vie, MES réflexions, MES expériences. Elle buvait mes paroles. Je poussai le mystère en relatant l'aventure de Bruxelles et les circonstances de ma rencontre avec *Lumière*. Pour l'amour d'une femme, *Lumière* refaisait surface, non sur le plan intérieur, mais consciemment. J'étais pour une autre, le professeur qui répétait les leçons de son... Maître (!), et maintenant qu'elle connaissait son existence, j'osais associer son nom à mes propos.

Le bilan est mitigé : certes, j'ai pu synthétiser mon acquis. Mais Gwenaelle, on s'en doute, manifesta peu à peu un vif dépit à l'idée de vivre un ménage à trois. En mots bien sentis, elle me fit comprendre que l'un de nous était de trop. Elle m'aimait pour moi et non pour les discours enflammés d'un doctrinaire fanatique. De frictions en disputes, préludes au cataclysme, le séisme foudroya sans appel mon rôle de composition. Entre deux torrents de larmes, Gwenaelle me cria qu'elle aimait un homme et pas une icône. Elle voulait m'entendre, moi, et non les sentences d'un autre.

Je résolus de lui offrir sur-le-champ le sacrifice suprême pour preuve de mon amour. D'un geste théâtral, j'empaumai mes notes. Dramatique et ostentatoire, je n'en lançai pas moins une œillade discrète à l'aïeul Abraham à qui j'empruntais une partie de l'aventure et que j'invoquai succinctement puisque je connaissais le final : le bon Dieu intervient au dernier et bon moment ! Dans la rue, je découvris le gouffre du caniveau. Dieu n'est pas intervenu. Je jetai aux égouts les stigmates de mon éveil ésotérique. Oh, pensée coupable ! *Lumière* me permettrait bien de les réécrire.

De cette période, il ne me reste donc que ma mémoire et le regret du geste qui me fit perdre tant de merveilles. Chaque âge a ses consciences et le temps passé ne se rattrape plus. Au retour, je pris Gwenaelle dans mes bras et posai sa tête sur mon épaule.

«Kris, soupira-t'elle. Ce n'est pas ce que je te demandais. *Lumière* est important pour toi. Je veux que tu penses par toi-même, que tu arrêtes de le mettre à toutes les sauces. C'est toi que j'aime, pas lui !»

Je compris alors les dernières paroles de *Lumière* : *Tu me fais penser au marin qui doit faire face à la vague, au risque de chavirer et je te dis : À-Dieu-va !*

À-Dieu-va ! Il me remettait aux mains des forces divines et réclamait pour moi leur protection, car ma vie allait basculer. Il avait pressenti ma rencontre avec Gwenaelle et l'irruption de l'amour. Il s'effaçait pour me laisser grandir. *Il sera toujours temps de penser aux étoiles*, disait-il. Ce changement de cap, moi seul pouvait l'affronter, comme ma mort, comme toutes les morts que nous subissons dans une vie. J'avais chaviré mais, pour l'instant, je trouvais agréable de me noyer avec une sirène qui me chantait sa magie.

Après l'effusion de nos corps, je me suis endormi contre le ventre de Gwenaelle, comme un fœtus. Heureux et nostalgique, j'étais un enfant à naître : je goûtais la chaleur du milieu amniotique dans lequel j'avais vécu jusqu'alors, j'appréhendais d'affronter la pression de la vie d'adulte.

Cette nuit-là, j'ai fait un rêve que j'ai oublié au réveil, sauf une phrase : *La solution est dans le passé.*

Pendant cinq ans, je n'ai plus entendu parler de *Lumière*.

* *
*

5

LE DÉCLIC

La Floride ! Hyperborée et le jardin des Hespérides ! Ici Hercule a conquis les pommes d'or : les oranges ! Le Nouveau Monde, terre de la démesure où tout est possible ! Le lieu de ma renaissance !

Par le miracle de la technologie aérienne et la générosité du *stand-by*, nous, couple unique Gwenaelle-Kris, avons saisi l'occasion d'un aller-retour pour trois fois rien au pays des hommes du soleil couchant, là où les rêves les plus fous se réalisent. Transit par New York, et nous voilà serrés l'un contre l'autre sur une plage d'or fin, à contempler le soleil, couchant justement. Ici, il paraît deux fois plus gros qu'en France. La boule vermillon embrase l'horizon. Sur le paysage de carte postale, un bateau dessine de son mât noir une croix illuminée. Le symbole s'impose : la croix du chemin pour qui aspire à la lumière, à l'horizon de sa vie. Un beau cliché, sans doute, mais pas le reste du spectacle : des oiseaux de feu tournoient dans les jeux d'étincelles de la mer et du ciel. Je dis bien *oiseaux de feu* et non simples volatiles, des oiseaux de lumière dansant un ballet dans un ciel flamboyant. Vision irréelle, unique, et pourtant bien réelle. Le soleil frisant la mer projetait ses rayons vers le haut, ciselait sans ombre le liséré des mouettes et peignait dans leur miroir l'explosion irisée d'oiseaux de paradis préfigurant l'Esprit saint au dessus des apôtres. Gwenaelle souriait aux fantasmes de la nature. Son sang teintait ses joues d'une magie écarlate et son regard fixe transperçait l'infini. Elle hocha la tête devant cette impossible beauté. Elle m'embrassa soudain et dans un souffle exalté, me mordilla les oreilles : «je t'aime, je t'aime, je t'aime...»

Nous vivions ensemble depuis trois ans mais je la connaissais depuis toujours tant nos sentiments s'étaient affermis. Après une enfance perturbée, la solitude de l'adolescent gaffeur et empêtré et un premier mariage raté, je réalisais que l'existence pouvait combler avec la même intensité les chausses-trappes qu'elle ouvrait sous mes pieds. Nous avons couru dans le sable tiède, nous nous sommes enroulés comme des amants de cinéma jusqu'à ce qu'une vague plus téméraire nous rafraîchît les idées et nous rappelle que la marée montait. Lentement et tendrement, nous prîmes le chemin de l'hôtel afin de poursuivre notre duo égoïste, loin du monde et de ses tentations. Hélas, le creux à l'estomac nous invita à des ébats moins intimes. La mort dans l'âme, j'ai saisi le téléphone et convoqué sur le champ une pizza *all-dressed*, rebondie, croquante à souhait, toute chaude, toute parisienne.

C'est en fouillant les tiroirs à la recherche du bottin téléphonique quand j'eus la stupéfaction de trouver une *Holy Bible*. L'Amérique de la haute technologie réservait bien des surprises aux touristes européens forgés à l'école de la République laïque. C'était tout le paradoxe de ce pays, champion du matérialiste triomphant où la monnaie est frappée au nom de Dieu et où les prêcheurs soulèvent les foules par médias interposés. Il fallait invoquer la coutume selon laquelle *fast food* rime avec *religion*.

J'ouvris la Bible à la Genèse et déchiffrai le premier verset : *In biggining*. Traduction : DANS le commencement. Tiens donc ! Toute Bible en Français commence par *AU commencement*.. DANS et AU n'ont pas le même sens.

Au : article contracté de «à le, à les» représente une position dans le temps. Il indique le début du *commencement* en question.

Dans : préposition qui marque le lieu où l'on se trouve, où l'on va.

Je réalisai que le texte variait selon la traduction. Que restait-il du sens original ? *DANS le commencement* signifie qu'à l'intérieur d'un Principe primordial, il se passe quelque chose. *AU commencement* indique l'origine d'une chose et aurait été traduite en anglais par *AT the begining*.

Le désarroi m'envahit et bouleversa les convictions, ancrées depuis ma tendre jeunesse. Comment imaginer que la traduction française pût être erronée ? À force de remettre en question la complexité, on néglige la simplicité. Mea culpa ! Les dernières paroles de *Lumière* explosèrent dans ma tête : *Tourne-toi vers le passé et puises-y les éléments de ta compréhension future*. Je devais connaître le sens exact du texte original.

Grâce à Gwenaelle, j'avais mûri et le bonheur m'allait à merveille. Autrefois, j'aurais exigé une réponse immédiate mais je repoussai mes interrogations pour mon retour dans la métropole et décidai de câliner mon ange parachuté du ciel. Mais mon soudain silence l'avait suffisamment intriguée pour qu'elle arrête mon geste et me fixe en m'interrogeant du regard.

«Regarde, amour, dis-je. L'explication des oiseaux de feu ! *Au commencement, Dieu créa les cieux et la terre...* puis Dieu dit : *Que la lumière soit !* Et plus loin : *Que c'était bon !* Eh bien ! les oiseaux signifient que notre vie ne fait que commencer. Ils symbolisent l'envol de la lumière qui éclaire nos cœurs et le feu qui dévore nos entrailles. Mais quand Dieu créa la femme, il n'a pas dit que c'était bon. Tu sais pourquoi ? Parce qu'il savait qu'elle allait nous faire croquer la pomme. Ta p-ô-ô-ô-me ? c'est MOAAAH !»

Elle me balaya le visage de ses deux mains :

«Gna, gna ! Tu ne changeras jamais ?

— Je ne peux pas, le moule est cassé ! Alors, qu'est-ce que tu attends ? Que le grand cric me croque ?»

La pizza fut excellente.

* *
*

Dès notre retour en France, je me précipitai à la bibliothèque municipale pour me procurer la Bible en français, la Bible en hébreu, le *Dictionnaire hébreu-français* de Sander et Trenel et un bouquin que le hasard me désigna, *Initiation à la Kabbale hébraïque*, de A.D. Graad. En le feuilletant, j'avais entrevu un chapitre où l'auteur analysait le premier mot de la Bible. Sitôt rentré, j'alignai sur une feuille de papier mes premières constatations :

Texte hébreu : בראשית* (Beréchîth).

Dictionnaire hébreu-français : בראשית (que Dieu à créé, n.pr.m.). Rien d'autre !

Pour A.D. Graad, ce mot peut se décomposer ainsi : Extraire de בראשית (Beréchîth) les deux lettres du milieu, אש (Esch), signifiant feu. Les lettres restantes, ברית, forment le mot Berîth, alliance. Donc, בראשית (Beréchîth) veut dire *alliance de feu*.

Ainsi, le fait de décomposer un mot permet d'en saisir le sens. Je découvris alors le jeu des permutations de lettres. Jouons-le en respectant une règle de la kabbale : aucune lettre ne doit être ignorée.

Première traduction de בראשית (Beréchîth)

ב : deuxième lettre de l'alphabet, dérive du mot *maison*. C'est une préposition signifiant *dans*, ou encore *près, auprès*.

ראש (Roch) : *Tête, personne, homme — Chef, sommet, pointe, la chose principale, capitale.*

ית (ît) : indique l'accusatif, c'est-à-dire que l'élément qui le porte subit l'action.

ראש (Roch) recouvre la notion de la chose la plus importante, celle qui dirige, le Principe.

* L'hébreu se lit de droite à gauche.

D'où : *Dans la chose principale, dans le Principe.*

On s'éloigne déjà de *Au commencement.*

Deuxième traduction de בראשית (Beréchîth)

ב, deuxième lettre de l'alphabet dérive du mot *maison.* Maison s'écrit בית, lettres composant בראשית (Beréchîth). Les lettres restantes sont toujours ראש (Roch), avec leur sens de *chose principale.*

D'où : *Dans la chose principale, dans le Principe...* mais aussi *la maison du Principe*, c'est-à-dire *dans la demeure de la chose principale.*

Je découvris aussi que ראש (Roch) est l'anagramme de אשר (Acher) qui est le nom sous lequel Dieu se présente à Moïse pendant la vision du buisson ardent (Exode, 3-14) : אהיה אשר אהיה (éyié Acher éyié), *je suis QUI je suis.* Le QUI de אשר (Acher) prend le sens de celui QUI EST !

D'où : *Dans la chose principale, dans le Principe de celui QUI EST*, c'est-à-dire *dans la demeure de l'Unique...*

... eh bien ! que s'y passe-t'il ?

Troisième traduction de בראשית (Beréchîth)

ברא (Bara) : *créer, faire naître, produire.*

שית (shîth) : *vêtement.*

Soit *créer le vêtement.*

D'où : Dans la chose principale, dans le Principe *de celui QUI EST*, c'est-à-dire *dans la demeure de l'Unique se crée le vêtement.*

... comment ?

Quatrième traduction de בראשית (Beréchîth)

ב : préposition *dans.*

את (éth) : *moi-même, celui même.*

רשי (rchî) : mot inconnu du dictionnaire, mais c'est l'anagramme de ריש (rîch) et שיר (shîr).

ריש (rîch) : *chef, rituel.*
שיר (shîr) : *chant, action de chanter, cantique.*

D'où : Dans la chose principale, dans le Principe de celui QUI EST, c'est-à-dire *dans la demeure de l'Unique se crée le vêtement...* ou encore *dans moi-même, je crée un rituel...* ou *dans moi-même, je chante...*

Le chant, c'est la vibration, le verbe !

Alors, proposons une traduction plus fine : *Dans celui qui est, dans son Principe principiel se crée le vêtement de toute chose par le chant ou le verbe.*

Pas mal ! Toutefois, cette phrase provient d'une véritable torture des mots chère aux kabbalistes. Elle ne s'éloigne guère de la traduction initiale : *Au commencement* ou *Dans le commencement...*

Par contre, ma traduction évoque le premier verset de l'Évangile selon saint Jean :

> «Au commencement était le Verbe et le Verbe était avec Dieu, et le Verbe était Dieu. Il était au commencement avec Dieu. Toutes choses ont été faites par lui, et rien de ce qui a été fait, n'a été fait sans lui. En lui était la vie, et la vie était la lumière des hommes.»

Sur cette base, j'éclaircis un point qui m'intriguait. La phrase entière du premier verset de la Genèse, dans l'Ancien Testament, est : בראשית ברא אלהים, traduite par : *Au commencement créa dieu... DIEU ?* Oui, אלהים (Élohim) = Dieu, mais il ne s'agit pas du même Dieu que le Dieu créateur de Moïse : אהיה אשר אהיה (éyié Acher éyié) —> Je suis QUI je suis !

Acher (אשר), par l'anagramme du mot Roch (ראש), désigne déjà Dieu Absolu dans Beréchîth (בראשית). Qu'est-ce que ça veut dire ? Qui est qui, au bout du compte ? Acher ou Élohim ? Je découvrirai plus tard qu'Élohim est une manifestation ou un état différent de Dieu qui EST.

Je repris le premier verset. L'évidence sautait aux yeux. Un enfant de trois ans aurait trouvé. Les exégètes prisonniers de la philologie et de leurs convictions religieuses sont passés à côté. Moi, j'ignorais l'hébreu. Mon ego en était tout retourné.

Le deuxième mot, ברא (bara), traduit par le verbe *créer* correspondait aux trois premières lettres du premier mot : בראשית (Beréchîth). Créer implique de partir de rien pour faire quelque chose. Or, la création est déjà faite (Bara : ברא, dans Beréchîth : בראשית). Elle ne peut donc démarrer une deuxième fois, à moins de mettre la répétition de ברא (bara) sur le compte d'un bégaiement. Autrement dit, ברא (bara) ne peut signifier *créer* mais plutôt faire passer une chose de l'essence à l'acte, *transformer quelque chose qui existe déjà.*

Mon château de cartes était pulvérisé. La Bible n'a jamais décrit un commencement, mais plutôt ceci :

> «Dans le Principe principiel de celui qui est, dans sa maison, dans son corps donc, s'établit une magie qui, par le chant, le verbe, propage une vibration dont la fréquence créatrice matérialise les différentes structures de l'Univers. Il n'y a pas création, mais autocréation permanente, sans commencement ni fin.»

Lumière avait raison. La matière est illusion, elle se meut dans un Vide absolu qui n'a jamais été créé. Je l'ai envoyé promener avec ma vision à courte vue.

Bien sûr, le Vide dans lequel se meut la Matière fera peur tant qu'on l'opposera à la matière. Les mots humains manquent : le Vide est évidemment quelque chose, une *substance* — terme faux dans la mesure où *substance* a une connotation matérielle... alors va pour *substance immatérielle* —, une énergie, une puissance, l'expression du corps divin qui, d'après la Bible, engendrerait un état vibratoire particulier, la matière. Ainsi, la nature intime de la matière constituerait un plan de transition entre deux manifestations du Vide. Parce que je vis dans cette matière, elle se présente à moi comme une finalité alors qu'elle n'est qu'une simple frontière.

Ce mot déclencha l'illumination : comme l'Homme !

Mais oui ! בראשית (Beréchîth), *Alliance* ברית *de feu* אש, selon A.D. Graad. Mais l'alliance avec l'Homme aussi, car dans בראשית (Beréchîth), les trois lettres איש (îsch) forment l'anagramme du mot *Homme*... l'alliance avec le feu, l'Homme, la Lumière... Quand l'Homme sera devenu Lumière, l'alliance sera consumée. L'Homme est un homme-dieu en puissance.

Je suis resté longtemps prostré. Par bravade, j'avais perdu *Lumière*. Pire, je l'avais trahi. Il avait raison sur toute la ligne. C'est bien dans le passé que je trouvais la réponse à l'éternalisme de l'Univers et la pensée embryonnaire du pourquoi humain. Il ne me restait plus qu'à poursuivre mes recherches là où *Lumière* m'avait laissé, à l'étude du cosmos. Mais je vibrais d'une profonde autosatisfaction : j'avais trouvé le truc par moi-même, j'étais devenu autonome dans ma pensée et bientôt adulte dans la *Connaissance*. Je devais donc me donner les moyens d'accéder au *Savoir*.

* *
*

Pour mieux comprendre l'Univers, je me suis procuré *Cosmos*, de Carl Sagan. Bon livre de référence, en effet, puisque mon ancien professeur de sciences s'en était servi pour illustrer son cours. J'y retrouvai l'histoire de la découverte du ciel qui confirma ce que je savais déjà. Mais j'appris autre chose :

Les trous noirs me permirent d'élaborer une théorie pour comprendre le renouvellement de la matière et découvrir une des raisons de l'existence de l'Homme.

Qu'est-ce qu'un trou noir ?

Tout corps en mouvement doit, pour se soustraire à la gravitation, déployer une force dite de libération qui varie en fonction de la masse de l'astre où il se trouve. Sur la Terre, ce corps doit atteindre une vitesse de 11,2 kilomètres à la seconde. La mission Apollo n'a pu décoller de la Lune uniquement parce que le L.E.M. s'est... envoyé en l'air à la vitesse de 2 kilomètres à la seconde seulement. Une fusée hypothétique ne pourrait se dégager du Soleil qu'à la vitesse de 619 kilomètres à la seconde, et à partir d'une étoile 235 fois plus massive que le Soleil, elle devrait atteindre près de 300000 kilomètres à la seconde... la vitesse de la lumière. Les photons soumis à l'attraction ne pourraient quitter l'étoile, qui ne rayonnerait plus : elle serait devenue un trou noir.

Donc, un trou noir est invisible dans le ciel. C'est l'astronome anglais Michelle qui, en 1783, eut le premier l'intuition des trous noirs, mais il fallut attendre 1971 pour qu'un observateur spatial, Uhuru, découvre dans la constellation du Cygne une source anormale de rayons X en provenance d'un endroit apparemment vide, autour duquel tournoyait une étoile dont la masse était dix fois supérieure à celle de notre Soleil. On déduisit que cet objet invisible, dont la taille ne dépassait pas celle d'un astéroïde, devait peser dix fois plus que le Soleil. Or, une étoile qui ne rayonne plus par l'effet de sa gravitation s'effondre sur elle-même, car la formidable attraction écrase sa propre matière. L'objet devient un piège pour tout corps qui passe à proximité. Telle une araignée dans sa toile, il immobilise, attire, puis digère des astéroïdes, des comètes, voire des planètes et des étoiles, ce qui accroît d'autant plus sa masse qui le pousse à s'effondrer davantage. Que devient la matière ? Où va-t'elle ? Personne ne le sait, car, ne recevant aucune lumière du corps noir, on en est réduit aux spéculations les plus folles.

Imaginons une toile de caoutchouc et jetons-y une masse quelconque : une dépression apparaît. Lançons-y une petite bille comme au casino; la bille cercle autour de la dépression puis spirale de plus en plus vite en se rapprochant du centre et à la fin, tombe dedans. Le poids s'accroît au fond de la dépression et creuse encore plus la toile. D'autres billes plus éloignées peuvent être attirées, puis précipitées dans la dépression et courber davantage la toile. On aura compris l'analogie avec les trous noirs. D'après Einstein, la gravité serait une distorsion du tissu de l'espace, et la matière une courbure de cet espace. Au fond, pas grand-chose !

Attention ! L'erreur serait de considérer le tissu de l'espace comme de la matière. Ce sont des ondes gravifiques. Parce qu'on l'oublie, on s'imagine que les trous noirs sont... des trous avec, évidemment, une sortie de l'autre côté. Les trous noirs seraient interconnectés par des tunnels qui s'ouvriraient à l'autre bout de l'Univers. Les explications sont toutes permises parce qu'incontrôlables en l'état actuel de la technologie. On peut toujours *triper* sur cette vision angoissante d'une matière se déversant dans rien jusqu'à la disparition totale de l'Univers.

NON ! Tant que la pensée humaine se limitera à cette imagerie en trois dimensions, elle passera à côté de l'essentiel. Un trou noir n'est pas un trou mais une distorsion de la gravité, de la même façon que la matière n'est qu'une courbure de l'espace, d'après Einstein. Hypothèse : pourquoi un trou noir ne serait-il pas une frontière entre le Tout et le Rien, entre le Vide absolu et la Matière, entre l'Espace-Absolu infini et le Cosmos ? Exemple :

> Imaginons une pièce infinie. Qui voit l'air ? Personne ! Allumons une bougie. Qu'est-ce que la flamme ? L'oxygène qui brûle, de l'air quoi !
>
> Le Vide absolu est à l'image de l'air statique et la flamme qui brûle représente l'état vibratoire et dynamique de ce Vide absolu : la matière. Soit deux états d'une même chose.
>
> Et le trou noir ? Comment la flamme peut-elle consommer l'air ? Par la mèche qui est à la fois la frontière entre Tout et Rien, mais aussi le moyen pour la matière de s'autogénérer. Le trou noir est le régulateur de l'Univers.

> Un trou noir n'a donc pas besoin de communiquer avec d'autres trous noirs, parce qu'en tant que frontière, il communique de façon permanente avec tous les trous noirs.

Il faut rendre hommage à Louis de Broglie qui a élaboré le premier embryon d'explication de ce que j'avance. Mais avec les luttes de clans et de pouvoir... bref, il abandonna son idée au profit d'une autre, au fond toute aussi valable, et pourtant incomplète. Le Père de la mécanique quantique avait imaginé qu'un quantum, la plus petite particule de matière possible, était **soit de l'énergie pure, soit une onde**. On préféra admettre qu'un quantum était **une onde à laquelle est associée de l'énergie pure**. Cette distinction apparemment pleine de finesse a des conséquences cosmologiques incalculables. L'illumination de Broglie, en effet, permettait d'entrevoir que le Vide absolu pouvait matérialiser la matière et inversement, idée de génie qui recoupait parfaitement le concept du premier mot de la Bible, Beréchîth (בראשית), qui décrit l'autocréation d'un même principe matérialisant l'Univers physique. L'autre théorie expliquait la conséquence de la première : il y aurait, vus de l'extérieur, deux principes inséparables, le Vide absolu et la Matière, l'un ne pouvant exister sans l'autre, pour la simple raison que l'un provient de l'autre. Il va de soi que les physiciens n'en parlent pas en ces termes puisqu'ils éprouvent quelque difficulté à concilier Vide absolu et Espace-Absolu.

J'aurais voulu que *Lumière* m'indiquât si j'étais sur la bonne voie. Mon raisonnement, somme toute très intellectuel, tenait la route. Je commençais à percevoir le rôle de l'Homme : il devait devenir un trou noir. Il est constitué d'une partie du Vide absolu et d'une partie de la Matière. S'il devient absolu, il n'est rien; s'il reste matériel, il n'est rien. S'il devient frontière entre l'Espace-Absolu et Matière, il est tout. C'est l'État christique créateur qui permet de pétrir l'énergie primordiale pour en faire du pain, ou de transformer le pain en énergie primordiale... le mystère du repas pascal !

Une explication cohérente s'applique à tous les niveaux. L'Homme doit devenir trou noir s'il aspire à la lumière. L'être humain naît à la lumière de la vie par un trou noir, il meurt à la lumière pour retomber dans un trou noir. Par contre, s'il devient trou noir durant sa vie, il s'érige en frontière entre Tout et Rien. Par sa Lumière intérieure, il se transforme pour aider matériellement les autres à atteindre leur Lumière. Tout est une question de Lumière. En d'autres mots, l'Homme doit devenir un canal et le canal s'ouvre quand l'individu fusionne dans sa dualité fondamentale.

La vie réserve des surprises. J'étudiais cette question depuis deux ans, seul avec moi-même. Je voulais savoir pour mieux connaître. Car l'instant approchait où je reverrais *Lumière*, comme approchait celui où j'allais sombrer dans un trou noir aux conséquences dramatiques : ma propre mort !

* *
*

6

LA CLARTÉ DE LA MORT

Afin de profiter du soleil méditerranéen de ce début de juillet, nous avions décidé de nous rendre avec des amis à la presqu'île de Giens, à quelques encablures de la Madrague où Brigitte Bardot avait jeté son dévolu écologique. Gwenaelle et moi avions pris le chemin des écoliers tout en participant aux efforts des économies d'énergie : l'auto-stop ! Après un premier zigoto qui adorait prendre des curés à son bord et se faire passer pour le diable, et un second qui avait fait un détour exprès pour visiter une exposition sur la sorcellerie dans le fin fond des Cévennes, j'avais développé une méfiance bien légitime. Et, comme de raison, le dernier serviteur de la route sacrifia au rituel du gugusse bien intentionné et s'acharna à nous exposer sa théorie sur le vieillissement dont il avait découvert la cause secrète, à savoir la perte d'électrons : chaque accès de colère déclenche un orage qui décape la couche électronique externe des atomes dont le noyau devient positif. La conclusion nous arracha le rire indispensable à une vie longue et heureuse, au grand plaisir de notre bon samaritain. Par malheur, le saint homme devait s'arrêter régulièrement chaque fois que quelqu'un pensait à lui. L'encombrement des lignes psychiques et les fréquentes ruptures de signaux nous imposèrent un rythme de tortue.

La route, elle, se bornait à serpenter au pays des Cathares avant de mourir dans le couloir de Carcassonne. Il fallut, de surcroît, encourager l'équipe de rugby de Narbonne. Enfin, après avoir extirpé nos derniers électrons, notre chauffeur atomiste nous laissa, moribonds, près de la tombe du poète-chanteur sur la plage de Sète. Mais nous connaissions le moyen de nous rajeunir; nous nous sommes bécotés sur les bancs publics en lançant le clin d'œil au père Brassens.

Nîmes ! Olé pour les arènes et une larme pour le *toro* qui meurt. Frôler la Camargue ! Le temps commençait à raccourcir, mais comment résister à l'envie de saluer la Vierge noire, les tziganes des Saintes-Maries-de-la-Mer et Crin-Blanc, sans évoquer Ulysse qui, heureux, avait fait un beau voyage !

Cap sur Marseille ! Éviter la Canebière et les joueurs de pétanques, pointer sur Hyères et se retrouver avec deux jours de retard au bout de la presqu'île. Un dernier effort pour traverser en fraude le terrain de manœuvre des commandos de marine et se faufiler de l'autre côté de l'île, presque inaccessible par terre et par mer, et nous voilà enfin, presque seuls, avec nos amis, sur la Côte d'Azur, en plein été. Le soleil ! Le calme ! Le silence, les amis, le repos... et Gwenaelle qui n'arrêtait pas de faire chanter mon cœur...

Et puis la mer ! La presqu'île s'enfonçait dans l'abîme. Les vagues éclataient en étincelles d'écumes que l'explosion lançait à plus de dix mètres au-dessus de nos têtes. Assis sur le haut de la falaise, nous nous grisions du grondement d'enfer du reflux qui se ramassait comme une bête aux abois avant de s'élancer à l'assaut. Le vertige nous poussait dans l'obscur désir de plonger dans ce râle provocant, attisé par les embruns tentaculaires qui enserraient les chevilles, les attiraient et les marquaient de la morsure du froid avant de lâcher prise. Les remous se superposent à ma feuille d'écrivain alors que ma mémoire rappelle ces vagues, si monstrueuses, si belles, en gouttelettes-mots, mots-creusés par le vide effrayant qui les enchaînait et dans lequel elles m'ont projeté.

Il faisait beau. Calme, la mer. Le ciel, sans nuage. Un soleil de plomb et Gwenaelle rayonnante. Tout me préparait pour le grand saut.

Vêtu d'un survêtement d'homme-grenouille et muni d'un tuba, l'ami Michel s'amusait depuis quelques jours à se lancer dans les tourbillons. La technique consistait à se mettre sur le dos, à se laisser porter par la vague, à s'agripper aux rochers et à remonter au plus vite avant la prochaine déferlante.

«Viens Kris, supplia Michel. Tu as promis !»

Au repas, par bravade devant la fille de mes pensées, j'avais minimisé le risque de la prestation. Manque d'humilité ! Mais l'amoureux effronté prétend se donner le courage de se dépasser. Je me tournai vers Gwenaelle qui accompagna son sourire d'un haussement des sourcils : trop parler nuit !

D'accord, on a sa fierté. Je n'étais pas un nageur de première mais je me défendais encore assez pour affronter ce genre de difficultés. Et puis, il en allait de mon honneur et, en secret, j'enviais Michel. Malgré l'angoisse, je voulus éprouver ce haut-le-cœur que provoque la vague en vomissant plus haut. Alors, dans une pose empreinte d'une noblesse théâtrale, le corps droit comme le doigt de Jupiter, je tombai plus que je ne plongeai sous les rires de la colonie.

Le silence de la mer. La douceur de l'eau. Je m'abandonnai et remontai sans résister à la pression du courant. Le reflux m'avait m'entraîné à trente mètres du lieu de ma chute. Je me laissai flotter comme un mort pour provoquer l'émoi chez mes amis. À titre de revanche ! Les poumons en flamme, je me redressai, la face hilare. Fier comme Artaban et heureux de remplir mes soufflets, je buvais l'air avec délectation. L'écho de la voix de Gwenaelle me parvint, lointain, plein de reproches et de l'émotion d'un instant :

«C'est fin... c'est fin comme du gros sel dans une salière à petits trous !»

Et moi, grimaçant comme un clown, j'éclatai, ironique. Je nageai vers la côte puis attendis sur le dos, avec une légère appréhension, la première vague. Elle me surprit, soudaine, inattendue de puissance. Étrange impression d'angoisse enivrante à l'idée de subir l'événement, la tête dirigée vers le ciel, appréhension identique au décollement précédant le voyage astral. Même surprise aussi de pénétrer dans une autre dimension. Mais cette fois, c'est le choc contre le rocher qui me dégrisa. Je voulus m'agripper à la paroi pendant que la mer me portait encore au sommet de sa course. Mais elle, sans émotion, se retira et m'enchaîna à sa retraite. Mon corps se marbra d'égratignures, mes doigts humides glissèrent sur le roc gluant. Je lâchai prise, roulai dans la vague comme un ludion, les yeux exorbités.

Retour à la case départ cinquante mètres plus loin, les poumons plus lourds d'une goulée d'eau. Je tourne en rond pour me calmer. Je retrouve une lucidité surprenante, légèrement vexé d'avoir raté mon entrée. Je prépare la seconde tentative, la bonne, à coup sûr. Je VEUX sortir de ce traquenard où j'ai plongé sciemment. La situation ne me fait plus rire. Il s'agit maintenant de sauver ma peau.

Une nouvelle vague. Sur le dos, les muscles tendus à l'extrême, je suis de nouveau transporté. Le choc me fait mal. Des éraflures balafrent ma poitrine. Je saigne. Je m'agrippe à la paroi. Le désespoir ! Je réussis. La mer se retire. Vite remonter ! Et là, je mesure mon désespoir. La vague était trop faible, elle en préparait une plus grosse qui la domine déjà. Je suis trop bas. Je n'arriverai jamais à remonter. Je lance un regard désespéré en haut. Pas le temps de réagir… la vague principale me frappe de plein fouet, froide, violente et m'arrache sans difficulté de ma position.

Assommé, à peine lucide, je ressens encore la brûlure du sel dans ma gorge. La pression dans mon crâne exorbite mes yeux. La peur de souffrir. Une pensée éblouissante m'apaise : Gwenaelle m'attire avec des mots d'amour contre son sein… le bonheur d'exister à travers elle. Mon corps se débat seul, je suis complètement étranger, absent, en dehors de tout. Où est la souffrance de l'agonie ? On ne souffre pas quand on meurt. Il faut le dire tout haut ! Un noyé boursouflé suinte l'horreur et le dégoût. Mais c'est le corps, ça, pas soi ! Je le vois se tordre, griffer l'eau, les spasmes... mais moi je ne souffre pas : je me sens bien dans ce corps déchiré, asphyxié, mais je suis complètement indifférent à sa survie. Un voile s'abat sur mon esprit qui sombre dans un trou noir. Rien. Absence. Silence d'inexistence. Le vide. Plus personne. Néant du dormeur.

Je me réveille dans le temps aboli. Je suis conscience et pensée. Où est mon corps ? Le rêve est aussi réel au dormeur que l'actualité de l'éveil. Pourtant, c'est bien réel. Je ne dors pas. Je vois sans mes yeux, en pleine clarté, un environnement étrangement lumineux au-delà duquel pèse la nuit. Mon champ de conscience s'élargit comme celui d'un blessé qui émerge doucement du coma, comme l'éclairage d'une lampe à pétrole activée par la longueur de la mèche. La matière s'estompe derrière un voile grisâtre. Je devine dans un miroir-sorcière qui déforme la vue, mon cadavre allongé sur la grève. Un homme s'active en exerçant des pressions sur mon thorax, prend mes bras, les tord, les tire, les pousse dans une gymnastique incongrue, absurde. Tout est hors de ma réalité, comme ces idées idiotes qui me traversent l'esprit... *La Marque Jaune*, de Jacobs... de fabuleux dessins des docks de Londres nimbés de *smog*... l'association à cette bande dessinée de mon enfance me saisit, car à l'instant je la comprends, car à l'instant je survole la scène à travers la même brume dessinée par une espèce de crachin qui noie la perception. L'esprit — mais quel esprit ! — fait le reste, lie, délie, nettoie, amalgame, mélange couleurs, sons, odeurs, dans une bacchanale orgiaque de sens hypertrophiés, aux souvenirs en foule, en cérémonieuses processions interminables, infinies...

Au loin, en moi, une impression de mot : *Kris* ! Qui peut encore faire vibrer mon prénom d'homme ? Je dois réagir contre l'ivresse, je balaie les miasmes et les phosphènes. La scène devient plus claire, comme au lever du jour : une jeune femme en larmes serre mon visage dans ses mains. Elle parle : «Kris, mon amour. Reviens ! Que vais-je devenir sans toi ? Bats-toi ! Secoue-toi ! Tu es un battant, pas un lâche ! Tu n'as pas autant souffert pour abandonner au moment où tu trouves enfin la paix».

Son visage ruisselle de consternation et d'aberration. Je la vois, je l'entends comme un être vivant mais je me sens à la fois étranger et troublé par ses paroles. Sa sollicitude me touche, elle me rejoint par quelque chose d'indéfinissable qui vibre loin au fond de moi. On ne laisse personne souffrir comme ça. Ça n'a pas de sens. C'est inhumain. Je voudrais la consoler, lui sourire, la réconforter, la soutenir, l'aider à se relever, lui dire : «Pourquoi pleures-tu ? Où est le problème ? Je n'en ai pas, moi.»

À l'instant, ma vision grandit comme sous l'effet d'une loupe. La tendresse grandit pour cette femme dont le nom explose : Gwenaelle ! Je suis l'ivrogne qui veut oublier ses ennuis mais qui retrouve un moment de lucidité. Je vois, OUI, JE VOIS l'amour qui nous unit, beau, magnifique, transportant. Sa chaleur sereine, entière, me submerge avec une intensité sanctifiante. Ma mémoire renvoie les images de notre rencontre... Comment peut-on se souvenir avec une telle précision ? Je revis en spectateur mes émotions, successions d'états, de pensées anciennes... je suis moi, je suis elle... Qui est qui ? Voici l'angoisse de son corps sous la première étreinte... Qui connaît l'abandon d'une femme qui se donne pour la première fois ? Non, on ne sait pas, on pressent seulement que l'on est à l'écoute de l'autre... ses pensées secrètes quand elle m'observe en silence... sa douleur, je suis sa douleur dans mes pauvres mots de colère pour assurer la suprématie du mâle sur la femelle... le désarroi de Kris dans son impuissance à la consoler, de ne pouvoir l'aimer comme elle le mérite, elle dont le regard me transperce de tant de sollicitude... les oiseaux de feu ont auréolé nos cœurs... elle avait crié : «Je t'aime, je t'aime, je t'aime...»

Gwenaelle ! Ma dernière pensée d'être vivant au moment de la noyade cristallise l'antichambre de ma mort. La mort est l'aboutissement de l'existence et le leitmotiv qui dynamise la rétrospective. Je revois dans le détail toute ma vie, en une succession ininterrompue de scènes sans logique, hors du temps ou de l'espace. Je participe mais je suis détaché, sans l'émotion ou la raison qui me permettrait d'établir des comparaisons. On mesure alors à quel point la matière est liée aux sens et si on a réussi ou non à s'en détacher. Le raisonnement est le propre de la matière et implique un temps qui s'écoule. Alors, comment peut-on voir tout sans raisonner et comprendre en même temps ? Un spectateur qui voit un film où un bulldozer s'approche d'une maison en déduit aisément, s'il connaît la finalité du bulldozer, que la maison sera détruite. Mais est-ce certain ? Le raisonnement fonctionne en fonction des connaissances acquises. On repasse le film à l'envers et la maison ressurgit de terre. Le spectateur sait alors que la maison a été détruite sans avoir eu recours à la déduction. Ainsi, la rétrospective per-mortem n'est pas déductive.

Elle n'est pas non plus cinématographique, comme on se plaît à l'imaginer, mais instantanée, dans une simultanéité aux dimensions de l'infini. On la subit sans désirer y échapper. Tout est normal. C'est comme ça, un point c'est tout. Ce qui a dominé la vie terrestre reste prégnant. Certains réalisent à leurs derniers instants l'errance de leur existence et cette prise de conscience dirige leur vision astrale. En ce qui me concerne, ma naissance en tant qu'homme, grâce à Gwenaelle, et donc notre amour, anime comme une donnée implicite ma propre rétrospective. Anime... mais sans durée... plutôt au sens de donner une *âme* avec intensité, illumination. L'énergie de notre amour me détache de toutes les difficultés. Je revis, il est vrai, avec la même force, mes déboires, mes problèmes, la déception que je provoquais dans mon entourage. Mais la pureté de nos sentiments met du baume sur ma désespérance, me permet de l'accepter sans regret comme une triste évidence. L'esprit en permortem ne juge pas et ne peut regretter, car le regret suppose la pensée qu'il aurait pu mieux faire. Il dresse un constat, établit un bilan dans lequel, certes, les peurs, les fantasmes et les refoulements se taillent une bonne part, mais c'est plus l'intensité, le rejet dans sa violence de la chose que la chose elle-même.

Je me revois enfant. Ma Mère m'embrasse. Je ne me souviens pas avoir reçu un baiser de ma Mère. Je n'éprouve pas de bonheur; il n'y a pas de bonheur où je suis, mais une plénitude. Je croyais qu'elle avait un cœur sec, mais une mère peut-elle ne pas aimer sa propre chair ? Mon Père... je ne l'ai pour ainsi dire pas connu. J'avais sept ans quand il est mort. Je lui ressemblais, disait-on. Ce n'est pas vrai. Son regard est différent. Je ressens un amour instantané : preuve que même si un enfant ne connaît pas ses parents, il a reçu leur amour de l'avoir amené à la vie. Cette reconnaissance secrète demeure là, dans un recoin de l'Âme, pour l'éternité.

Voici Nicole, mon premier amour, à Valenciennes. Je l'ai aimée malgré elle, parce que c'était la première fille qui m'accordait de l'attention. Nous nous étions promenés sur la plage, comme des enfants sages qui ne savent rien. À l'époque, Serge Danel chantait *La plage romantique* et j'avais transposé sur elle mon idéal féminin. L'image eidétique renvoya à peine une déception froide : elle était légèrement plus forte et plus grande que moi, nous étions mal assortis. Mais je l'avais choisie, elle. Son Père la relégua dans une pension pour la protéger de mes âneries. Son amie Louise me servit de boîte aux lettres. Elle lisait mes écrits enflammés avant de les remettre à Nicole, elle tomba amoureuse de moi. Je dus couper les ponts. Je porterai donc l'impression au titre de la compassion, non pour Nicole qui reste presque absente, mais pour Louise qui me donna sans que je le susse, l'amour que Nicole ne me donna jamais.

Je revois Francine, ma première femme, et notre divorce absurde. J'en découvre la raison, et surtout les motivations de ma compagne : elle ne voulait pas divorcer, mais seulement me faire réagir à son désir de vivre. De grains de sable en gros rocs butés, d'escalades en chutes libres, un précipice nous sépara, perdus que nous étions sur le faîte de notre montagne. Et cette phrase horrible devient limpide : «Je t'aime mais je dois apprendre à ne plus t'aimer.»

Les pages et les livres que je pourrais encore écrire ne suffiraient pas à peindre un être humain dans le détail. Mais la vision de sa propre vie règle complètement toutes les interrogations, réajuste l'erreur, rétablit la valeur de ce qui a été. Elle grandit l'esprit, l'apaise, l'aide à lâcher prise sur le passé pour un abandon sans regret ni envie de régler un compte en souffrance ou de terminer un travail en cours. La force de s'adapter et de faire face aux nouvelles situations prédomine dans l'au-delà. Une Âme ne reste pas attachée à un objet, à la fortune ou au site d'une mort violente par désir de lucre ou de vengeance, comme le racontent les légendes écossaises. L'énergie dégagée au cours de la contemplation provoque une fixation dans l'esprit du mourant qui la reçoit passivement, comme une sorte de possession ou d'incompréhension dominante fixant l'Âme à l'endroit de son obsession. Pour le mourant, la mort est toujours belle parce qu'il n'y a jamais jugement.

Certes, d'après certains témoignages, l'expérience per-mortem est un voyage en enfer, car le sujet ramène dans sa conscience vivante l'intensité vibratoire d'un instant capital qui a condensé le désarroi d'une vie de doutes dont il entretient la culpabilité, alors même que le phénomène libère sa mémoire pour le libérer de lui-même. C'est *son propre enfer*, désormais conscientisé à la suite de l'exultation qu'il ramène avec lui. C'est pourquoi j'affirme avec conviction la mort est douce et belle que pour tous. J'affirme, pour l'avoir vécue et comprise, que la mort est rédemptrice et libératrice parce que si le mourant vibre à ce qu'il fut, il ne juge pas et ne peut souffrir. La souffrance est humaine, physique, et non spirituelle. La mort par noyade n'est dramatique et atroce que pour le corps, non pour l'esprit. L'horreur de l'agonie n'est qu'un phénomène physique propre aux malades qui s'accrochent sans démordre à l'illusion de la vie terrestre.

Plus l'esprit plonge dans sa mémoire, plus il se détache de son vécu. Il lui semble chuter dans un autre univers. Les vies antérieures ? Non, le mourant ne revoit pas les vies des supports précédents de son Âme. La mémoire cérébrale, consciente ou non, n'est pas la mémoire de l'Âme à laquelle peut seul accéder le Connaissant. Pendant la vie terrestre, par exemple, le désir d'évoluer spirituellement peut permettre d'entrer en résonance avec son Âme et de connaître sa mémoire par diverses techniques, dont le voyage astral. Celui qui se réalise par-delà la mort devient un *Être de lumière* et connaît ce qu'a vécu son Âme durant ses diverses incarnations. Mais le passage de la mort est spécifique de l'incarnation qui s'achève et n'a aucun rapport avec d'autres vies.

La sensation de chute qu'évoquent les nombreux témoignages relatifs aux E.M.I (Expériences de Mort Imminente, en anglais N.D.E. ou Near Death Expérience) résulte de deux actions simultanées. D'une part, la marée d'images qui assaillent l'esprit et qui donne l'impression de revivre sa vie à l'envers, d'autre part, la perte progressive de la conscience du Monde matériel. Le temps — pour peu que l'on puisse parler de temps dans l'Univers astral — ralentit, se contracte devant le flot eidétique, ou faculté de former des images rémanentes. Ce ralentissement provient de l'abandon progressif à l'égard du vécu personnel.

Je sombre en moi. Exactement, en MOI ! D'autres aussi ont parlé d'une chute libre et accélérée dans un tunnel. Il n'y a pas vraiment de tunnel mais une distorsion, une dépression de la perception liée au ralentissement de la faculté de penser sans raisonner. Je perds conscience dans une lassitude amorphe d'abandon progressif, une non-résistance au phénomène qu'accompagne une lueur grandissante et une curieuse résonance, un murmure inaudible ressemblant à un chant. Le seul fait de savoir que je l'ai déjà entendu brise l'endormissement de ma pensée qui, d'un coup, embrasse l'infini de l'Univers. Être soi-même point et infini !

À cet instant précis, j'ai la *Connaissance totale* ! Je suis certain de comprendre l'évidente beauté du pourquoi de chaque chose, la matière, la vie, la mort, l'absolu, Dieu. Einstein n'était qu'un enfant, Mozart un adulte qui est passé à côté de son enfance. Le minuscule trou noir au centre de chaque galaxie est un ogre gravifique, monstrueux de puissance, qui régénère la matière. En pulsant, il déforme l'espace, le courbe, attire et repousse les galaxies. Un enfant peut comprendre l'évidente nécessité de Dieu. Nous sommes bien à l'image de Dieu. L'Homme est l'origine et le but de tout. Tout est évidence. Je ne peux rien conter de plus, car ce que j'ai su dépasse l'entendement. Dans la fusion avec l'Infini, la lueur naissante disparaît dans l'enchantement.

Le chant articule des mots d'harmonie, des mots sans sons, des mots sans sens, des mots au concept terriblement clair et précis dans leur contexte, des notes et des accords de mots qui élèvent la conscience à la lucidité du SOI s'embellissant. C'est beau, terriblement beau ! Je me laisse porter comme un enfant bercé par la mélodie câline de sa Mère. Une Clarté chasse les ténèbres. Certains parlent de lumière. Je préfère la rémanence d'un stimulus dont l'impulsion première s'est déjà éteinte ou que je ne perçois plus. Ma paix me pousse à la béatitude. Les murmures se fondent dans la musique. La Clarté s'approche, non, je me dirige vers elle, je pourrais la toucher, me fondre en elle. Elle vibre l'équilibre. Elle vibre l'absence. Qu'il est bon d'être délié des soucis ! Je vais la toucher quand les chants modulent un mot lointain et encore terriblement inconnu. Un mot qui s'infiltre dans ma pensée endormie, réveille un vieux rêve, un mot bizarre sortant de l'oubli, un mot vibrant d'une douceur entrevue et qui tourne mon axe de conscience vers le passé, un mot disparu sans doute autrefois mais désormais terriblement présent : KRIS !

Je ne réagis pas. Comment le pourrais-je ? Je suis déjà le Tout en me fondant dans le Rien. Maintenant, je sais. Le nom *KRIS* vivifie une conscience enfouie. Tout à coup, sans surprise, je réalise que *Lumière,* mon ami perdu, est là. D'autres *Lumières* l'accompagnent. Aucune ne m'est étrangère. Je les connais toutes mais qu'importe qui elles sont. Ce secret me concerne seul. Elles sont là et cela seul compte. L'une d'elles vibre plus que les autres : mon Père. Elle n'a pas son visage ni son apparence, car la forme appartient à la matière et l'informe à l'au-delà. Mais c'est mon Père. Entre elle et moi, la similitude et le lien transcendent l'explication. C'est mon Père, ce ne peut être *personne* d'autre. Son esprit a dépassé la mort. Bien sûr, ce n'est pas lui en tant que *mon Père* mais lui comme *Réalisé*. Voilà notre but, là-bas, si tant est qu'il s'agisse de destinée. La simple et merveilleuse beauté de l'état achevé traduit une tendre consolation et une compréhension tranquille.

La grande Clarté se fond dans le velours noir de mon ciel aveugle, éclaté de phosphènes. L'impression est curieuse, comme celle d'un adulte qui doit reprendre des études. Le cerveau hoquette comme un moteur trop longtemps muet, refuse de démarrer, puis replonge dans la lassitude du silence et l'ignorance d'avant. Je ne regrette pas la disparition de la Clarté. Où est le bien ? Le mal ? Ici, seule vit la conscience. Même si je ne distingue plus la Clarté, je la sais présente, parallèle à moi. Il me suffit de songer à elle pour qu'elle vienne à moi ou que j'aille à elle. Dans ce non-temps, la précipitation n'a pas de sens. Je vis une transfiguration banale et normale. Tout paraît sans logique mais terriblement cohérent par rapport à ce que je suis et anormal en fonction de ce que j'ai été. *Lumière* est là avec d'autres *Lumières*, c'est normal. Pourquoi n'en serait-il pas ainsi ? Dans l'Univers de la mort, tout est normal, parce que rien n'est étranger au mourant. Rien ne peut troubler la splendeur éblouissante qui apaise. Alors, tout tournoie dans le tourbillon d'un typhon, les lumières multitudes papillotent comme des lucioles, haut et bas s'inversent et se confondent mais *Lumière* est là, immobile et constant. Il sourit. Ce sourire *m'étonne*, car je suis dans une pensée de contemplation passive ou rien ne peut étonner ni surprendre. Étonnement d'être étonné ? Raisonnement ? Absurde ! Je suis mort. Une distorsion torture ma pensée. Mais je ne peux souffrir puisque je suis mort !

«Kris !»

Ce nom envahit mon esprit quand *Lumière* ouvre le sien.

«Kris ! Chaque chose en son temps ! Ta vie ne fait que commencer. Tu devais goûter la mort pour témoigner de la vie auprès de tes semblables. Tu as vu et tu as su. *Sauras-tu les informer ?*»

J'ai peut-être pensé :

«Ai-je le choix ?

— Kris, je t'aime !» intervint une voix.

Je crois que *Lumière* a répondu :

«Elle est ta Lumière du vivant, la contrepartie d'un double transfert qui illuminera désormais ta vie.

— Kris, je t'en supplie, prends mon souffle ! criait la voix déchirée d'une détresse infinie.

— Quant à moi, continua *Lumière*, nous serons deux en un. Je serai ta permanence, ton ami de toujours et à jamais ton éternité.

— Kris, mon amour ! Kris !»

Le cœur qui germait dans ma forme-pensée se mit à battre de plus en plus fort, au rythme d'un bonheur intense.

«Gwenaelle ! C'est fini !

— Laisse-moi, Michel ! Il ne faut pas... s'arrêter... une seconde...»

Le noir creusa dans le noir plus noir. Rien, plus rien, nouvelle absence, raclement dans la gorge, hoquet de douleur, très douloureux. Je rendis une eau gluante et spumeuse. La quinte suivante faillit m'étouffer pour de bon. Gwenaelle eut la présence d'esprit d'insérer un bout de bois entre mes dents et de me placer en position latérale de sécurité.

«Regarde !» s'écria-t'elle.

Les larmes inondaient son visage. J'ouvris les yeux pour la seconde fois de mon existence de terrien et découvris son merveilleux sourire. Elle se précipita pour m'embrasser dans le cou. Sa bouche délicieuse mordillait ma peau. Ses lèvres avaient, pendant de longues minutes, transfusé le souffle qui animait son cœur, avec tant d'émotion que le mien n'eut d'autre choix que de se remettre à nouveau au diapason de sa vie.

* *
*

7

RENAISSANCE

Plus rien ne sera comme avant. J'ai figé ma conscience dans l'*éternalisme*. Désormais détaché de tout, je peux être disponible à tout, car la vie est la mort et la mort est la vie.

Vrai ! On ne meurt qu'une fois. La mort est... habituellement irréversible. Le dernier voyage est transfiguration et rédemption. L'Âme rejoint le Monde des Maîtres ou transite par le Marais astral avant d'emprunter un autre véhicule qu'anime une autre conscience, un autre MOI dans un autre temps. Rares sont ceux qui ont la chance de reprendre le même véhicule et de tout reprendre à zéro en se souvenant de tout, car entre deux incarnations, l'oubli est total.

Pas de malentendu ! Je dis bien reprendre à zéro; la conscience n'est plus la même avant et après la mort. Le changement est radical pour tous ceux qui ont expérimenté l'aventure. Prenons l'album-photo familial pour comprendre. On se revoit enfant et on se dit à quel point on était détestable ou mignon, ou que sais-je encore. C'était une époque heureuse... mais ce n'est plus SOI. C'est une autre personne qui a été capturée par les sels d'argent et les pigments de couleur; elle pensait différemment, vivait dans un autre contexte, disparu à jamais. Un abîme creusé dans la frange du temps sépare l'enfant de l'adulte. Le fossé amnésique bloque tout retour aux pensées élaborées par le cerveau à l'instant où la photo a été prise. L'impression particulière du moment peut être ravivée mais, qu'on le veuille ou non, elle transite toujours par le filtre de la perception actuelle du spectateur. Une vague rémanence, en somme, plus ou moins fidèle, et souvent moins que plus ! Une Petite Madeleine de Proust !

Et pourtant ! Malgré le temps et l'espace, on garde toujours la même notion d'existence, celle qui permet de dire JE SUIS MOI ET PAS UN AUTRE. Mais la manière de l'appréhender varie sans cesse et provoque la distorsion de la conscience, progressivement, lentement, au rythme auquel nous sommes convenus, par conventions sociales et culturelles, de nous adapter. Plus on fonctionne en fonction d'un futur plus ou moins proche, plus la conscience se perd dans le passé. Mais vivre dans le présent arrête le temps et amplifie la perception de durée. Celui qui, à force de courir après son ombre, meurt avant d'avoir compris ce mystère, peut-il en *dire* autant ? Chaque seconde qui passe est un grain de matière entre deux vides de conscience.

Il est donc illusoire de croire à la continuité de la conscience, car on vit une multitude de toutes petites prises de conscience que l'on assimile à l'évolution. Il suffit, pour s'en convaincre, de jeter un regard objectif sur la photo de famille et d'analyser froidement l'écart d'avec l'instant présent. Certains en éprouvent de la nostalgie, et parfois des regrets. Mais la vie se charge de provoquer des brisures plus grandes, par la maladie, les émotions ou l'abandon des espérances. Cela fait mûrir, dit-on ! La prise de conscience projette dans le dépassement, c'est-à-dire l'illumination du SOI en un JE SUIS, ou dans la déchéance, selon que l'on accepte ou refuse le verdict des ans.

La mort offre l'occasion d'une découverte plus grandiose. On se voit tel quel, parvenu au terme imparti au corps physique. Pour l'un, constat suprême de la résurgence de la conscience d'ÊTRE, la mort est la fusion de SOI avec son Âme, l'État christique acquis durant la vie et que le passage cristallise dans l'éternité. Pour l'autre qui a échoué, sans haine et sans amour, la mort déstructure et sépare à jamais la conscience humaine de son Âme. Il n'y a là ni châtiment ni récompense. Seulement la conscience... de l'inconscience de celui qui fut.

La mort ouvre sur la conscience ultime du présent éternel que chacun doit atteindre durant sa vie. Il faut s'imaginer alors la transformation que subit celui qui revient dans son corps après le passage. Étranger nouveau-né dans un corps familier, il doit réapprendre à marcher comme un enfant, reconnaître ses intimes qui ne pensent plus comme lui, réfléchir pour comprendre les autres, et surtout soi-même. Une nouvelle vie ! Un nouveau départ !

Le voyage vers la Clarté résout tous les problèmes car, d'après certains témoignages, le voyageur atteint à la Connaissance ultime. Un moment, si on peut parler d'instant là-bas, ma lucidité a en effet acquis un tel entendement que j'ai en vérité tout... su. Je suis devenu l'Infini, je l'ai perçu dans toute sa splendeur. J'ai été Dieu une fraction de non-temps. Suis-je maintenant Dieu humain, Maître incarné ? Ô orgueil, descends de ton socle !

Non ! Je suis redevenu simple vivant, comme n'importe qui, ou presque... Du grand voyage, il ne me reste que des bribes discordantes, au cachet franchement onirique et que mon cerveau a retenues ou interprétées en fonction de son propre développement. Un dormeur peut vivre un rêve merveilleux, affirmer même dans son sommeil qu'il doit à tout prix s'en souvenir, et ne capter au réveil que des lambeaux qui s'effilochent dans l'éther, à mesure qu'il tente de pénétrer dans son souvenir. Mon voyage au seuil de la mort me donne le même sentiment. J'ai toujours conscience d'être un individu nommé Kris, dont je connais la biographie. Autant dire pas grand-chose ! Le reste, le vrai, est enfoui dans un coffre dont je dois retrouver la combinaison. Du reste, quel intérêt aurais-je à chercher la mémoire d'incarnations précédentes si je ne peux même pas me souvenir du grand passage dans cette propre vie ? Le *black-out* est total, en dehors de quelques rares éclairs de réminiscences.

Il me reste quand même quelque chose d'unique. J'ai éclairé ma vie passée. Je n'en veux plus à personne. Dès que j'ai pu, je suis allé voir ma Mère pour lui dire que je l'aimais, que j'étais heureux qu'elle fût ma Mère et non une autre. Mon Père, qui se trouve ailleurs, mais désormais présent-vivant en moi, vibre... vibre... dans mon cœur. Et puis, d'autres fleurs plus intimes embaument mon jardin secret.

À l'instant de ma mort, j'ai retenu l'essentiel de ma vie, l'amour de Gwenaelle dont l'intense pureté a ciselé si haut l'étincelle qui fit repartir ma mécanique humaine. Comment pourrais-je un jour trahir l'amour qui m'a redonné la vie ?

Et *Lumière* que j'ai retrouvé. Mais l'avais-je réellement perdu ? Le contact a été rétabli en pleine conscience et désormais, j'entrevois QUI IL EST ! Je veux saisir cette seconde chance et me donner les moyens de réussir parfaitement mon prochain et ultime voyage. Car j'ai acquis la conviction que la mort n'est ni une récompense ni un châtiment, mais seulement la conséquence du vivant. Après avoir mesuré le prix de la vie, je dois chercher le meilleur investissement et en retirer les meilleurs dividendes. J'orienterai donc ma quête vers la reconquête de la Connaissance à laquelle j'ai eu le privilège d'accéder durant une portion d'éternité. Cette ligne directrice est une véritable jouissance puisqu'elle doit me reconduire à la souvenance de ma vraie nature.

Je serai l'enfant attentif qui veut grandir à lui pour faire partager cette expérience à ses semblables, en mettant de côté les préjugés qui alimentaient son orgueil. C'est vrai, les autres sont si différents; malgré mon handicap, je dois être disponible pour qu'à leur tour, ils savent comment aller à eux. Car trop de gens meurent par ignorance et ratent le navire qui les aurait guidés vers leur jardin d'Éden, non parce qu'ils ne peuvent pas embarquer mais parce qu'ils ignorent comment se rendre au port. Je sais que la mort est illusoire pour le vivant et fantastique pour celui qui sait. Avant cette aventure, j'étais tout-fou, comme un jeune chiot. Maintenant, j'ai vraiment envie de vivre chaque instant. Tout devient important : le sourire de l'enfant, le chant de l'oiseau, le travail, la lutte pour la survie, les responsabilités... L'essentiel est *présent* et non *demain*. Aujourd'hui crée le futur. Il n'y a pas de vrais problèmes, seulement des nécessités : respirer, manger, dormir, aimer...

Je n'ai plus peur de vivre. Auparavant, l'angoisse de ma propre affirmation aiguisait les difficultés que je m'inventais de toutes pièces. Je devais trouver de fausses solutions à de faux problèmes. Mes actes tournaient à la conduite d'échec car, au fond, je rachetais mon insuffisance par le rejet des autres. Désormais, je serai moi avec eux. Je ne serai plus **le** monde, je serai **du** monde. À coup sûr, j'éprouverai encore des craintes devant les transformations de la matière et les aléas de mon caractère humain, mais jamais plus contre moi-même. Je bannirai le doute; la mort et donc l'angoisse du lendemain, n'aura plus aucune prise sur moi. Je pourrai enfin me préoccuper de vivre sans subir.

La vie a un sens. Maintenant, je dois construire une œuvre éternelle, même si demain je peux être ailleurs, et éviter l'enlisement dans l'éphémère. Je me donne le droit de vivre et je veux connaître les raisons profondes de l'existence de l'Homme dans l'Univers. Alors, je saurai répondre à la question : qui est Dieu ?

* *
*

8

POURQUOI L'HOMME ?

Après ma «mort», ma réalité présente est devenue ma préoccupation permanente. La solitude, si pesante dans le passé, est maintenant une richesse constante. Bien sûr, la solitude n'est souhaitable à personne. Je parle de la solitude où manquent la tendresse et la chaleur de l'autre. Je remercie le ciel de m'avoir permis de rencontrer Gwenaelle. Son amour est quiétude. Je cherche la solitude pour me retrouver avec moi-même. Elle est riche d'enseignements, car elle conduit à l'écoute de mon Âme et de la vie, dévoile la supraconscience et affermit ma communion avec *Lumière.*

Après mon grand voyage, j'ai retrouvé *Lumière*, mais nos rapports ont été bouleversés. Je peux l'avouer : malgré ses mises en garde contre la mainmise des faux-maîtres, j'avais abdiqué mon indépendance au profit de sa personnalité exclusive. Mes révoltes contre son apparente domination masquaient mal, pire ! justifiaient un attachement infantile qui bridait, contre moi mais avec mon accord, ma propre liberté. Je ne pouvais choisir meilleur esclave que moi. Gwenaelle avait vu juste. Pourquoi ânonner les paroles d'un autre ? Loin de refuser l'enseignement de *Lumière* dont je me faisais le porte-parole enthousiaste, elle me voulait avec mes incertitudes d'homme. Un être constant, toujours gentil et attentionné, qui sait tout... quel boulet pour sa compagne !

Aujourd'hui, tout a changé. *Lumière* est mon *semblable*, un second moi-même, un ami authentique. Quand je l'écoute, je me parle à moi-même; quand je lui parle, j'écoute ma propre pensée. Je veux retrouver la Connaissance effleurée pendant une fraction d'éternité. Apprendre est un plaisir, jamais une plaisanterie. C'est désormais une question de survie aussi nécessaire à mon existence que le sont mes yeux ou mes jambes.

* *
*

Je choisissais les moments où je me sentais particulièrement disponible avec moi-même. Ma quête intérieure m'incitait irrésistiblement à ressusciter la Connaissance caressée auprès de la grande Clarté. Ce besoin impérieux alimentait ma soif de savoir et légitimait à lui seul mon existence. Sans lui, j'aurais mieux fait de me flinguer.

L'avertissement de *Lumière* me guidait :

> «Kris ! Chaque chose en son temps ! Ta vie ne fait que commencer. Tu devais goûter la mort pour témoigner de la vie auprès de tes semblables. Tu as vu et tu as su. *Sauras-tu les informer ?*»

Je n'ai rien d'un surhomme. Je suis dans le même bateau que tout le monde. Mais j'éprouvais un besoin viscéral de comprendre et, pour l'instant, à défaut de témoigner, je devais m'informer. Je notais toutes mes réflexions et mes découvertes en me disant qu'un jour, ce savoir orienterait d'autres chercheurs vers la Connaissance éternelle.

Un soir donc, parmi tant d'autres passés et à venir, je méditais dans mon bureau. Gwenaelle lisait dans le salon. Elle respectait comme une vraie compagne ces moments d'isolement. Elle ne perdait rien au change car, comme un enfant innocent et passionné, je lui faisais part de mes pensées. Nos discussions se poursuivaient très loin dans la nuit et alimentaient notre complicité : être témoin de l'autre et vivre dans la même maison n'obligent pas de regarder par la même fenêtre. Détendu, je mobilisais mon esprit sur cette question lancinante : *Pourquoi l'Homme dans l'Univers ?*, quand *Lumière* se manifesta à sa façon coutumière.

«Kris, je t'ai déjà entretenu d'un sujet aride mais important pour toi maintenant : le fonctionnement de l'Univers. Veux-tu en découvrir les raisons ?

— C'en est devenu une obsession. D'après le texte hébreu de la Bible, l'Univers est éternel, sans commencement ni fin. Fort bien ! Mais quelles conséquences sur l'évolution spirituelle de l'Homme ? Car, le fait de savoir que l'Énergie primordiale prend deux aspects d'elle-même, l'Espace-Absolu et la Matière vibratoire, ne m'avance guère. Comment aller plus loin ?

— Tu as déjà découvert cela ? Tu avances vite. Tu es prêt à comprendre Dieu mais tu ne peux pas encore aller à lui consciemment.

— Ben voyons ! J'ignore la gare d'arrivée ! Vide absolu ou Espace-Absolu, quelle différence ?

— Je vois ! fit *Lumière*, tout songeur. Tu as raison, mettons-nous d'accord.

D'abord, un peu d'histoire ! C'est le prix Nobel Max Planck, physicien allemand qui, au tout début du XXe siècle, a émis l'hypothèse que les échanges d'énergie se feraient de façon discontinue au moyen de petites quantités d'énergie appelées *quanta*. Einstein appliqua la théorie de Planck à la lumière, constituée, elle aussi, de *quanta* d'énergie appelés photons*. Puis

---

* Régis et Brigitte Dutheil (*L'homme superlumineux*, éditions Sand) ajoutent, au sujet d'Einstein :

> Il fallait oser ce paradoxe, car c'en est un. En effet, du même coup, la lumière se trouve être à la fois une onde et un ensemble de particules. Suivant ses humeurs, elle apparaîtra sous son aspect corpusculaire ou sous un aspect ondulatoire. Einstein le justifie en disant qu'il s'agit d'un aspect complémentaire de la réalité.
> **Si on va jusqu'au bout de cette idée, la lumière a une réalité double.**
> Le temps et l'espace ne sont plus absolus et voilà maintenant que la réalité est double, changeante, évanescente au gré des circonstances. Un poète aurait-il pu mieux faire ?

Ce commentaire confirme les propos de Lumière sur la double nature de la lumière.

Louis de Broglie la généralisa à l'ensemble des particules. Selon la mécanique ondulatoire, toute particule matérielle est associée à une onde. Aujourd'hui, les théories naissent et meurent sur les traces de Louis de Broglie. Tout reste encore à définir mais on suppose déjà que de mini trous à l'échelle *quantique* permettraient à l'énergie du VIDE de se matérialiser.

Le Vide absolu est l'absence de ce que nous avons convenu d'appeler la *matière* tangible. Pure convention, en effet, car fondamentalement, les particules qui composent les atomes — électrons, neutrons, protons, boson, fermion, et j'en passe — ne sont plus, à proprement parler, des grains de matière avec un volume et un poids mais des particules chargées électriquement. Ainsi, un photon est un quantum d'énergie dont le flux constitue un rayonnement caractérisé par une fréquence et une longueur d'onde. Au niveau quantique, volume et masse n'ont plus de sens. Pourtant, depuis ta plus tendre enfance, on t'apprend qu'une pierre est une pierre, un légume un légume... et le vide RIEN DU TOUT! Pour toi, mortel au ras du sol, ta maison est bien matérielle. Mais si ton compte en banque est vide, tu ne pourras pas payer les échéances. À ton niveau de conscience, ta réalité du vide est on ne peut plus opposée à la matière.

Dire que *Vide absolu* et *Matière* ne sont qu'énergie pure dépasse l'entendement. Si, en plus, le Vide n'est pas vide au sens d'un découvert bancaire, mais que par rapport à la Matière, il est rempli d'une énergie immobile ou instantanée, tu pulvérises tes neurones. Pourtant, c'est bien de cela qu'il s'agit, car une énergie immobile n'a pas de mouvement, donc pas de vitesse et encore moins de célérité, à moins qu'elle ne soit instantanée, c'est-à-dire de vitesse infinie. On peut toujours se sécuriser sur la limite hypothétique de la vitesse de la lumière : 300 000 kilomètres à la seconde sans guère avancer. Convenons donc :

- Vide absolu : absence de mouvement, donc instantanéité.
- Espace-Absolu : infini dans lequel se meut l'Univers matériel.

En d'autres termes, *Vide absolu* et *Espace-Absolu* sont équivalents, à ceci près qu'*Espace* ne se conçoit que par rapport à la Matière, et Vide que par rapport à l'Énergie pure. Cette distinction sémantique n'écarte pas le danger de l'anthropomorphisme et du risque de dresser de l'Absolu le portrait d'un Dieu barbu régnant sur son royaume. Or, le *Vide absolu* dérange, car il implique l'absence de tout ce que nous croyons être matière préhensible. Il oblige à un effort d'abstraction pour comprendre la RÉALITÉ QUI EST, en dehors de l'ACTUALITÉ de l'Univers qui EXISTE.

Force est donc de constater que l'Univers matériel cohabite depuis toujours avec l'Espace-Absolu. Alors, réponds-moi : Qu'est-ce donc que l'Espace-Vide, pour la Matière ?

— D'après nos conventions, concrètement rien, car s'il était quelque chose, ce ne serait plus du Vide. À l'évidence, le Vide est tout ce qui n'est pas matière. La Matière est mouvement, le Vide immobilité. La Matière se transforme, le Vide est non transformable. La Matière est limitée, le Vide illimité. La Matière est préhensible, le Vide non-préhensible. La Matière est visible, le Vide invisible. Donc, le Vide est l'antithèse de la Matière.

— Gwenaelle est-elle ton antithèse ?

— Non, elle est ma compagne, ma complémentarité...

— Donc, bien qu'issus tous deux d'une même chair vivante, vous êtes complémentaires mais non opposés. Or, le cerveau humain se complaît dans la recherche des contraires. Plus-moins, positif-négatif, particule-antiparticule, matière-antimatière... homme-femme, bien-mal, comme si chaque élément se situait à équidistance d'une frontière infranchissable. Quelle est cette frontière où forcément ni l'un ni l'autre ne peut exister et où tout, paraît-il, se neutralise ? Opposition, vraiment ? Le grand public alimente ses croyances sur des conceptions justes dévoyées par une interprétation simpliste. Or, la frontière ne s'étend pas entre le positif et le négatif, car un même élément peut être aussi bien négatif que positif *par rapport* à un autre élément, selon sa position sur l'échelle vibratoire. Au plan humain, les conséquences d'une telle erreur ne sont pas négligeables, car elle conduit à l'intolérance et au racisme : le pas est vite franchi de l'anti-homme à l'homme-animal ou à la race inférieure et pourquoi pas ?... à la femme inférieure.

L'énergie primordiale prend deux aspects d'elle-même : Espace-Absolu énergétique et Matière vibratoire. Si ces deux états procèdent d'une même source — étant entendu que cette source éternelle n'a ni commencement ni fin —, ils ne sont pas opposés mais complémentaires, comme toi et Gwenaelle, en dépit de vos différences.

Le Vide est immobile par rapport à la Matière mouvante. Mais la Matière peut-elle savoir qu'elle est mouvement si l'Immobile absolu ne lui permet pas d'en prendre conscience ? Réciproquement, le Vide absolu saurait-il qu'il est immobile si la Matière ne lui communiquait pas la notion du mouvement ?

— Ça me paraît compliqué. Pourrais-tu être moins abstrait ?

— Bien ! Imagine que tu tombes sans que tu puisses te repérer. Saurais-tu que tu tombes ? Non, car tu aurais l'impression de ne pas bouger, comme un parachutiste en chute libre. Autre exemple : une roue tourne autour d'un moyeu fixe. On peut dire que le moyeu sait qu'il ne tourne pas par rapport à la roue et la roue sait qu'elle tourne relativement au moyeu. Ou encore la roue, en communiquant son mouvement au moyeu, l'informe qu'il est immobile et le moyeu immobile informe la roue qu'elle est en mouvement. Autrement dit, le Vide absolu n'existe qu'en fonction de la Matière et la Matière n'existe qu'en fonction du Vide.

Einstein a illustré la relativité, c'est-à-dire que tout dépendait du point d'observation, par un autre exemple resté célèbre. Adaptons-le. Un homme voyage dans un train. Les rideaux du compartiment sont tirés. Le voyageur n'a de son déplacement qu'une connaissance indirecte par les vibrations des boggies sur les rails. D'ailleurs, il associe ces vibrations au déplacement, soit parce qu'il a déjà voyagé en train auparavant, soit qu'il a appris d'une tierce personne que vibrations signifient mouvement. Mais il ne peut en être certain. Quoi qu'il en soit, il ne sait pas où il se trouve. S'il lève le rideau, il voit défiler les différents plans du paysage et il sait alors qu'il est en mouvement. Pourtant, les plans du paysage ne se déplacent pas à la même vitesse. L'horizon semble même fixe, à l'image de l'Immobile absolu. Le voyageur est dans le train de la Matière en éternelle transformation. C'est donc le Vide, symbole de l'Immobile, qui lui fait prendre conscience de son mouvement. Si la vache qui regarde passer le train pouvait penser, elle dirait en voyant l'express de cinq heures : "Ce train va vite, il me donne le tournis, moi qui suis immobile". Mais que ce soit le voyageur du train ou la vache dans son pré, tous deux prennent conscience — enfin, façon de parler, pour la vache — que l'Immobile est inhérent au mouvement et vice-versa. L'un ne peut exister sans l'autre.

Un contre-exemple peut être expérimenté dans un train à l'arrêt. Sur l'autre voie, un convoi s'ébranle. Le voyageur dans le train a dans un premier temps l'impression que c'est son propre wagon qui se déplace. Il lui faut quelques secondes pour découvrir l'illusion et réajuster sa perception à la réalité.

— Ton raisonnement soulève deux problèmes. Premièrement, le Vide n'a aucune existence en soi. C'est rien, une absence. Par rapport à la matière, il devient quelque chose. Mais Vide réel ou pas, la Matière, elle, demeure quelque chose.

— Remarque justifiée si, en effet, le Vide n'est rien. M'as-tu bien entendu ? L'objection m'étonne, car tu as dit qu'il était un aspect, tout comme la matière, de l'Énergie primordiale. Vide absolu et Espace-Absolu sont équivalents, l'expression *Espace-Absolu* décrivant le réceptacle de la Matière.

— Je sais, mais je dois aller au bout de mon raisonnement pour bien cerner ce que je sens.

— La Matière n'est qu'un état **différent** du Vide. Imagine un violon au repos. Ses cordes ne vibrent pas, il représente le Vide. Le son est en puissance d'être. Si l'archet frotte une corde, elle transmet une vibration à l'air qui concrétise la matière. Ainsi naît le son. La matière vibre parce qu'elle existait virtuellement dans le Vide éternel. L'usage du verbe à l'imparfait — imparfait est tout à fait adapté — implique un temps alors qu'il n'en n'est rien. L'Espace-Absolu-Vide... de sens pour le non-connaissant, ne peut exister sans la Matière et la Matière ne peut exister sans l'Espace-Absolu. Vide et Matière sont donc ontologiquement sur le même plan et conséquences cosmogoniques de la *Création*, quelle que soit la valeur réelle ou supposée du big-bang. Étant sur le même plan, ils sont consubstantiels ou UN par la même substance, c'est-à-dire interpénétrés et interpénétrants, cœxistants et inséparables. Certes, ma démonstration pose un problème de fond : Qui tient l'archet du violon ? Dieu ? Quand tu seras prêt à connaître la réponse, on en rediscutera.

D'où ce sujet que je livre à ta méditation. Imagine un Espace-Absolu Infini et donc illimité. À quelque endroit que l'on place l'Univers physique, il se trouvera toujours en son centre, puisque l'Univers physique est sa seule référence. L'Espace-Absolu est le plus parfait des concepts parce que, réfractaire à toute définition, il ne peut être critiqué, observé, analysé comme un objet matériel. De même, rien ne peut atteindre la perfection de l'Infini, immuable, intransformable, homogène, contrairement à l'Univers physique hétérogène et mouvant. Hors du temps, le Vide inclut le temps témoin des transformations de la Matière, parce que le cosmos se love en Son sein. Le Vide, présent permanent, contient le passé et le futur par le mouvement de la Matière. Dans le Vide, ici et ailleurs sont partout en même temps. Il est simultané de lui-même. Chaque partie du Vide englobe l'intégralité de l'Espace-Absolu et il suffirait, si c'était possible, de le *toucher* en un seul *endroit* pour que l'*intégralité* de l'Espace-Absolu réagisse immédiatement. Retranche lui ce que tu veux, il demeure Infini. On pourrait poursuivre indéfiniment de la sorte sans ajouter quoi que ce soit aux caractéristiques que les hommes, depuis l'aube des civilisations, rapportent à Dieu : omniprésence, éternalisme... Quelle était ta deuxième remarque ?

— Attends ! Le Vide serait Dieu ?

— Non, ne confonds pas Vide absolu et Dieu. Le Vide a toutes les caractéristiques de son existence d'ÊTRE, comme la Matière possède le pouvoir créateur de l'EXISTENCE. Dieu, c'est bien... autre chose*.

— Impressionnant ! Ma deuxième remarque ? Le Vide absolu est, en fait, amorphe — sans forme — et la Matière est cristalline et finie. C'est beau de dire que ces deux concepts sont éternels et qu'ils ne peuvent exister l'un sans l'autre, mais

---

* Nous aborderons ce point dans le second tome de *Lumière* : *Les Êtres de Lumière*.

puisqu'ils ne pensent pas... comment peuvent-ils prendre conscience l'un de l'Immobile-par-le-Mouvant, l'autre du Mouvant-par-l'Immobile ? Ne dis rien... l'Homme ! C'est l'Homme, c'est tout simple !

L'Univers n'aurait aucun sens si l'Homme ne permettait pas à l'Immobile et au Mouvant de se connaître mutuellement. Donc, si la Matière ne disposait pas d'un élément pensant, elle ne saurait pas qu'elle existe. Idem pour l'Espace-Absolu ! Dans la Matière, tout est diversité. Il est donc normal que la multitude de ses éléments pensants existe en tant que tels... en l'occurrence l'Homme... et ce terme n'exclut pas la multiplicité des mondes habités possibles. L'Espace-Absolu, par son homogénéité obligée, implique qu'il existe en lui UN seul élément pensant, Dieu. De plus, l'Espace-Absolu ne serait pas Absolu s'il ne possédait pas les caractéristiques de Dieu lui-même. C'est pourquoi tu décrivais le Vide en termes quasi divins.

— Tu approches de la vérité, Kris. Mais la Pensée divine n'est pas le Vide absolu. Elle se situe certes dans l'Espace-Absolu et l'Homme est le seul élément qui permet à Dieu, par la matière, de se connaître Dieu créateur. Mais n'anticipons pas. Constatons pour l'instant que si on retire la pensée de l'Univers physique, qui saurait que Dieu existe ? Il serait seul dans son immensité. Donc, Dieu, Absolu à l'origine du Vide absolu et de la Matière, a besoin pour **exister** d'une contrepartie dans la Matière, l'Homme. L'humanité constitue alors une multitude de petits dieux qui, par la diversité de la matière, conscientisent l'Infini divin sur le plan physique. Donc, chaque Homme, s'il le désire, peut conscientiser Dieu, devenir Dieu à part entière. Il pourrait alors dire : JE SUIS DIEU. En contrepartie, et d'une manière générale, car ces données exigeront quelques rectifications*, l'Homme qui rejoint Dieu Lui permet de se connaître diversité, Lui qui ne peut être qu'unique à l'image de l'Absolu.

Si l'Espace-Absolu diffère de la Matière, pour que l'Immobile se connaisse par le Mouvant, l'élément UN qui connaît l'Espace-Absolu et les éléments multiples qui connaissent la Matière doivent nécessairement être issus de la même source.

---

* Voir le second tome de *Lumière* : *Les Êtres de Lumière*.

Sinon le UN et le multiple devraient, pour se connaître, transiter par un autre élément qui ferait le pont entre eux. Si l'esprit de l'Homme ne faisait pas UN avec l'Esprit de Dieu, l'Univers n'aurait aucun sens. L'Homme, dans son principe, est bien à l'image de Dieu. L'un ne peut exister sans l'autre, car l'autre est la dimension de l'UN.

Une précision, ici ! Deux éléments provenant d'une même source ne peuvent exister l'un sans l'autre et c'est l'Homme qui leur permet de se rencontrer sur le plan de la pensée. Mais à un niveau disons... plus physique, un autre élément permet à l'un et à l'autre de se connaître, LA LUMIÈRE ! Granulaire, ondulatoire et *polarisée* pour la Matière et mise en évidence par les photons, elle est ondulatoire, non polarisée, rayonnante et instantanée dans le Vide, et se révèle par l'énergie constituant sa plénitude.

Ainsi, même si dans le Vide absolu sans commencement ni fin, le temps n'existe pas, l'onde lumineuse transporte éternellement la pensée permanente du mouvement, donc de la vie. En contrepartie, dans l'Espace-Absolu, la lumière *non polarisée* et en puissance d'être se révèle énergisante par l'intermédiaire des trous noirs qui, en reconstituant la matière, manifestent cette lumière virtuelle. C'est tout l'objet des versets 3 et 5 de la Genèse : *Dieu dit : Que la lumière soit et la lumière* ***fut*** *[...] Il y eut un soir et il y eut un matin : Premier jour*. Le verbe *être* est au présent et au passé pour bien distinguer l'ÉTAT et l'EXISTENCE de la lumière.

— D'accord, mais que viennent faire les trous noirs, ici ?

— Dès le début de tes recherches sur le premier verset de la Bible, tu as eu l'illumination que l'Univers physique n'avait jamais été créé par un Dieu ou un atome, mais qu'il était en autocréation éternelle. Tu as découvert que les trous noirs constituaient la frontière entre l'Espace-Absolu et la Matière. Vus de la Matière, ce sont des ogres gravifiques qui la reconstituent. Vus de l'Espace-Absolu, ils permettent à la Lumière de se manifester sous forme corpusculaire ou ondulatoire dans la Matière. Une radiographie de la galaxie M87 semble bien démontrer que nous pouvons recevoir le rayonnement d'une émission qui a traversé un trou noir en rotation.

Qu'en est-il de la Lumière ? Dans la Matière, elle se manifeste, comme toute particule, sous deux formes différentes, soit corpusculaire photonique, soit ondulatoire. Comme toutefois la Lumière demeure un mystère, acceptons cette convention : la Lumière dans la Matière *prend la forme* d'un grain d'énergie appelé photon, elle se propage dans le Vide absolu sous la forme d'une *onde rayonnante*. Dans l'Espace-Absolu, par nature **homogène**, le rayonnement est incompatible avec la notion d'amplitude directionnelle propre à la Matière. L'irradiation est donc instantanée.

En d'autres termes, la Lumière avec un grand L est un Principe de l'Unité divine qui prend deux formes, de la même façon que le concept unique de Dieu se manifeste physiquement dans la dualité indissociable de la Matière et de l'Espace-Absolu.

La Lumière dans la Matière est lumière révélée; dans le Vide absolu, elle est lumière en puissance et donc non révélée...

— Comment ça, non révélée ?

— Parce que *tout* le Vide absolu est lumière virtuelle. Virtuelle ne signifie pas absente mais en puissance. Dès l'instant où la lumière révélée des étoiles atteint la frontière de la galaxie, elle change d'état, devient instantanée et illumine tout le Vide absolu, car les galaxies ne sont que des univers-îles flottant dans l'océan Infini. Si le Vide absolu est distinct de l'Univers physique, il ne peut se trouver qu'au seul *endroit* où il n'y a pas de matière — ce qui est une tautologie, c'est-à-dire l'art du raisonnement circulaire ou d'affirmer une vérité en vertu de sa forme seule —, donc entre ces galaxies, justement. La lumière devient instantanée, car dans le Vide immatériel, il ne peut y avoir mouvement, et elle se propage aussitôt à la galaxie suivante. Elle est également non-polarisée puisque la polarisation implique une direction incompatible avec l'homogénéité absolue du Vide. En tant qu'observateurs, nous ne percevons pas la lumière virtuelle du Vide absolu; elle est donc non révélée.

L'instantanéité s'explique, car un point de l'Infini est l'ensemble de l'Infini. Je ne cache pas que cette notion d'instantanéité de la lumière remet en cause les distances mesurées par nos savants astronomes entre les galaxies. Selon certaines théories astrophysiques, TOUTES LES GALAXIES, recevraient la lumière des autres. C'est ce qui permettrait d'observer le ciel sans réelle interférence, en dehors de celle de l'atmosphère.

— Arrête ! Je ne suis pas physicien. *Révélée, non révélée !* Sois plus terre-à-terre.

— Impossible, précisément, tant que tu réfléchiras en termes matériels. Aucun exemple physique ne s'applique à la *non-révélation* de la Lumière dans le Vide absolu non matériel. Toutefois, ta propre expérience peut nous aider. Avant ta *noyade*, tu ignorais ce qui se passait après la mort. Et pourtant, pendant un instant indéfinissable, ta conscience a atteint l'instantanéité, tu es devenu l'Absolu. Tu connaissais tout sans avoir besoin d'y penser. Tu étais toi et Tout en même temps. Quand ta pensée a retrouvé ton corps, tu avais pratiquement tout oublié.

La pensée cérébrale est révélée puisque tu en as conscience. Tu ne sais rien de la Pensée connaissante du Monde parallèle, elle ne t'est pas révélée. Cependant, il te suffit d'aller dans ce Monde, en voyage astral par exemple, pour que ta propre pensée s'imprègne de cette Connaissance et devienne totale, absolue et instantanée, de la même façon que la lumière granulaire devient instantanée et intégrale lorsqu'elle atteint le Vide absolu. Tu deviens *Lumière tout comme le Vide*. En réintégrant ton corps, ta Pensée-connaissante-intégrale passe par le filtre cérébral et redevient granulaire, comme la lumière qui réintègre les autres galaxies. Entre deux pensées, il y a le vide... de l'oubli. Tu ne te rappelles que de ce que ton cerveau est capable d'assumer dans son mode matériel.

Pourtant, la pensée du corps physique ou du corps astral est l'expression double d'un unique concept : la Pensée-Principe, le VERBE, comme la LUMIÈRE ! *Au début était le Verbe... et la Lumière fut !*

— Ah ! enfin, c'est clair !

— Tu parles pour l'élève ?

— Évidemment ! Écoute bien : la forme est la Matière, le Vide l'Essence !

— Tu y as mis le temps ! Mais tout vient à point à qui sait attendre ! Bien que la Lumière dans l'Espace-Absolu soit non révélée, lorsque la Lumière de la Matière pénètre le Vide, l'Espace-Absolu est toujours éclairé, le VIDE EST LUMIÈRE... comme Dieu, ou plus exactement comme Sa Pensée-Présence. Le Vide est donc lumineux, même si cette lumière est intériorisée ou virtuelle.

— Comme toi, *Lumière*. Autrefois, le Vide m'effrayait. Je ne pouvais concevoir cette absence dont l'absurdité provoquait en moi une angoisse épouvantable. Mais aujourd'hui, tout devient lumineux, je vais vers la lumière, c'est prodigieux. Je ne sais encore qui est Dieu, je commence seulement à l'appréhender. Je découvre l'illusion de la matière, elle pourtant si utile comme tremplin vers la transfiguration. Je prends acte aussi de l'illusion de la spiritualité divulguée dans le grand public, bien qu'elle puisse aussi aider ceux qui veulent voir plus loin. Par contre, la vision du Tout résonne avec une telle force en moi que j'en suis tout ragaillardi. Elle me touche au plus profond de moi-même. Je sens la réalité, la vraie, tellement présente, que j'ai envie de pleurer. Je découvre que je sais tout cela depuis toujours mais que personne ne m'avait éclairé à ce point. En dehors de Gwenaelle, je me sens incapable d'expliquer ce savoir à d'autres. Je ne peux que communier. Tout est si grand, si beau...»

* *
*

Contrairement à mon habitude, je jaillis de mon bureau pour rejoindre Gwenaelle. Sans me préoccuper de sa lecture, je l'entourai de mes bras et lui appliquai un baiser gourmand sur les lèvres. Nous roulâmes sur le tapis. Solidement accrochée à mon cou, elle tira sur ses bras pour composer sur mon nez un baiser esquimau du plus bel effet. Ses yeux inquisiteurs interrogèrent mon Âme.

«Toi, tu as à quelque chose à me dire. Du nouveau ?»

Je me glissai au creux de son cou, là ou les femmes parfument leur coquetterie puis, remontant jusqu'au lobe de l'oreille que je mordillai au passage, je lui soufflai :

«Oui, mon oiseau des îles. J'ai compris à quel point je tiens à toi et... j'ai envie de toi.»

Dans un roulé-boulé à ressort, elle se redressa et telle une déesse à un vulgaire mortel, répliqua d'un ton théâtral :

«Si tu veux me conquérir, résous d'abord une énigme.

— Celle du sphinx ?

— Presque ! Pourquoi l'Homme ?

— Pour vous plaire, madame, mais aussi parce que sans *lui*, l'Univers n'aurait pas de sens.

— Macho ! Pourquoi l'Univers aurait-il plus de sens avec vous qu'avec nous, répliqua Gwenaelle qui revint s'étendre avec douceur à mes côtés.

— Macho, vite dit ! Je suis sérieux. C'est l'Homme avec un grand H qui assure la suprématie du conscient. Sans lui, l'Univers ne pourrait avoir conscience de lui-même et Dieu n'aurait aucune raison d'être. Quant à savoir si c'est l'homme qui a fait la femme ou l'inverse... tu connais la ténébreuse histoire de l'œuf ou de la poule ? Quoique... d'après l'Ancien Testament, il paraît que c'est l'homme qui...

— Je te vois venir avec tes yeux pleins d'étoiles filantes, fit-elle en battant discrètement en retraite vers la chambre à coucher.

— J'ai compris beaucoup de choses aujourd'hui. *Lumière* m'a permis de mettre de l'ordre dans mes idées. J'ai toujours été angoissé à l'idée que le Cosmos se trouvait dans un Univers-Vide. C'était absurde. Mais l'Univers-Vide, ou Espace-Absolu, est un état rempli de la Pensée-Présence de Dieu. Il en possède donc les caractéristiques. Tu imagines les conséquences ? In-cal-cu-la-bles ! Car, vois-tu, la globalité de tout ce qui existe est unique mais elle se manifeste dans la dualité de l'Espace-Absolu et de la Matière qui cohabitent éternellement et ne peuvent exister l'un sans l'autre. Parce que l'un doit se connaître par l'autre pour recomposer l'unité originelle.

— Kris, par pitié, sois moins hermétique. Un concept ne décrit pas toujours la réalité de ce qui est.»

Je m'allongeai sur le ventre, les coudes rivés dans le tapis, le menton enfoncé dans la paume de mes mains.

«Procédons avec méthode. Soit le nombre 1. Si 1 ne se dédoublait pas en 2, il ne pourrait prendre conscience de l'unité. Il serait Lui sans jamais savoir qu'il puisse être autre chose. Maintenant, prenons l'intelligence. Si la perception du monde n'était pas double, intuitive (cerveau droit) et déductive (cerveau gauche), comment se matérialiserait la pensée ? Elle serait statique comme une idée qui fut mais ne sera jamais, car jamais manifestée. L'Unité sans manifestation est stérile et amorphe. Donc, Dieu n'existerait pas. Autre exemple plus significatif : si l'humanité ne se dédoublait pas en mâle et femelle, pourrait-elle créer la vie et, par la même occasion, en jouir avec partage ?»

Elle s'était arrêtée sur le pas de la porte et s'était adossée contre le chambranle.

«Obsédé ! Je traduis ce que tu essaies de peine et de misère de me dire : Dieu ne peut prendre conscience de Lui s'il ne se dédouble pas en deux principes, Espace-Absolu et Matière, deux faces de Lui-même dont la rencontre fait jaillir la Lumière dans Sa pensée.

— Tu as des raccourcis terribles...

— Ne te vexe pas. Je ne m'interroge pas comme toi mais je t'aime, je suis attentive à tout ce qui te touche. Tes découvertes rejaillissent sur moi. J'ai compris que l'Homme permettait à une parcelle de l'Espace-Absolu et à une parcelle de Matière de fusionner pour recomposer Dieu. Donc, l'Homme est Dieu réalisé. Et cesse de faire l'imbécile !»

J'avais lentement déplié mes avant-bras et entreprenais de me rapprocher de Gwenaelle en serpentant comme le reptile de notre mère Ève. La vision de l'objectif à atteindre me ravissait.

«Tu me surprendras toujours. Mais attention, Gwenaelle ! Ça ne peut pas arriver dans le vivant. On y tend, on peut même réaliser une fusion éphémère qu'on appelle l'État christique. Mais c'est la mort qui consomme la vie et scelle de façon définitive les deux principes en une seule entité à l'image de Dieu réalisé. Comme toi et moi quand nous faisons l'amour ! Le temps d'un éclair, nous ne faisons qu'un et, à l'image de Dieu, nous DEVENONS CRÉATEURS.

— Tu es bien un homme. Mais à quelles conditions ?

— Ben... que nous soyons tous les deux d'accord pour le faire.

— Je parle du grand H, cabotin ! Y a-t'il des conditions pour que l'Homme assure la suprématie de la pensée vivante ?

— Eh si ! L'homme s'escrime à le dire à la femme mais elle ne l'écoute pas.

— Tu ne peux pas être sérieux ?

— Je suis heureux. Tu sais très bien qu'en tout temps, je ris. Quand j'ai mal, je ris. Quand je comprends quelque chose qui m'excite, je ris comme *un enfant que j'aimerais*... Bref ! Comment l'Homme assure-t'il la suprématie du conscient ? Il possède un avantage immense sur l'animal, la faculté d'abstraction. L'animal ne peut isoler un objet de son contexte, l'examiner en portant son attention sur lui. Prenons la femme...

— Sans commentaires ! Continue !

— Bon ! As-tu déjà vu un animal adorer un totem ou fabriquer des talismans ? Non ! Il est incapable de concevoir.

— Minute, papillon ! Bien des chefs-d'œuvre en puissance n'ont jamais vu le commencement de réalisation concrète. Il n'est d'ailleurs pas prouvé que l'animal n'ait pas accès à un niveau sommaire de conceptualisation : un chat qui a faim et qui miaule à fendre l'âme conceptualise très bien sa boî-boîte de croquettes, même si la représentation mentale qu'il en a se réduit à... l'image de la pâtée ou du grincement de l'ouvre-boîte. Pas fou, le minet ! Il peut même concevoir les moyens d'ouvrir la porte pour trifouiller dans le garde-manger. Dès lors qu'un cerveau élabore des plans, il conçoit...

— Tu confonds *conception* en tant qu'acte de l'intelligence s'appliquant à un objet et dont ton minet donne des preuves évidentes dans son comportement quotidien, et *conceptualisation* en tant qu'action de former des concepts, c'est-à-dire des représentations mentales et abstraites de l'objet, en dehors de tout contexte et de l'environnement. Le chat ne *pense* à ses croquettes que lorsqu'il a faim. Il ne peut élaborer une philosophie générale de la faim, de l'ouvre-boîte ou du frigidaire, tout de même ! Son intelligence lui permet de se nourrir et même de combiner un plan. Mais sa forme-pensée s'inscrit dans le cadre d'un automatisme instinctif qui rejoint le principe de la nécessité cher à Jacques Monod (*Le hasard et la nécessité*). Mais un point plus important distingue l'Homme de l'animal. L'animal ne peut pas prendre conscience de lui-même en tant qu'être vivant, sinon il évoluerait et apprendrait en dehors de tout élevage ou de tout entraînement sous la direction d'un dompteur. Il ne peut envisager sa propre existence. Il ne peut se remettre en cause ni *imaginer* un *Deus ex machina* qui justifierait son existence. Donc, l'animal n'est pas accessible à l'abstraction.Vercors décrit dans *Les animaux dénaturés* la découverte par des ethnologues d'une espèce intermédiaire entre le singe et l'Homme et remet en question la faculté d'abstraction en tant que privilège humain. Mais c'est une œuvre de romancier qui aborde surtout des problèmes moraux propres à l'humanité.

Donc, l'Homme peut imaginer et prendre conscience, par exemple, qu'une parcelle de l'Absolu est à l'image de l'Absolu. Elle EST sans qu'elle puisse se définir. Si elle le pouvait, si chaque parcelle de l'Absolu avait conscience d'être une parcelle du Tout, l'Absolu ne serait pas Absolu. Par contre, l'Homme en tant qu'individu est à l'image de la Matière, c'est-à-dire diversité. L'Homme est conscient de lui-même. Il lui suffit de transmettre cette conscience mortelle à la parcelle d'Absolu pour qu'elle lui procure en retour l'immortalité puisqu'elle fait partie d'un tout immuable.

De plus, la science sait, par l'analyse de météorites, l'observation du ciel ou l'étude des radio-sources que la Matière est constante dans sa manifestation diversifiée. L'architecture de la vie est univoque et se réduit à des chaînes d'hydrates de carbone et d'acides aminés. Toutes les espèces animales présentent le même schéma d'organisation générale, les mêmes organes plus ou moins développés, selon leur position dans l'arbre phylogénétique. On peut en déduire que si la vie apparaît sur d'autres planètes, elle évoluera obligatoirement vers le type humanoïde. Et tant pis pour les Petits-Gris ou les Globurgues verts de Pétaouche-nok !»

Gwenaelle s'accroupit, coinça ses genoux entre ses avant-bras et leva les yeux vers le plafonnier, signes avant-coureurs d'une question importante. Quelques secondes, puis...

«Hum ! Si, dans l'Univers physique, l'Homme permet à, disons... l'Âme de l'Absolu de se découvrir elle-même grâce à l'Âme-conscience d'exister de chaque être vivant, il faut que le germen de la lignée humaine soit aussi éternel. Sinon la vie pensante disparaîtrait et l'Univers n'aurait plus de sens, pas vrai ?

— Bonne question ! Mais je ne connais pas la réponse. Trois remarques, cependant. D'abord, la Bible affirme que le Principe divin fait en sorte que toutes les races existent en fonction de... Attends ! Je veux la citation exacte.»

Je cessai du coup de jouer au reptile et courus à mon bureau, saisis le Livre Saint de son rayon et revins au salon, en faisant voleter avec fébrilité les feuillets de papier pelure. Gwenaelle s'était éclipsée dans la chambre. Je la retrouvai assise sur le bord du lit.

«Voilà ! Genèse 7, versets 24 à 26 :

> Dieu dit : Que la terre produise des animaux vivants *selon leur espèce*, du bétail, des reptiles et des animaux terrestres *selon leur espèce*. Et cela fut ainsi. Dieu fit les animaux de la terre *selon leur espèce*, le bétail *selon son espèce*, et tous les reptiles de la terre *selon leur espèce*. Dieu vit que cela était bon. Puis Dieu dit : faisons l'homme à notre image, selon notre ressemblance, et qu'il domine sur les poissons de la mer, sur les oiseaux du ciel, sur le bétail, sur toute la terre, et sur tous les reptiles qui rampent sur la terre.

Étrange, non ? En plus de la redondance qui insiste sur la spécificité de *chaque espèce*, je découvre la portée concrète du texte : l'Homme doit dominer toutes les espèces. Il est différent des autres et il assure la suprématie du vivant. La preuve ? Verset 26 : l'Homme est le seul à être conçu à l'image de Dieu, donc doué de pensée créatrice. Mais je dois être prudent, depuis l'aventure du... *Au commencement.*

Deuxième remarque ! Depuis que le monde est monde, la race humaine est incapable de procréer avec l'animal. Tu as entendu parler de la zoophilie, la copulation avec des animaux ? Ça ne donne rien ! Et heureusement ! Il n'existe aucune espèce hybride. On le saurait !

— Et les centaures, le Minotaure ? répondit Gwenaelle, très "minaude".

— Rien ! Des mythes... même si, derrière un mythe, il y a une vérité, je ne sais pas... à moins d'imaginer que dans un laboratoire secret, des biologistes d'une civilisation disparue... Des clous ! Un fait demeure incontournable. L'Homme et l'animal ne peuvent pas se féconder. Je vais plus loin. Le croisement de deux espèces animales proches donne un produit stérile, comme le mulet ou le tigron. J'ai du mal à croire que la lignée humaine ne soit pas constante.

Troisième remarque ! Dieu demande à l'Homme de dominer les animaux et toute la terre. Tu parles ! L'Homme est le seul... animal dont l'activité essentielle est une conséquence inéluctable de la pensée consciente d'elle-même : la conquête de l'espace vital ! Il pourrait s'arrêter et marquer son territoire comme les félins ou les cervidés. Non ! Il n'en a jamais assez. Aujourd'hui, sa planète est trop petite. Il veut conquérir les étoiles et, un jour, il découvrira une planète semblable à la sienne et y établira des colonies. Il rencontrera peut-être des êtres qui lui ressemblent. Alors, tu penses bien qu'il ne va pas s'embarrasser d'interdits moraux sur la zoophilie et il leur fera proprement l'amour... *les fils de Dieu virent que les filles des hommes étaient belles...* (Genèse 6).

Tout bien considéré, je suis, moi aussi, un fils de Dieu et je trouve qu'en effet, les filles des hommes sont très belles... tu en es la preuve vivante !

— Quels yeux crasses, ce soir ! Une bête à l'affût ! Attends ! Modère tes transports et réponds d'abord ! Tu as dit : *Je ris comme un enfant QUE J'AIMERAIS*... Tu aimerais quoi ?

— *[...] après que les fils de Dieu furent venus vers les filles des hommes et qu'elles leur eurent donné des enfants, ce sont ces héros, qui furent fameux dans l'Antiquité*... (Genèse 6). Trêve de philozoophilie ! Aimerais-tu, avec la bête que je suis, concevoir un centaure, une licorne, plus fantastique encore, un bébé ?»

Rideau !

* *
*

9

LA TRILOGIE HUMAINE

I – L'ÂME

Quelle fébrilité après ma dernière entrevue avec *Lumière* ! Toutes ces découvertes à assimiler !

«*Modère tes transports !* avait ironisé Gwenaelle. Calme et patience, sûreté mais douceur, équilibre sommeil-activité ! L'esprit a besoin de repos et le corps doit s'adapter aux transformations. La spiritualité voyage à pied, pas en TGV !»

Du système ferroviaire de ma petite Bretonne, je passe à la comparaison botanique ! La spiritualité est une fleur immortelle qui embaume le domaine intérieur. Mais la graine exige une longue maturation avant de germer et de propulser sa première tige, gestation aussi nécessaire au jardinier que nous sommes pour revitaliser la terre, préparer de nouvelles semences, expérimenter de nouveaux croisements et appliquer les leçons de la dernière floraison. Ma croissance rapide me poussait à profiter au maximum de la sagacité de *Lumière* : j'avais une idée assez précise du pourquoi de l'Homme; restait à comprendre comment il était constitué. Apparemment pas comme un simple végétal !

Lumière avait le don de se mettre au diapason de ma détermination. Grâce à sa patience infinie et son sens aigu de l'observation, il devançait toujours ma demande. Ce jour-là, il m'attendait dans mon bureau, satisfait du travail accompli et soucieux de vérifier mes limites. Pas d'équivoques ! *Lumière* ne m'a jamais rien imposé. Il était simplement disponible. Et je n'étais pas du genre facile. Je criais au scandale ? Il me retournait l'esclandre. Je hurlais avec les loups ? Il me tendait un miroir pour admirer mon cinéma. Je me pâmais de bonheur ? Il m'indiquait le soleil. Je bouillais d'impatience ? Il baissait le thermostat. Une persévérance indulgente, quoi !

«Kris, la nuit, on dort ! Chaque chose en son temps. Tu ne saisiras jamais toutes les nuances de l'invisible si tu vas trop vite. Mais je conçois qu'il est difficile de demander la *sagesse de l'esprit* à des amoureux quand prédomine la *sagesse du cœur*.

Aujourd'hui, nous aborderons l'étude de la trilogie humaine. À la réflexion et à l'expression de la Connaissance, nous ajouterons la recherche d'*images* susceptibles de clarifier ta compréhension. Un jour, tu transmettras ce que tu as reçu. Ainsi se continue de toute éternité, la grande chaîne de la filiation spirituelle. La lumière de l'Occultisme révélatoire ne doit pas rester sous le boisseau. Révélatoire, en effet, car il te révèle à toi-même. Ayant reçu, tu témoigneras pour offrir les mêmes outils de réflexion à d'autres postulants sur la voie de l'éveil. Tu dois donc apprendre à communiquer pour divulguer la Connaissance, car tu n'auras véritablement intégré la spiritualité que lorsque tu pourras l'illustrer par des exemples.

Certaines choses ne s'expriment pas, dit-on. Trop facile ! La Foi, en effet, ne s'explique pas; elle exige une adhésion dogmatique qui dénie la réflexion et la contestation de l'objet de la Foi. Le Connaissant, lui, développe des certitudes démontrables. La Matière n'est au vrai que le reflet de l'Absolu; mais on peut la pétrir, la manipuler en symboles. Reconnaissons-en les limites; aucune expression n'atteindra la perfection de la pensée. Mais comme la Matière est diversité, elle offre mille images exprimant la tendance vers la perfection. D'ailleurs, le grand public assimile mieux la parabole, le conte ou l'allégorie, car il les sent tangibles et adaptés à sa compréhension. Le langage du cœur, juste résultante du langage de l'esprit, est celui de la disponibilité envers autrui...

Tu sais maintenant que l'Homme est constitué de deux principes fondamentaux que, par commodité de langage, nous nommerons *Âme* pour la parcelle d'Absolu et *JE* pour la parcelle matérielle. Avant de savoir comment ces deux principes se rencontrent, apprenons à les comprendre.

Ne perds jamais de vue que l'Âme est à l'image de l'Absolu ce que le JE est à l'image de la Vie. Beaucoup d'ouvrages et d'enseignements propagent l'idée que trois principes constituent l'intégralité de l'être humain : l'Esprit, l'Âme et le Mental, ce dernier étant souvent intégré au corps physique. Quitte à te décevoir, cette simple distinction n'aide pas à comprendre la réalité de l'être humain.

L'Esprit serait la notion la plus élevée de l'Homme. Il ferait partie de l'Esprit dit *Universel* et constituerait l'Étincelle divine habitant le corps. Il serait commun à tous puisqu'il touche la divinité. Il animerait l'Homme et l'animal et participerait à toutes les manifestations de la vie. Rien ne serait étranger à l'Esprit.

À moins d'être imprégné de quelques notions religieuses, il n'est guère aisé de comprendre parfaitement l'Esprit. Car aussi précis qu'il puisse être, ce concept mélange l'Esprit de Dieu, l'Esprit créateur, l'Esprit saint, le Principe vital. On s'en tire par une pirouette en disant que c'est l'Esprit de Dieu qui s'incarne en tout être. Total de l'opération : on confond Esprit et Âme.

— L'esprit, c'est aussi l'humour ?

— Alors, que l'ésotériste n'en soit pas trop dépourvu pour reconnaître que la subtilité et les jeux de mots confirment l'adage : *Ce qui se conçoit bien s'énonce clairement et les mots — ou l'image — pour le dire arrivent aisément.*

Venons-en à l'Âme. On la définit par *ce qui anime*, en référence au texte biblique selon lequel l'*Esprit* de Dieu insuffla l'Âme vivante à Adam qui devint un être vivant (Genèse 2-7). Encore un résultat de la méconnaissance de la doctrine juive. Car les juifs distinguent trois Âmes.

— C'est ce qu'affirme A.D. Graad. Je me suis procuré son livre quand je voulais décoder l'ambiguïté du premier mot de la Bible, *Beréchîth*, traduit par : *Au commencement*. Un chapitre traite des trois Âmes... Attends!»

Je tendis le bras vers la bibliothèque, saisis le bouquin et le feuilletai avec avidité.

«Voilà ! A.D.Graad : Initiation à la kabbale hébraïque, page 33 :

> La Kabbale enseigne l'existence des trois Âmes. Il est dit que le corps de l'homme sert de piédestal à un autre piédestal qui est l'Âme végétative. On l'appelle *Nefesh*, le degré inférieur ou principe vital. C'est l'Âme à l'état de sommeil. *Nefesh* est le soutien du corps qu'il nourrit.
>
> *Nefesh* sert à son tour de piédestal à *Roua'h*. *Roua'h* est le degré intermédiaire. C'est le principe spirituel. C'est l'Âme à l'état de veille.
>
> Mais il est bien précisé que *Nefesh* et *Roua'h* ne sont pas deux sources différentes, car elles ne peuvent exister qu'unies l'une à l'autre.
>
> Enfin, *Roua'h* sert de piédestal au degré supérieur appelé *Neshamah*, qui est l'Âme proprement dite. Et cette Âme véritable suscite bien des polémiques, car la Kabbale affirme que certains hommes ne la possèdent pas.

Qu'est-ce que ça veut dire : *Que certains hommes ne la possèdent pas ?*

— Tout à l'heure, Kris ! Cette phrase restera incompréhensible tant que l'individu ne sera pas devenu Connaissant. Le terme *Connaissant* implique le contrôle du Savoir. Or, nous n'avons pas encore défini l'Âme.

J'en étais donc à la conception de l'Âme des occultistes du début du siècle, lesquels l'assimilaient au Principe vital animant le corps, de la même façon que l'Esprit anime l'Absolu et ce, conformément à la Bible, Genèse 2-7 : *L'Éternel Dieu forma l'homme de la poussière de la terre, il souffla dans ses narines un **souffle de vie**, et l'homme devint un **être vivant***. Observe que les mêmes erreurs de traduction ont égaré des légions de chercheurs sincères. Ce qu'on traduit par *souffle de vie* correspond en hébreu à נשמה (*Neshamah)*, et par *être vivant* à נפש (*Nefesh*). Selon le dictionnaire hébreu, *Neshamah* signifie :

souffle, haleine, respiration; et *Nefesh* : *Souffle, haleine, vie, principe de vie, Âme en tant que siège du sentiment, des affections, cœur, sentiment, désir, volonté, pensée, être animé, personne, individu.*

En d'autres termes, l'Esprit de Dieu **prend forme** en une Âme spirituelle *Neshamah* en tant que parcelle de l'Absolu éternel incarné dans la Matière et en *Nefesh* en tant que parcelle de la Matière ou Principe vital animant la nature et se révélant chez tout être vivant par l'ego. L'ego se matérialise dans la pensée cérébrale de l'Homme par le MOI qui a la charge de **donner forme** à *Roua'h*, l'Âme à l'état de veille, personnalisant le Maître intérieur.

Remarque la similitude des définitions de *Neshamah* et de *Nefesh* : souffle, haleine. Mais *Neshamah* est l'expression vivante, le souffle et l'haleine de l'Absolu, l'**Âme proprement dite**, comme le souligne avec justesse A.D. Graad, et *Nefesh* est le Principe qui anime le souffle et l'haleine de la Matière, donc de l'Homme qui en est le produit supérieur.

Peu au fait des subtilités de la sémantique hébraïque, les occultistes ont lié ces deux concepts en négligeant *Roua'h*, et ont affirmé que l'*Âme véritable est Nefesh* puisqu'elle anime la vitalité et que par elle, Adam devint un être vivant.

Soyons plus explicites. On lit dans le Sepher Ha-Zohar, 5e volume, page 46 : *L'Écriture emploie le mot Nefesh, parce que le péché n'est suggéré ni par Roua'h, ni par Neshamah.* Ou encore, page 65 du même volume : *Il est écrit «Quand une Nefesh commet un péché [...] L'Écriture emploie le mot Nefesh, car c'est l'esprit vital qui pèche,* ***mais non pas la Neshamah****.»*

Or, conformément à sa définition et notamment *Âme en tant que siège du sentiment, des affections, cœur, sentiment, désir, volonté, pensée, être animé, personne, individu*, l'Âme-*Nefesh* est un principe qui englobe tous les sentiments humains bons ou mauvais, et donc le péché. Elle utiliserait les forces créatrices de l'Esprit et les transformerait au bénéfice du corps. En contrepartie, l'Âme-*Neshamah* recevrait les émotions du corps et les garderait en mémoire.

Même si l'Âme-*Nefesh* résidait dans l'Esprit universel, elle s'individualiserait au moment de l'incarnation, évoluerait et se transformerait en fonction des expériences vécues par le corps pour effacer le *péché*. Ce qui implique évidemment sa transmigration dans différents corps. Le corps ne serait qu'un moyen et la réincarnation s'imposerait comme une nécessité pour que l'Âme découvre le polymorphisme de la vie. Dans cette optique, le sexe ne serait pas un obstacle.

Pourtant, les textes sont clairs : l'Âme véritable **est** *Neshamah*. Elle ne peut pécher, **ELLE EST PARFAITE EN SOI et les diverses incarnations ne changent rien à sa perfection !**

— *Lumière*, tu me perds. Tout ce que tu me racontes ne cadre pas avec ce que j'ai découvert. Vrai ou faux, je n'en sais rien ! Voilà que j'entends un autre discours, plus mystique, qui ne m'empêche pas de me raccrocher au concret, mais qui me demande d'adhérer à une pétition de principes invérifiables. Je préférais tes explications indigestes sur l'Univers physique. Et tu me demandes de trouver des images avec ça ? Cher ami, j'ai l'honneur de te présenter ma démission.

— Déjà ? Tu raterais la fin du spectacle ? Allons, tu sais bien que les mots recouvrent des sens multiples que les auteurs ignorent ou écartent a priori. C'est pourquoi la formulation peut conduire à des conclusions d'une logique imparable... sur le papier ! Il suffit de gratter le vernis pour découvrir que la question initiale est mal posée. Ces occultistes adhèrent à la conviction intime, qui est leur vérité — et toute conviction est respectable —, qu'un Dieu a créé l'Univers. Qu'à cela ne tienne ! Déviance et perversion des fondements doctrinaux vont bon train. Du coup, on a inventé le Diable...

— À l'école, pendant les cours d'instruction religieuse, le professeur disait qu'on pouvait perdre ou gagner son Âme... et même la vendre au diable.

— Ouais ! Patates plus carottes égalent potage ! Mais va savoir où est la patate et la carotte dans cette mixture. Toute ta vie, tu seras confronté à ce genre d'équivoque. Mais laissons cela et revenons aux principes de base : la parcelle de l'Absolu et la parcelle de la Matière. Philosophiquement parlant, les mots exacts pour décrire l'Âme seraient : *Substratum d'Immanence de l'Espace-Absolu.*

Les mots, je me répète, n'ont qu'une valeur relative pour conquérir d'autres dimensions. Hélas ! même les mots se perdent. Ma définition t'oblige à mettre de côté ton savoir actuel. Ainsi, les gens, conformément à l'entendement commun, n'ont d'autre choix que de déifier l'Esprit et d'adorer l'Âme, au détriment de leur propre identité. Ils s'exposent ainsi à la manipulation et à l'endoctrinement.

— Tu permets ? Si l'Âme s'incarne dans notre corps parce qu'elle a besoin de nous — sinon, elle ne s'incarnerait pas —, je suis aussi important pour elle qu'elle l'est pour moi. Il faut donc négocier pour obtenir un consensus satisfaisant pour les deux parties. Écoute plutôt la bande sonore : "Moi, je suis mortel, mais j'ai conscience d'être moi et pas un autre. Toi, l'Âme, tu as l'immortalité sans pouvoir te définir. Je t'offre ma conscience, tu m'offres ton immortalité." Donnant-donnant, non ?

— Image un peu simpliste, mais avec un fond une vérité ! Elle a l'avantage de rendre le concept plus accessible. Considérons *le Substratum d'Immanence de l'Espace-Absolu.*

- Espace-Absolu : vide énergétique dans lequel baigne l'Univers.
- Immanence : qualité d'une cause qui agit sur ce dont elle fait partie.
- Substratum : support à une autre existence, ce sans quoi une réalité ne saurait subsister.

J'assimile l'Immanence à la Lumière : non révélée dans le Vide absolu et granulaire dans la Matière. En pénétrant la Matière, l'Onde d'Immanence se révèle granulaire. Elle prend forme et devient Substratum. Ce Substratum équivaut à l'Âme proprement dite.

— Mouais ! Si on veut !

— J'utilise le terme *Onde* sans présupposer un hypothétique émetteur incompatible avec l'Absolu illimité, mais comme constante de l'Immobile. Si tu préfères, remplace *onde* par *énergie*. L'énergie est statique puisque issue d'un Principe immobile. Elle est *en puissance d'existence*. Un phénomène concomitant conduit l'énergie à pénétrer la Matière et à se cristalliser dans une forme, dans un Substratum. Le phénomène, c'est l'*actuation* qui fait passer une chose en état de puissance à l'acte et permet à l'Immanence de devenir Âme vivante dans la Matière*.

— L'énergie statique se... dynamise, en quelque sorte...

— Exactement ! L'Immanence est constante dans la mesure où elle fait partie d'un tout constant, le Vide absolu. Elle acquiert, au cours de l'actuation, la forme qui la fait passer de l'Universel à l'Individuel en qualité de Substratum. Les mots prennent ici leur véritable sens : le Substratum (Âme) sert de support à une autre existence, l'Immanence, qui par sa qualité peut agir sur ce dont elle fait partie : l'Homme. On comprend alors comment l'Espace-Absolu communique les caractéristiques de l'Immobile, donc de l'Absolu, à l'esprit humain.

Pour l'instant, tu en as assez entendu et je veux que mes paroles restent bien entre tes deux oreilles. À toi maintenant, par un effort de conceptualisation, de m'illustrer ce que je viens de dire. Peu importent tes erreurs; je les corrigerai. L'Âme est la pierre angulaire de toute quête spirituelle. Si tu ne peux l'appréhender complètement, ta recherche s'égarera sur du sable sérieusement mouvant.

— Une image ? Par exemple... l'Onde d'Immanence est le courant électrique et le corps humain une lampe. Quand je suis branché... j'éclaire ! Ma lumière, c'est l'Âme. Perdre son Âme, c'est fermer le courant... de l'Onde d'Immanence.

— Assez classique, mais avec une variante originale ! Certains ésotéristes disent que la lampe est l'Âme, et la lumière la manifestation de l'Esprit. Mais à mon avis, tu es plus proche de la réalité.

---

* L'actuation est l'expression du principe *Bara* découvert en analysant le mot *Beréchîth* du premier verset biblique : *Au commencement créa* Dieu (*Beréchîth Bara Élohim* —> בראשית ברא אלהים),(voir chapitre 5, page 81).

En assimilant le courant à l'Onde d'Immanence (l'essence de l'Absolu) et en affirmant que cette essence brûlant dans la Matière est le Substratum, tu mets en évidence le fait que l'Immanence (Esprit) et le Substratum (Âme) sont de même nature immanente. C'est le même produit sous deux formes différentes. Par contre, l'analogie au courant électrique présente une faille, car elle suppose que l'Âme, c'est-à-dire l'Onde d'Immanence qui a pris forme en un Substratum, reste connectée à l'Absolu. Or, ce n'est pas tout à fait exact. La chute d'Adam et Ève et le péché originel signifient qu'à l'instant où l'Immanence prend forme en une Âme vivante par le passage de l'Immobile au dynamisme, celle-ci est déconnectée de son origine. À ce titre, le baptême viserait à rétablir le contact.

D'autre part, et je ne le répéterai jamais assez, un élément, si petit soit-il, issu de l'Absolu en possède obligatoirement les caractéristiques. D'où la conclusion obligée que l'Âme présente les caractères de l'Absolu : infinité, plénitude, universalité, instantanéité, Connaissance Absolue et *non-transformation.*

— Non-transformation ? m'exclamais-je. C'est ce que tu voulais dire tout à l'heure par l'*Âme est parfaite en soi* ? L'Âme n'évolue pas ?

— J'y reviendrai. La difficulté est de comprendre que, même si l'énergie de l'Absolu ou Immanence prend forme en une Âme dans un corps vivant et est séparée de sa source, elle ne lui est pas pour autant indifférente. Elle reste même en résonance avec l'Absolu, à son diapason. Il n'y a donc pas rupture au sens de couper un câble. Je te renvoie à tes propres déductions sur les trous noirs* et à ton exemple de la bougie. La flamme est de l'oxygène, pourtant invisible à nos yeux, qui se consume. Par analogie, l'air ambiant est l'Absolu, et la flamme l'Âme. L'état vibratoire de la flamme la déconnecte de sa source tranquille et pourtant elle y participe puisqu'elle en est issue.

Du reste, que veut dire exactement *évoluer* ? *Evolutio*, en latin, signifie : action de dérouler. Pourquoi pas, en effet, puisque l'Onde d'Immanence se déroule dans la Matière ? Mais je

---

* Voir chapitre 5, page 84.

préfère *rouler* car c'est par un enroulement autour du nouveau-né que l'Onde d'Immanence prend forme dans son corps et devient une Âme vivante dite Substratum. Mais dans le langage populaire, *évolution* est utilisée non dans son sens étymologique mais, curieusement, au sens figuré, comme une suite de transformations graduelles assez lentes ou de changements successifs insensibles. Là, je ne suis pas d'accord.

Il s'agit assurément d'une *transformation*, mais par le seul fait que l'Immanence devient une Âme vivante par l'actuation de la forme. En dehors de cela, l'Âme *ne peut évoluer en soi*. Elle est parfaite puisqu'issue d'un Principe absolu dont elle possède les caractéristiques. Toute idée d'apprentissage ou d'acquisition à la suite d'une succession d'expériences telles qu'on les conçoit à l'échelle humaine *assassine* irrémédiablement l'Absolu. L'Âme soumise à l'évolution serait identique à la matière transformable. Il n'y a plus de débat possible et le point final tue Dieu parce que l'Âme d'origine divine et intrinsèquement dotée de caractères divins, obligerait sa source à se modifier en conséquence de sa propre évolution. Dieu transformable ?

— Ce qui veut dire...

— ... que si l'Âme soi-disant évolutive, plus sage **après qu'avant**, réintègre Dieu, Lui qui EST PRÉSENT ÉTERNEL, **deviendra** de plus en plus IMPARFAIT puis PASSÉ ! La grammaire nous vient en aide juste à temps — c'est le cas de le dire — pour conjuguer l'impossibilité ontologique d'une évolution par l'expérimentation, la sagesse tirée de la Matière diversifiée à l'infini ne permettant jamais à l'Âme d'atteindre la Sagesse de Son créateur Dieu.

A contrario, si l'Âme est déjà Sagesse à l'image de Son créateur, elle n'évolue pas. Elle est la perfection même. *Pour l'être humain, la perfection de l'Âme et la Connaissance de l'Absolu ne sont pas à atteindre mais plutôt à retrouver, sinon à conserver*. La Connaissance n'est pas à apprendre. On l'a. Il faut découvrir comment y accéder pour y puiser à volonté, afin de devenir son propre maître. Ai-je besoin de préciser que l'Âme ne peut non plus apprendre ? Apprendre quoi ? Les mathématiques, les arts, la philosophie, la Kabbale ? Toi qui as vécu la mort, avais-tu emporté ton savoir humain dans tes bagages ?

— Non, je n'en avais plus conscience. Seul importait ce que j'étais en tant que moi.

— Exact ! Le Savoir humain accumulé n'est qu'un moyen pour l'individu de découvrir son Âme qui, en contrepartie, peut alors **prendre conscience** d'elle-même et confirmer la ***mission*** de l'Univers : l'Immobile se connaît par la Matière mouvante. Et pour ça, nul besoin de subir des milliers d'incarnations. Une seule suffit !

Il s'agit maintenant de comprendre comment l'Immanence prend forme en une Âme tout en gardant les caractéristiques de son Essence Absolue. Peux-tu me donner une image ?

— L'eau ! Comparons l'Absolu à une mer limpide et claire. Remplissons une bouteille qui symbolise la Matière et le Monde de la gravitation, de la condensation, de la cristallisation. L'eau à l'image de l'Absolu remplit de façon absolue la bouteille. En se cristallisant, elle se transforme en glace et prend la forme de la bouteille. Qu'est-ce que la glace ? De l'eau qui a changé d'état. L'eau céleste a pris forme dans le corps et est devenue une Âme.

— Va pour la glace ! Il lui suffit de s'élever en température ou en lumière pour se transformer à nouveau en eau. Mais l'exemple me semble imparfait. Comment l'Âme conserve-t'elle sa forme quand elle quitte la Matière pour rejoindre l'Absolu ? La glace se retransforme en eau et perd cette originalité qui permettait à l'Immobile de se connaître par le Mouvant. Si on accepte pour l'instant la réincarnation...

— *Lumière*, un symbole est toujours imparfait. Évidemment, une Âme de glace qui épouse la dépouille d'une bouteille ne peut prendre la forme d'une autre bouteille, sauf si elle est modelable.

— Si elle est modelable, elle est transformable. Tu donnes donc raison aux défenseurs de l'évolution de l'Âme ?

— D'accord ! Une autre image plus simple ! Soit un verre d'eau gazeuse composée de molécules complexes, à l'image de l'Univers physique. De petites bulles de gaz — peu im-

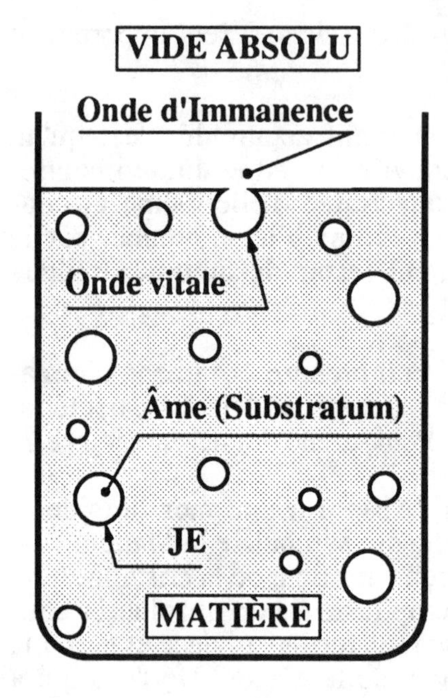

porte leur nature chimique — remontent à la surface. Que deviennent-elles ? Le gaz se mélange à l'air dont il est issu. Ainsi, chaque bulle de gaz symbolise une Âme. L'air ambiant représente l'Espace-Absolu qui n'est rien en soi, en comparaison de la Matière. C'est un Vide dans lequel se développe et se transforme la Matière. Quand l'Espace Absolu pénètre le liquide, de petites bulles de gaz apparaissent. Ces bulles sont quelque chose en regard de la matière liquide qui lui donne une forme, mais il leur suffit de sortir du verre pour se confondre dans l'Absolu.

Imaginons que les bulles d'Espace-Absolu pénètrent un corps physique, quel qu'il soit. Elles épousent sans difficulté la forme du corps. Cela me rappelle une de tes observations. Quand quelqu'un regarde au fond de lui-même en s'efforçant de ne penser à rien, il découvre un vide qui fait peur. Mais il lui suffit de découvrir que ce vide est plein pour acquérir la plénitude d'exister. Car la parcelle d'Absolu appelée Âme n'est pas vide en soi. Elle est énergie à l'état pur amenant avec elle la notion d'ÊTRE le TOUT de l'Absolu sans pouvoir en prendre conscience.»

Lumière brillait de contentement. Il semblait satisfait de mon raisonnement qui le touchait profondément. Mais la perfection n'est pas de ce monde et il devait demeurer critique.

«Tu viens de me fournir l'image la plus simple qui prouve que tu commences à bien conceptualiser l'Âme. Chaque fois que tu pourras illustrer une donnée spirituelle par un exemple ou un dessin , l'idée que tu t'en feras sera d'autant plus claire. Mais un dessin n'est qu'une expression limitée par les dimensions de l'Espace matériel. La spiritualité apporte une dimension supplémentaire qui permet de vibrer par le ressenti et qui confirme l'exactitude de l'expression. Elle module notre perception sur des niveaux de conscience de plus en plus élevés.

Ainsi, l'image des bulles remontant à la surface pour rejoindre l'Absolu est intéressante. Mais elle n'explique pas tout. Tant que la bulle-Âme demeure dans l'eau-matière, elle assume son existence. Mais dès qu'elle rejoint la surface, elle n'est plus rien, car elle n'amène pas d'eau-matière avec elle. Il n'y a pas réciprocité. Dans ton exemple, seul le Mouvant se connaît par l'Immobile, mais non l'Immobile par le Mouvant. Nous y reviendrons lors de notre prochain entretien.

— *Lumière*, tout ce que nous avons médité aujourd'hui demeure de la pure spéculation si l'Âme n'existe pas. Même si l'Homme permet à l'Absolu de se connaître par le Mouvant, rien ne prouve qu'il possède véritablement une parcelle d'Absolu.

— Tu surpasses saint Thomas lui-même. Mais nous avons toujours convenu de ne rien accepter qui ne soit totalement démontrable. Comment l'Homme pense-t'il ? Par l'entremise des cinq sens — vue, ouïe, odorat, goût et tact — qui communiquent les informations nécessaires à l'objectivation de l'environnement. Ces informations sont véhiculées vers un organe sensible, lui aussi constitué de matière, le cerveau, véritable centre informatique qui non seulement digère l'information mais la traduit aussi en pensée cérébrale. L'Homme, par sa faculté d'abstraction, peut ainsi procéder à l'examen de la chose observée.

D'où ce constat : l'Homme ne pense exclusivement qu'en fonction des informations de ses sens, y compris lorsqu'il examine son propre fonctionnement interne. Or, les sens, adaptés uniquement à la Matière, ne perçoivent que des transformations matérielles : la vie, la mort, la succession des saisons, le renouvellement continuel dans le brassement des siècles... Qui sait ? Ton corps possède peut-être des atomes qui ont habité Platon, Jeanne d'Arc, un Juif, un Arabe...

— L'Homme... homme-éopathique ?

— Je mets ce calembour sur le compte de ton éternel esprit de cabotin et j'oublie tout. Donne-moi un exemple dans la

Matière qui décrit comment l'Homme, par sa faculté d'abstraction, peut puiser l'information de l'Absolu. D'une survie possible après la mort. De pouvoir demeurer lui par-delà la vie.

— J'avoue que je n'ai jamais abordé le sujet sous cet angle.

— Rien ! Absolument rien ne permet d'appréhender ces notions dans le monde physique. Une autre source les transmet à l'Homme, peu importe son nom, sixième sens, sens psy...

Cette source possède obligatoirement des caractéristiques non matérielles. Si la matière est perceptible, cette source est aperceptible. Si la matière se transforme, cette source est non transformable, donc elle n'évolue pas. Si la matière est mouvement, cette source est immobile. Si la matière est limitée dans sa forme, cette source est illimitée dans son informe. Bref, cette source est tout, sauf de la Matière, et possède tous les caractères de l'Absolu. Sa dénomination ne change rien à sa réalité. Cette source, c'est l'Âme.

La définition de l'Âme prend ici toute sa valeur :

Substratum d'Immanence de l'Espace-Absolu.

J'avais ajouté :

> Le Substratum (Âme) sert de support à une autre existence, l'Immanence, qui, par sa qualité, peut agir sur ce dont elle fait partie : l'Homme. On comprend alors comment l'Espace-Absolu communique les caractéristiques de l'Immobile à l'esprit humain.

Il y aurait encore beaucoup à dire sur l'Âme. Il n'y a rien de plus frustrant que d'entendre : *Quand tu seras prêt, on te le dira.* Cette forme de manipulation persuade le disciple de son insuffisance et lui laisse entendre qu'avec le temps, l'habitude, le mérite ou l'obéissance aveugle, le Maître daignera, dans sa grande bonté lui communiquer sa doctrine. J'ai, quant à moi, toujours été persuadé que toute question méritait une réponse adaptée aux efforts de méditation. À défaut de solution exacte, il convient de donner au moins des indices.

A.D. Graad écrit ceci au sujet de la *Neshamah*, l'Âme spirituelle de l'Absolu des Hébreux :

> Et cette Âme véritable suscite bien des polémiques, car la Kabbale affirme que certains hommes ne la possèdent pas.

Rappelle-toi que la mystique juive affirme que si l'individu suit parfaitement les 613 ordonnances de Moïse et s'il évolue en sachant éveiller le *Roua'h*, l'Âme à l'état de veille — qui fera l'objet de notre prochain entretien —, Dieu, dans sa miséricorde, lui offrira la *Neshamah*, l'Âme spirituelle proprement dite.

Il s'agit d'une conception religieuse axée sur la récompense et le châtiment. Or, aucun Dieu Absolu ne déciderait que tel a bien ou mal agi. Sur quel critère juger l'élu et le damné ? Le jugement divin n'habille que l'injustice des hommes. Les textes sacrés recèlent une vérité déformée à des fins doctrinaires, pour ne pas dire partisanes. Possèdes-tu un poste de radio ?

— Oui, pourquoi ?

— Il fonctionne en ce moment ?

— Non, mais où veux-tu en venir ?

— Cette radio reçoit constamment les ondes hertziennes et pourtant, elle ne transmet rien. Pourquoi ?

— Parce qu'elle n'est pas allumée.

— Constate l'analogie. Tout le monde reçoit l'Onde d'Immanence mais certains maintiennent le contact fermé et **ne la conscientisent pas**. Ils restent donc hermétiques à la spiritualité de l'Absolu.

— À mon tour d'être critique. Tu affirmes qu'un individu conscient peut accepter ou refuser de s'ouvrir à la spiritualité. Suppose que j'ai une boîte d'allumettes dans ma poche.

Je suis libre d'en prendre conscience ou non, comme de m'en servir ou pas. Mais que je sache, l'Âme prend forme à la conception ou à la naissance de l'enfant ?

— Vaste problème ! Pour l'instant, disons... à la naissance !

— Tiens donc ! Soit ! Donc, selon les Hébreux, personne n'acquiert l'Âme à la naissance. L'Âme est un don du Seigneur en fonction d'une évolution spirituelle individuelle... Dis donc, cette conception évacue sérieusement l'idée d'un Dieu de justice !

— Tu as peut-être raison... ou c'est du moins ce que les Hébreux sous-entendent pour les non-connaissants. À l'inverse, on peut envisager, à l'instar de la boîte d'allumettes dans ta poche, que tout le monde reçoit l'Âme de l'Absolu en naissant, mais que chacun est libre de l'ignorer ou de ne pas l'utiliser et donc, de passer à côté de la spiritualité... comme un poste de radio qui reste éteint ?

— On peut aller loin avec ça ! Par exemple, l'individu sait comment utiliser son poste mais ne capte rien parce que l'appareil n'a pas le circuit nécessaire.

— Kris, toute ta vie, tu te heurteras à des paroles qui, sorties de leur contexte, n'aboutissent à rien sinon qu'à développer l'élitisme. *Fuis ce genre de débats comme la peste,* tant que tu n'auras pas assimilé le plan général.

Considérons le système solaire. L'énergie solaire, le Principe vital si tu préfères, bombarde toutes les planètes sans distinction. Cette énergie est nécessaire mais non suffisante à la vie dont l'éclosion dépend de conditions physiques très étroites de température et de pression. La Lune reçoit aussi le bombardement vital et pourtant, elle ne développe pas la vie, car les conditions physiques s'y opposent. Injustice ? Ça ne choque personne de voir autant de matière pour si peu de résultat de type humain. Car la Lune, astre mort en regard de la Terre, règle les marées et les cycles de fertilisation de la nature... dont celui de ta douce Gwenaelle. La Lune est donc, elle aussi, utile à la vie. Tout est normal dans l'ordre des choses.

Ne me fais pas dire ce que tu voudrais entendre. Tout le monde reçoit de par sa naissance l'Onde d'Immanence qui prend forme en une Âme. Seulement, il appartient à chacun d'en prendre conscience pour que l'Âme-*Neshamah devienne vivante* en eux. La mystique juive ajoute que tous les Hommes peuvent recevoir la *Neshamah.*

Pour t'en convaincre, reprends le texte exact qu'A.D. Graad a étudié, celui de Sepher Ha-Zohar, 5e volume, page 64, et lis !»

Je rougis comme un gamin pris en faute. La phrase d'A.D. Graad m'intriguait depuis longtemps. Je réalisais que je l'avais acceptée sans discussion comme un fondement dogmatique. Très honnêtement, je n'avais de parti pris pour personne, mais l'ego piège l'humain en lui donnant l'illusion d'être un élu. *Lumière* m'avait maintes fois déclaré que contrairement à un adepte aveugle, le Connaissant devait acquérir des certitudes démontrables. Il avait senti que l'ambiguïté qui irritait mon esprit se concentrait sur la connotation franchement élitiste de l'Âme-*Neshamah.* Il avait eu la sagesse d'attendre la fin de son exposé pour aiguiser l'inconséquence dont je faisais preuve de ne vérifier que ce qui m'arrangeait et d'ignorer le reste. La voie de la vraie Connaissance ne passe par aucun compromis. J'avais le Livre Saint en ma possession. Il suffisait de l'ouvrir pour savoir.

J'obtempérai à l'ordre de *Lumière* et j'ouvris le livre à la page indiquée — ce que j'aurais dû faire depuis longtemps déjà — avec, je l'avoue, l'angoisse de l'abîme que la vérité toute crue ne manquerait pas d'ouvrir sous mes pieds.

«Alors ?

— Attends ! Voilà !

> Nous avons dit que Nefesh est attachée à Roua'h, celui-ci à Neshamah et celle-ci à Dieu. Heureux cet héritage céleste ! Malheur aux impies dont les Nefesh sont perdues et dans ce monde et dans le monde futur; ils errent dans le monde sans trouver nulle part de repos, et ils sont souillés par l'esprit impur...

Bon ! Ça confirme A.D. Graad. Tu cherches à me faire peur ?

— Va au bout, impatient !

— Rabbi Siméon dit :

> Il y a des personnes qui sont jugées dignes de posséder une Neshamah, d'autres ne sont jugées dignes que de Roua'h, et d'autres encore ne possèdent que Nefesh. Les hommes qui ne possèdent que Nefesh s'attachent à l'esprit impur [...].

Curieux... *Dignes* de posséder une Nefesh, *dignes* de posséder un Roua'h, une Neshamah... qu'est-ce que ça veut dire ?

> L'homme qui cherche à se perfectionner et à être digne de posséder un Roua'h est visité par la troisième catégorie qui lui fait connaître des choses qui se réaliseront soit immédiatement, soit ultérieurement. Mais lorsqu'il a acquis son Roua'h, ce Roua'h brise les montagnes, monte, monte et se répand parmi les anges sacrés; il apprend et s'instruit, puis il retourne à sa place, jusqu'à ce que l'homme devienne digne par sa sainteté d'avoir une Neshamah, celle-ci monte au plus haut des cieux, et les gardiens de la porte ne l'empêchent pas d'y pénétrer. Elle se répand parmi les justes qui forment le faisceau de la vie, et c'est là qu'elle voit les délices du Roi et jouit de la splendeur suprême...

Trois catégories d'Hommes maintenant avec trois Âmes différentes ?»

Lumière riait de ma perplexité, rire communicatif s'il en fût, quand je réalisai à quel point la connaissance mal comprise faisait tourner les têtes folles dans le carrousel de l'endoctrinement et du fanatisme.

«On ne doit pas mettre la charrue avant les bœufs, reprit-il. Le texte décrit simplement différents NIVEAUX DE CONSCIENCE.

- Si l'Homme secoue son mental endormi et le sort du *sommeil* profond qu'entretient son environnement socio-culturel, son MOI-*Nefesh* (l'Âme en sommeil) **prendra conscience** automatiquement de son JE-*Roua'h.*
- S'il permet alors à son JE-*Roua'h* (l'Âme à l'état de veille) de prendre forme en son esprit afin d'éclairer sa demeure intérieure et de *veiller* sur elle, il **prendra conscience** automatiquement de son Âme spirituelle-*Neshamah* (l'Âme proprement dite).
- Enfin, s'il entre en résonance avec son Âme-*Neshamah*, il **prendra conscience** automatiquement des *délices du Roi divin et jouira de la splendeur suprême.*

En conséquence, l'individu prisonnier de son mental-*Nefesh* ne peut prendre conscience de son *Roua'h*, mais celui qui prend conscience de son *Roua'h* prendra également conscience de sa *Neshamah*, donc de la Divinité... et ce, sans qu'il soit nécessaire de s'investir dans une polémique stérile pour savoir si certains Hommes possèdent ou non l'Âme spirituelle.

Qu'importent ces distinctions d'élus, dès lors que, réincarnation ou non, on ne vit qu'une fois en tant que MOI. Quelle différence entre celui qui conscientise une Âme spirituelle et rate son voyage de l'au-delà et celui qui n'en aura jamais conscience ?

Je ne peux aller plus loin aujourd'hui. En ce qui te concerne, oublie pour l'instant la mystique juive et cherche ce qu'apporte dans la vie le fait de **prendre conscience de l'Âme de l'Absolu**. Regarde autour de toi, observe, analyse, apprends mais n'oublie jamais que chaque élément matériel de la vie est une source constante de prise de conscience spirituelle.

En conclusion, médite ces paroles :

> Un chevalier vaut mieux qu'un âne ! Mais puisque tu en es conscient, oriente toujours le vital dont tu témoignes et n'éteins jamais les lueurs d'espoir de qui que ce soit ; aide-le à

voir au fond de lui-même, car le chemin est unique même si le paysage change. *Aimez-vous les uns les autres...* c'est-à-dire aime le monde pour ce qu'il est et ne fais jamais de différence.»

* *
*

10

LA TRILOGIE HUMAINE

II - LE JE

«Tu parais tendu aujourd'hui, Kris. Que se passe-t'il ?

— Tendu ? Révolté, oui ! Nous venons d'assister, Gwenaelle et moi, à une conférence sur les médecines douces. Pendant la pause, ça discutait ferme ! Les uns tenaient mordicus aux médecines alternatives, les autres aux techniques plus conventionnelles. Comme de raison, je me suis mis de l'avant. J'ai dit que toute méthode devait d'abord servir le patient et non le thérapeute, l'essentiel était de maintenir un esprit sain dans un corps sain. Toutes les médecines, douces ou conventionnelles, étaient utiles si elles répondaient en priorité aux besoins du malade. Les techniques alternatives abordaient des désordres fonctionnels dans une optique préventive, avant l'apparition d'une lésion organique. L'allopathie et la chirurgie seraient plutôt des médecines de choc. On pouvait regretter la dérive vers la spécialisation de la médecine *industrielle* qui traitait l'organe avant le malade. À ce titre, les thérapies holistiques nous ramènaient à une conception plus globale de l'Homme dans son milieu. Mais j'estimais risqué de consacrer à la mode de l'orientalisme exotique, de la nouveauté à tout crin ou de l'ancestral redécouvert — l'ancien servi à la moderne — et de faire table rase, par parti pris systématique, de l'acquis de la science occidentale au bénéfice d'une quelconque école dont les défenseurs deviennaient trop vite des prosélytes.

À mon avis, toute médecine, conventionnelle ou non, était dangereuse si elle enfermait l'individu dans la dépendance du corps au détriment de l'esprit. Le corps devait suivre l'esprit et non l'inverse. C'était si vrai qu'au cours d'un travail éreintant, alors que l'esprit est mobilisé par l'accomplissement de la tâche, tout va bien. Mais sitôt le travail terminé, le relâchement de l'esprit fragilise le corps au point de l'exposer au premier microbe venu. La capacité d'adaptation de l'Homme, servie par son intelligence, lui avait permis de survivre alors que des espèces trop intégrées à leur milieu et incapables de supporter les bouleversements de leur environnement avaient été décimées. Les dinosaures, par exemple ! L'Homme lui-même n'est pas à l'abri d'une catastrophe; des millions d'Améridiens qui faisaient corps avec la nature étaient morts au contact de maladies banales importées par les premiers colons.

— Le bon équilibre — la loi du juste milieu du bouddhisme — est nécessaire en toute chose. Tout extrême entraîne un désordre dont il faudra tôt ou tard payer le prix. Je ne vois pas là matière à colère.

— Jusque-là, ça allait ! Ça a dégénéré ensuite ! La conversation a dévié sur les vertus respectives de l'esprit et du corps. Une jeune femme qui nous écoutait m'a alors dit que j'avais raison parce qu'elle avait pu elle-même vérifier la supériorité de l'esprit sur le corps. Elle semblait très gênée, sur la réserve, méfiante et pourtant, elle voulait me parler. Notre groupe l'a mise en confiance et elle a commencé.

Elle s'appelait Constance. Deux semaines auparavant, elle avait été hospitalisée en urgence. Elle avait sombré dans le coma à la suite d'un violent mal de tête. Elle avait vécu une expérience de *décorporation*, mais qui ne correspondait pas du tout aux descriptions rapportées par le livre de Moody, *La vie après la vie*, ou d'autres ouvrages semblables. Elle flottait au-dessus de son corps et, tranquillement, son esprit avait atteint... l'Infini. Elle a dit : "Je me suis sentie devenir *Lumière* ! *Mais je n'ai vu ni Clarté, ni Maître... ni ma famille. Rien !*" Elle n'avait ressenti aucune douleur, aucune émotion. Lorsqu'elle avait réintégré son corps sous l'action de la réanimation, il lui était devenu étranger, gauche, fragile. Elle avait l'impression de vivre dans un monde factice et ne savait plus distinguer la vérité de l'erreur. Elle ne comprenait pas pourquoi *elle n'avait pas eu droit, elle aussi, à la Clarté lumineuse*. Elle se sentait frustrée, en quelque sorte...

Je lui ai donc parlé de ma propre expérience à la presqu'île de Giens. Le fait de savoir qu'elle n'était pas seule à avoir vécu une aventure semblable l'a rassurée. Nous avions présenté des symptômes physiques identiques, même si nos perceptions respectives de l'au-delà différaient. Elle m'a dit : "Je savais que je devais venir ce soir et que je trouverais une réponse."

Alors, un homme assez bien de sa personne, les tempes grisonnantes, l'allure d'un grand professeur, s'est immiscé dans la conversation. Très agressif, il a lancé à Constance que son imagination l'avait trompée. D'après lui, le coma provoquait une sécrétion foudroyante d'endorphines à l'origine de désordres neurologiques et de visions folles similaires à celles d'un drogué. Il prétendait connaître plusieurs explications scientifiques qui n'avaient rien à voir avec le mysticisme de bas-étage, les esprits et tout ce bataclan... Constance ne savait plus où se mettre, elle en avait les larmes aux yeux. J'ai tenté d'argumenter. Mais lui, l'autre imbécile, assénait sa vérité. Plus il parlait, plus il s'emportait, comme s'il avait peur. Puis, se tournant vers Constance, le regard tordu, il dit : "À écouter ces fadaises, je peux vous dire que vous n'êtes pas sortie de l'auberge, chère madame !" Du coup, je l'ai trouvé laid... laid et méchant ! Je lui ai jeté à la figure : "Je te donne rendez-vous le lendemain de ta mort, vieux débris !" Il a haussé le torse, levé le menton, m'a traité de petit péteux qui ne savait pas à qui il parlait, puis il a viré casaque et est allé s'enrouler autour d'une grue qui a pouffé de rire en nous regardant en coin.»

Lumière sourit en silence.

«Qu'y a-t'il de drôle, dis-je vexé.

— Le ridicule ne tue pas, il empêche seulement de se prendre au sérieux.

— J'aurais voulu t'y voir.

— J'y étais ! Peu importe !

— Qu'aurais-tu fait à ma place ?

— Je ne peux te répondre, mais l'erreur enseigne à ne plus la commettre.

Par exemple, que penserais-tu de moi si j'ordonnais à ta femme de s'étendre dans la rue pour se faire sauter par le premier venu ?

— C'est une hypothèse d'école, j'espère ?

— Je ne peux rien te cacher !

— D'abord, elle refuserait. Et puis... des clous ! Où veux-tu en venir ?

— La sagesse côtoie souvent un bouillant caractère. Te voilà calme et attentif. Tu découvres le détachement. Fort bien ! Comme pour la plupart des maris attentionnés, cette proposition saugrenue te révolte. On respecte plus le corps que celui qui l'habite. Habituellement, on demande à son résident de se prostituer. Mais oui ! On court les conférences sur la spiritualité, on prend conscience de soi... Bravo ! Et à la première occasion, on s'étale devant le premier venu qui ne se prive pas de violer une proie si consentante.

L'Âme est un don, une responsabilité, un diamant dans un écrin. À n'ouvrir que devant des admirateurs respectueux ! On ne donne pas des perles à des pourceaux et on n'offre pas son Âme aux profiteurs. Ouvre ton cœur à ceux en qui tu liras la réciprocité. Ils te respecteront et mériteront d'entrer dans ta demeure. Ne t'attache pas à la grandeur de leur savoir mais à la spiritualité dont ils témoignent.

— Concrètement ?

— Bien sûr, je parle de la Connaissance profonde et sensible de l'Absolu, car le savoir n'est qu'un outil pour cerner un sujet. Tout le monde peut discourir sur l'ésotérisme. Mais la spiritualité ? Tout est objet de spiritualité : la pluie, le bon temps, l'actualité, les découvertes scientifiques, tout. Aussi, quand, au cours d'une réunion ou d'une discussion, tu introduis dans ton discours des considérations sur l'Absolu, ton vis-à-vis doit non seulement communier avec toi, mais aussi pouvoir rajouter quelque chose.

Tu rencontreras des savants très versés dans l'occultisme. Ces intellectuels récitent des litanies sans réfléchir à leurs propres paroles, pour la simple raison qu'ils n'ont pas accès à la Connaissance transcendante qui leur permettrait de me rencontrer. Leur bible, c'est le savoir des autres. À l'opposé, beaucoup de gens modestes qui ne fréquentent pas les milieux ésotériques chantent la vraie spiritualité, celle du bon sens. Tu le sais, l'Âme est source de Connaissance. On évolue de l'intérieur vers l'extérieur, jamais dans l'autre sens. La soif de vérité anime le dialogue entre chercheurs sincères. Quand quelqu'un énonce un fait que tu ignores, tu le récuses ou tu l'acceptes en le mettant momentanément de côté afin de pouvoir le vérifier par toi-même. Tu constateras à ton grand étonnement que ton interlocuteur a exposé clairement une vérité que tu connaissais de façon diffuse, sans pouvoir l'exprimer avec justesse. Inversement, quand tu exposes une vérité profonde, tu apportes à l'autre la confirmation d'une Connaissance intuitive ou tu lui donnes le moyen d'en prendre conscience. Il voudra aussitôt t'en faire part. Tu auras alors découvert un semblable à qui tu pourras te confier en toute quiétude. C'est pourquoi je ne t'ai jamais rien appris que tu ne saches déjà. Je révèle ta propre Connaissance. *Je suis ton miroir*.

Constance avait écouté votre conversation. Assurée de trouver un écho favorable parce que tes paroles la rejoignaient au plus profond d'elle-même, elle a ouvert son cœur et toi le tien. Vous avez communiqué votre expérience. L'autre, le cérébral obtus, le rationaliste étroit, ne pouvait comprendre le langage de l'Absolu. Il *devait* vous agresser, sinon le gouffre de sa propre sottise l'aurait englouti.

— J'avais remarqué sa présence mais je voulais être tolérant.

— La tolérance sociale est une nécessité pour la vie en communauté mais une faiblesse pour le Connaissant si elle l'expose à l'agression. Je tolère mon voisin parce que je ne lui veux aucun mal. Je tolère l'expression d'une opinion divergente même si je n'y adhère pas.

— La tolérance, c'est le droit à la différence...

— Cette tolérance-là n'est pas une vertu mais la *conséquence* d'un état de Connaissant. Si quelqu'un vient à toi, tu dois savoir si tu peux le recevoir en ami ou s'il vaut mieux qu'il passe son chemin. Si tu lui permets de s'arrêter, il n'y a plus tolérance mais disponibilité. Tu décides simplement d'être à son écoute. Tu communies ou tu restes attentif pour lui offrir ce qu'il attend ET NON CE QUE TU VOUDRAIS LUI DONNER ! Tu ne le tolères pas, tu assumes simplement les conséquences de ton accueil. Le respect que tu lui témoignes est ce droit à la différence. Mais s'il veut t'enchaîner à ses options, tu auras le droit de rejeter non pas l'Homme, ni même l'option, mais l'acte qu'il veut t'imposer. La tolérance qui demande d'acquiescer à l'intolérance est une violence intolérable, fausse et hypocrite. Il n'y a aucune tolérance possible avec l'intolérance. Aujourd'hui, vivre les émotions sans conscience excuse toutes les complaisances. J'entends souvent dire : *Laisse-moi vivre mes émotions, accepte-les, j'ai le droit de m'exprimer !* Cette prétendue liberté invite à se répandre sans respect pour personne et à agresser tout le monde en prétextant de la *tolérance pour soi.* Curieux retournement de valeur ! N'ai-je pas le droit, moi, de ne pas écouter ?

Par contre, le Connaissant doit être intolérant avec lui-même. Parce qu'il sait, il ne peut plus tricher. S'il tolère chez lui une seule faiblesse, il justifie toutes les autres. La vraie tolérance du Connaissant est une dure école, *car elle exige de se faire violence à soi-même.* Ce n'est pas une contrainte mais une délivrance qui épanouit la conscience vers la liberté de vivre, d'aimer, de jouir, mais aussi de s'arrêter quand il faut en gardant toute sa lucidité. La lucidité donne le droit d'exister, d'être authentiquement soi, d'exprimer le véritable JE SUIS.

— N'est-ce pas l'objet de notre rencontre ?

— Avant de manger, on se lave les mains pour toucher sans souillure le fruit de son travail. Avant de recevoir la Connaissance, tu dois aussi te laver l'esprit des souillures de la vie quotidienne. Tu étais perturbé. Alors, j'ai attendu que les brumes qui voilaient ta pensée se dissipent et que tu voies clair en toi. Maintenant, peux-tu t'adonner à un exercice simple ?

— Bien sûr !

— Détends-toi. Relaxe-toi au maximum dans la position où tu te sens le plus confortable. Très bien ! Maintenant, essaie de ne plus penser à rien.

— Ce n'est pas facile.

— Ne prête plus attention à tes pensées. Impose leur la force de ton indifférence. Je sens que tu y arrives. Voilà ! Maintenant, cherche à RESSENTIR la vie qui circule dans ton corps, qui le pénètre par la respiration. Essaie de percevoir l'énergie vitale qui t'environne. Fais corps avec toutes tes sensations et reste ainsi quelques secondes dans le silence.

— ...

— Kris, dis-moi ce que tu as ressenti.

— C'est indéfinissable. J'étais... sûr d'EXISTER, d'être moi, sans avoir besoin d'y penser. Oui, c'est ça, une simple sensation d'existence, sans souci mais rayonnante.

— Ce que tu as ressenti avec autant d'intensité, c'est le JE, l'Âme de la Matière, le *Roua'h* des hébreux, l'Âme à l'état de veille, l'Âme vitale issue du Mouvant qui doit fusionner avec l'Âme de l'Absolu... pour que l'Immobile se connaisse par le Mouvant.

— J'ai quand même du mal à le concevoir.

— Normal ! Le JE ne se conçoit pas, il se ressent et on en prend conscience. Suppose que tu deviennes amnésique. Tu ne sais plus qui tu es. Tes origines, ton passé, ton nom, le vocabulaire même ont disparu. Une chose demeure : ta notion d'existence. Tu sais que tu es toi et pas un autre. Tu ne sauras pas qui tu es mais tu connaîtras que tu existes, un point c'est tout. C'est le JE que personne ne pourra effacer tant que tu vivras dans ce corps. La torture, le lavage de cerveau ne peuvent porter atteinte à cette unité profonde, je dirais même à cette identité profonde. Le nouveau-né aussi sait qu'il existe sans qu'il ait besoin d'y penser et il sourit aux anges.

Le JE tire sa source du Principe vital. C'est la transcendance de SOI qui dépasse le monde de l'expérience, qui est d'une autre nature. Au-delà de l'intelligence et du savoir, au-delà des abstractions philosophiques, métaphysiques ou spiritualistes, existe le JE, notion subtile qui constitue la personnalité profonde de chacun. Le bonheur, le malheur, la plénitude physique, l'usure du temps, l'élévation de l'esprit ou sa déchéance, RIEN, absolument RIEN, n'enlèvera à quiconque sa notion d'être. Il ne lui est même pas nécessaire d'y penser pour savoir qu'IL EST LUI. Le JE dépasse le monde de l'expérience, la raison logique ou spirituelle. Le JE est la conscience d'être et le sentiment indélébile d'avoir été, donc d'exister. Il n'y a pas place en lui pour les souvenirs tels qu'on les conçoit habituellement.

— Le JE serait la manifestation de l'Immanence du Mouvant au même titre que l'Âme est celle de l'Immanence de l'Absolu ?

— Oui ! L'Âme est un Principe issu de l'Espace Absolu, le JE un Principe vital issu du Mouvant. L'une procède de l'Onde d'Immanence qui donne naissance, par le phénomène d'actuation de la forme, à l'Âme de l'Absolu, l'autre procède de l'Onde vitale qui donne naissance, par densification, à l'Âme de la Matière : le JE. La différence réside dans le fait que l'Âme provient d'un Principe immatériel, le Vide Absolu et le JE d'un Principe matériel, l'*élémental*.

Par analogie, l'Onde de l'Absolu serait un courant continu instantané alors que l'Onde vitale serait un courant alternatif progressif. L'onde de l'Absolu se propage dans la Matière en terme d'énergie pure alors que l'Onde vitale se propage en terme d'énergie corpusculaire. Autre image : la lumière ondulatoire dans le Vide, est révélation alors que la lumière particulaire dans la Matière, est manifestation.

De la même façon, l'Onde vitale particulaire manifeste la vie comme les photons manifestent la lumière dans la Matière. Elle a des propriétés électromagnétiques se caractérisant par une longueur d'onde, une fréquence et une couleur. Tant que l'Onde vitale prend *forme* dans un corps, elle rayonne sous forme d'énergie et de chaleur que les ésotéristes nomment *aura*. Quand le récepteur ne peut plus l'héberger, elle devient amorphe et incapable d'entretenir la vitalité du corps. Le corps est mort.

L'Âme de l'Absolu est révélation comme l'Âme de la Matière-JE est manifestation. Conclusion : on se *révèle* la spiritualité issue du principe connaissant-Âme, on *prend conscience* de son identité profonde par la manifestation du JE. Par la naissance, l'Onde d'Immanence prend forme en une Âme DANS le Principe vital, dont le centre de densification est le JE. Ainsi, prendre conscience de son JE revient à prendre conscience de son ÂME. C'est conforme à l'enseignement de la Kabbale : en éveillant son *Roua'h*-JE, on reçoit la *Neshamah*-Âme.

L'ÂME est, par définition, la révélation de l'ÊTRE, alors que le JE est la manifestation de l'EXISTENCE. L'Âme procède de l'ÉTERNALISME, le JE procède de l'ÉTERNITÉ. L'Âme révèle l'Être, le Je manifeste l'Existant.

— Excuse-moi *Lumière*. Je comprends la différence entre ÊTRE et EXISTER. Être est statique, alors qu'exister est une prise de conscience dynamique. Ce sont deux facettes d'une même chose. Depuis quelque temps, tu mets en parallèle deux éléments complémentaires et symétriques mais non opposés. C'est normal puisqu'il est acquis maintenant que deux principes doivent s'associer pour que l'Immobile se connaisse par le Mouvant. Mais quelle est la différence entre *éternité* et *éternalisme* ? Et d'abord, que signifie *éternalisme* ?

— L'éternalisme est un néologisme qui exprime que l'Absolu n'a jamais été et ne sera jamais, MAIS QU'IL EST CEPENDANT DANS LE PRÉSENT FIXE. Par conséquent, l'éternalisme est l'attribut de l'IMMOBILE parfait. Par contre, l'éternité décrit une durée qui renvoie à un commencement et à une fin, et donc à l'illusion induite par les transformations de la Matière. L'ÉTERNITÉ de la Matière est le MOUVANT. Cette distinction évite la tendance bien humaine de chercher à tout prix un créateur dans la Matière comme dans l'Absolu.

Tu as dit : *deux facettes d'une même chose*. Remarque ô combien juste ! J'ajoute que si l'une ne peut exister sans l'autre et vice versa, leurs manifestations en tant qu'Âme de l'Absolu et Âme de la Matière n'ont aucune raison d'être l'une sans l'autre.

Prendre conscience du JE, c'est donner vie à l'Âme sur le plan de la conscience. Apprendre à Exister, c'est aussi apprendre à Être et donc à demeurer. Oui, à demeurer, car Être, c'est acquérir en conscience l'attribut spécifique de l'Absolu, l'éternalisme.

— C'est bien obscur, tout ça.

— Le JE reste encore une notion abstraite que la psychologie confond avec le MOI. Le MOI est le produit du fonctionnement neuronal, la faculté de penser par la perception, l'analyse et la déduction de l'ordinateur-cerveau. Le JE est la notion d'existence et, je me répète, d'être SOI et pas un autre, sans avoir recours à la pensée cérébrale. L'Âme et le JE ne se découpent pas en tranches sous le bistouri du chirurgien psychologue. Mais les spiritualistes ont pressenti le JE depuis longtemps et les mystiques lui ont donné divers noms qui prêtent à confusion : MOI profond, SOI, SOI profond, Sur-MOI, Maître intérieur, enfant qui sommeille en nous, identité ou réalité profonde, source de vie... Toutefois, le terme JE, bien que peu usité, a déjà été utilisé par Rudolph Steiner. Il me semble adéquat, car il me permet de dire après la mort : *JE SUIS encore*, au lieu de *Je suis SOI encore, je suis MOI profond encore*. De plus, ces termes ont une connotation nettement psychologique alors que le JE n'en a aucune. Il n'évolue pas et ne se transforme pas. Il n'est responsable d'aucune maladie mentale, ni psychose, ni névrose. Au contraire, il apparaît comme une victime, dans l'autisme par exemple, qui signe la déconnexion de la vie intérieure d'avec la vie de relation, une sorte de distorsion entre le JE et la conscience cérébrale du MOI.

— Peux-tu le démontrer sur un plan disons... plus biologique ?

— Eh bien oui ! Et j'en appelle à l'embryologie. Le JE est la manifestation formelle du Principe vital qui pénètre toutes les cellules du corps, comme un champ de force énergétique qui régit et oriente la morphogénèse, c'est-à-dire le développement des organes... *de la forme* ! À l'origine, l'œuf fécondé ne constitue qu'une seule cellule qui possède en germe toutes les potentialités de l'individu adulte. On dit qu'elle est multipotente. Mais à l'évidence, il y a un plan, sinon la différenciation des tissus serait anarchique et donnerait des monstres. En effet, après la première division, les deux cellules-filles ne sont déjà plus semblables à la cellule-mère. Elles ne sont déjà plus semblables entre elles. À un stade plus avancé, l'embryon ressemble à une mûre — on l'appelle *morula*. Or, la morula présente un *gradient de polarité* selon un axe qui la traverse de part en part. Les tissus se différencient nettement d'après ce gradient; c'est sur son axe que s'élaborent la crête neurale et l'invagination de la chorde à l'origine de la future mœlle épinière et du rachis.

Gradient de polarité ! Expression bien abstraite, proposée par les biologistes eux-mêmes et décrivant la **hiérarchisation** des tissus selon une *structure préexistante*, un ordre de marche. Pourtant, ces mêmes biologistes affirment que la différenciation cellulaire est placée sous la dépendance des hormones. Je veux bien mais c'est expliquer un phénomène par un autre phénomène. D'où viennent ces hormones et pourquoi agissent-elles à ce moment précis et pas à un autre ? Grâce au code génétique ? Mais lui-même obéit à une organisation mise en place à la fécondation. Cette organisation, cette structure, cette loi incontournable de la vie, c'est la force vitale. Sa manifestation en tant qu'expression dynamique est le JE. Il constitue un moule unique dans lequel se forme l'embryon et que vient combler la force vitale, comme si elle s'habillait d'un vêtement spécifiquement défini et construit pour un seul individu, de toute éternité.

— Le gradient de polarité des embryologistes est le témoin objectif de l'activité du JE. Mais qui dit gradient, dit aussi différence dans la répartition de l'énergie. Le JE ne se répartit donc pas de façon uniforme dans le corps ?

— Autrement dit, le JE *habite-t'il* quelque part dans le corps humain ? Voilà un point délicat ! Compte tenu de sa nature élémentale, je vois mal comment conceptualiser le JE en tant que fonction cérébrale. Le JE est le moule mais aussi l'activité de base de sa propre architecture. En effet, toutes les cellules témoignent d'une activité électrique mesurable. Donc, le JE n'est pas localisé dans le cerveau mais dans toutes les cellules du corps.

Un avertissement préalable, cependant ! Les souffleurs de la métaphysique de salon, rapportant mot à mot des concepts philosophiques — dont on ne sait s'ils sont l'exacte traduction de la mystique hindoue — assimilent l'organe physique au sens psychique. C'est, à mon sens, une vue de... l'esprit de superposer un organe matériel à une fonction psychique. La Matière n'est pas la cause de l'Esprit mais l'inverse. On peut simplement dire qu'aux organes physiques **correspondent** des organes psychiques dont la localisation peut être identique, mais qu'en aucun cas, un organe physique possède en soi une fonction d'ordre psychique ou tout simplement psychologique. L'oreille perçoit des sons de 5 000 à 60 000 hertz, pas la musique des sphères.

Ceci étant, il y a obligatoirement des liaisons, ne serait-ce que pour assurer la cohérence générale du plan de construction. J'ai utilisé le terme *hiérarchisation*. On peut donc supposer un lieu de densification de l'activité du JE qui servirait de catalyseur à l'énergie vitale. Certains ésotéristes placent le JE dans l'épiphyse ou glande pinéale qui *correspond* au chakra coronal situé au sommet de la tête et représenté par une fleur de lotus à mille pétales. Un chakra est un centre énergétique relié à une glande ou un à plexus nerveux. Je dis bien *relié*, et non que la glande ou le plexus constitue en soi le chakra. La concentration sur l'épiphyse — dont la structure évoque, il est vrai, un œil atrophié — permettrait d'ouvrir le *troisième œil* ou clairvoyance.

— C'est vrai ?

— Oui ! Mais pourquoi faire ? On peut s'exercer pendant des mois pour activer l'épiphyse en pure perte. Il vaudrait mieux mobiliser l'attention pour simplement apprendre à Être. Le troisième œil s'ouvrira bien de lui-même. De plus, la concentration exclusive sur la pinéale au détriment de l'ensemble peut provoquer de graves déséquilibres, dommageables pour le corps physique et psychique.

— La glande pinéale serait donc une sorte de chef d'orchestre manifestant consciemment le JE ?

— On peut le penser bien qu'on ignore presque tout sur cette espèce de petit pois logé entre les deux hémisphères cérébraux, à la naissance du tronc cérébral. L'ablation expérimentale de la pinéale chez des animaux entraînerait des troubles du comportement évoquant une dichotomie de l'identité, comme s'ils perdaient la perception de leur propre existence. L'animal a conscience d'exister par ses perceptions sensitives mais pas conscience d'être. Or, l'animal opéré pourrait toujours utiliser ses facultés cérébrales pour marcher, manger, dormir mais ne ferait plus de distinction entre lui et les autres. Mais il y a loin du comportement extériorisé au facteur qui lui a donné naissance, car le comportement n'est qu'un signe extériorisé d'un événement physiologique. Au demeurant, la suppression d'un membre ne supprime pas le moule vital. Songe aux membres fantômes des amputés.

— La glande pinéale est reliée à l'hypophyse ou glande pituitaire dont on dit qu'elle serait le siège du MOI.

— On parle du MOI ou du JE ? Attention ! Ne confonds pas le contenant et le contenu. Dans le cerveau, tout est relié à tout. Du reste, l'ablation de l'hypophyse de malades atteints d'acromégalie, ou gigantisme hypophysaire, provoquée par une hypersécrétion d'ACTH — ou hormone de croissance — n'a jamais, au grand jamais, supprimé ni même modifié en quoi que ce soit, le MOI du patient. Enfin, le MOI est la résultante d'une multitude de fonctions cérébrales intégrant plusieurs aires associatives. Je remarque que l'hypophyse est placée sous l'étroite dépendance de l'hypothalamus et de l'archéo-cortex dont la biochimie commence à révéler ses secrets et dont l'activité est associée à des comportements dits archaïques et aux instincts comme la satiété, la pulsion sexuelle... sur lesquels d'ailleurs nous aurons l'occasion de revenir.

— Tu tords le cou au vieux mythe du siège de l'Âme de l'Absolu dans la glande pinéale ?

— Tu persistes et signes dans la confusion, aujourd'hui ! Le siège de l'Âme ? Ce vieux débat dure depuis Platon. Je t'ai dit que les occultistes du début du siècle englobaient les trois Principes Esprit-Âme-Corps en un seul et assimilaient le JE à l'Âme. On a tellement confondu le JE et l'Âme que les religions affirment que l'avortement tue l'Âme. Quelle Âme ? Avant d'avoir la clairvoyance, c'est-à-dire, le clair-voir, il faudrait d'abord appeler les choses par leur nom. Les poètes eux-mêmes associent, avec toutes les ressources de la licence poétique, l'Âme au Principe vital et font du cœur le siège des émotions : imagine un atome minuscule qui voyagerait dans le sang et viendrait se loger dans les ventricules pour chatouiller les oreillettes : "Oh ! Je suis l'Âme, je vous envoie une émotion ! Et vlan !" ! C'est joli, mignon tout plein, mais faux ! Toute émotion, c'est vrai, a des répercussions sur le rythme cardiaque, comme l'amour ou la passion. Le sang transporte vers les organes la vitalité provenant de la respiration. Est-ce à dire que la vitalité est située uniquement dans le cœur ? Le rythme cardiaque dépend en partie du taux sanguin d'adrénaline ou d'acétylcholine sécrétées par les terminaisons nerveuses sympathiques et les glandes surrénales. Le trouble cardiaque ressenti au cours d'une émotion violente signifie-t'il que l'émotion habite le cœur ? Ce n'est pas parce qu'un sujet conçoit un objet que cet objet est inclus dans le sujet. Tu peux concevoir un incendie, tu ne brûleras pas pour autant. Quand tu téléphones à un ami, il entend ta voix dans son propre écouteur. As-tu toi-même voyagé dans le fil ?

Soyons plus cohérents. L'Âme de l'Absolu est immatérielle mais le phénomène de l'actuation permet à une parcelle de l'Absolu — Immanence — de prendre forme dans la Matière. Nous avons vu que l'Immanence agissait sur ce dont elle faisait partie, en l'occurrence l'Homme. Donc, l'Âme transmet ses propriétés spirituelles à toutes les parties du corps, mais comme elle s'incarne dans le JE, Principe vital structurant et animant le véhicule humain, mais aussi chef d'orchestre densifié au niveau de la glande pinéale, on conclut que l'Âme siège dans la correspondance spirituelle de la glande pinéale. L'Âme et le JE rayonnent de ce *repère* anatomique et utilisent l'énergie cérébrale comme manifestation de leur existence. Le cerveau devient le moyen informatique qui permet que l'une se connaisse par l'autre en pensée ou en conscience. L'Âme étant incarnée dans le JE, quiconque fait l'effort d'aller au JE va obligatoirement à son Âme. Ainsi, prendre conscience de son JE, c'est bien prendre conscience de son Âme.

— À quel moment ces deux Âmes se manifestent-elles dans le corps humain ?

— Nous en parlerons lors de notre prochain entretien sur le MOI. Pour l'instant, point trop n'en faut ! Laissons décanter ! Tirons plutôt les conclusions sur le sujet d'aujourd'hui.

Le JE est lié au Principe vital. Donc, il est mortel. Quand la vie quitte le corps, le JE sombre aussi dans l'inexistence. La mort provoque la disjonction des constituants du corps : molécules, cellules, organes, tissus... L'architecture du moule s'effondre. L'Onde vitale n'est plus canalisée par le corps qui se dissocie. Il s'ensuit un décollement de l'énergie vitale résiduelle du corps. C'est le moment où le mort — et plus précisément le JE — décorporé, voit, entend, comprend, mais sombre progressivement dans le NON-ÊTRE dans lequel l'entraîne le *soma*, le corps charnel qui le sustentait. L'Âme liée au JE se retrouve avec lui hors du corps.

— Assimilons l'énergie vitale du corps à l'électricité de la batterie d'une voiture immobilisée par une panne mécanique. Les phares peuvent restés allumés un certain temps jusqu'à ce que la batterie soit à plat. Puis, ils faiblissent et enfin s'éteignent.

— Le JE — les phares — voit et entend par-delà la vie jusqu'au moment où il s'éteint par épuisement de la source d'alimentation.

— Ce qui explique, lors de ma noyade, la sensation de chute, la difficulté progressive de réagir, comme si j'étais dans un état amorphe, passif... j'étais en train de mourir pour de bon comme les phares d'une voiture. Ça fait peur, dis donc ! L'Immobile qui veut connaître le Mouvant le fait d'une drôle de façon. Il n'éprouve aucun sentiment pour les êtres d'émotions que nous sommes; il n'est sensible qu'à son besoin égocentrique de se connaître. C'est encore l'histoire du verre d'eau gazeuse : le gaz (Âme) entre dans la Matière (eau) et prend forme pour connaître la Matière (eau). La bulle remonte à la surface et pfuit ! Disparue ! Elle rejoint l'air ambiant et communique au Tout absolu la notion de la Matière. Total de l'opération : nous sommes les dindons de la farce.

— Pessimiste ! Si le VIDE énergétique représenté par l'air ambiant n'était pas limité par l'eau de la Matière, il n'aurait aucune existence réelle. Par conséquent, ta bulle de rien du tout rejoindrait le Vide absolu en n'emmenant RIEN avec elle. Conclusion : même si l'Âme formalisée dans la Matière restait en résonance avec son origine, en rejoignant l'Absolu, elle laisserait toute matière derrière elle puisque la Matière est incompatible avec le Vide. De plus, elle perdrait son identité due à la forme et redeviendrait ce qu'elle n'aurait jamais dû cesser d'être : rien. Si c'est ainsi, en effet, l'Univers n'a aucun sens. Or, il en a un puisque je suis là pour t'en parler.

Crois-tu, toi qui es le produit d'un ovule et d'un spermatozoïde, qu'après ta mort, tu redeviendras un ovule et un spermatozoïde pour retourner au néant ? Souhaites-tu redevenir un fœtus ou aller plus loin ?

— À aller plus loin, évidemment...

— Tu m'as dit que l'Âme s'incarnait parce qu'elle avait besoin du corps. Tu as même parlé de négociation, non ?

— C'est exact.

— Alors, ne reviens pas sur tes certitudes, car effectivement, on peut négocier. Dans la réalité, l'association est un fait. L'alternative est simple : ou rester partenaire de l'Âme pour l'éternité ou retourner au néant après un coup de pétard mouillé dans l'Infini.

Suivant le résidu d'énergie vitale après la mort, le JE reste conscient de 10 à 30 minutes. Plus on est jeune et plus on demeure conscient de soi-même. C'est à ce moment que peut s'établir la symbiose de l'Âme + JE si le JE en a été préalablement informé. Comment ? La conscientisation de cette information envoie au JE une empreinte holographique que le phénomène de la mort active en une détermination volontaire et dynamique de demeurer. Cette symbiose Âme + JE, cette seconde fécondation, engendre une substance unique qu'on appelle tantôt des *Êtres de lumière*, tantôt des *Maîtres cosmiques* ou encore des *Entités de Sidéralité* qui subsistent à travers le temps et l'espace et qui peuvent même agir auprès des vivants. Il existe donc un plan parallèle à l'Espace-Absolu et au Monde de la Matière qui n'est ni l'Espace-Absolu ni la Matière.

L'important est de savoir qu'on meurt comme on a vécu. Celui qui a appris à Être durant son existence, demeurera lui pardelà la mort. Celui qui a été tout sauf lui-même, c'est-à-dire rien, retournera au néant. La loi cosmique est claire. Elle est *sans haine et sans amour. Elle ne connaît que des conséquences.* Tu découvriras plus tard qu'elle n'est pas indifférente.

Dois-je encore te rappeler que la conquête de sa plénitude d'être n'est pas l'apanage des ésotéristes mais le privilège de tous ceux qui cherchent à vivre en harmonie avec eux-mêmes ? Ceux-là, à leur mort, continueront à se voir tels qu'ils ont toujours été et tels qu'ils demeureront. Certains *perçoivent* la grande Clarté, d'autres pas ! Qu'importe ! Avec ou sans Clarté illusoire, aucun réalisé ne s'y aventure, car il devient *Lumière*. C'est aussi simple que cela !

— Pourtant, Constance qui a vécu la mort et n'a pas vu la Clarté, me paraissait si fragile.

— La mort n'est ni un châtiment ni une récompense, mais la conséquence de la vie. Certains sont moins bien lotis que d'autres, c'est vrai, puisque la diversité est le propre de la Matière. Reste l'égalité devant la mort. Un cœur pur peut découvrir la paix intérieure quel que soit son véhicule. Quant aux insolents dominateurs et sans noblesse, ils s'anéantiront dans la Clarté illusoire. Ils ne peuvent être à l'écoute des autres, car ils ne sont pas à l'écoute d'eux-mêmes. Mais ne préjuge jamais des capacités spirituelles de quiconque et accepte le monde comme il est. Même le savant prétentieux peut réussir s'il a assez de tripes pour se remettre en cause.

— Traduction : ce n'est pas l'humilité qui m'étouffe ! Merci pour la leçon ! Mais grands dieux ! pourquoi ai-je vécu une mort... normale ? Je veux dire... pourquoi aucun livre ne parle de l'exemple vécu par Constance ?

— Le culte de la mort imprégnait la vie sociale des anciennes civilisations. Il demeure encore très présent dans certains pays soi-disant en voie de développement où l'individu s'attache surtout à préparer son grand voyage : tout l'y incite. La culture occidentale, elle, refuse la mort. C'est un tabou dont il ne faut pas parler, une échéance lointaine... ça n'arrive qu'aux autres ! Mais quand ça arrive, il faut se cacher dans des mouroirs. On dit souvent : *"Il ne s'est rendu compte de rien ! Il n'a pas souffert !"* D'abord, qu'est-ce qu'on en sait ? Vite fait, bien fait ! Et l'euthanasie en prime ! Vaut mieux expédier le déchet aux ordures que de se demander si l'enveloppe avait eu le temps de s'ouvrir.

Des chercheurs sincères comme Moody ont étudié la mort selon une approche statistique. Afin d'éliminer les affabulateurs et les mythomanes, ils n'ont pas tenu suffisamment compte des cas s'écartant trop du schéma général, ou ne les citaient qu'à titre d'information, comme s'il s'agissait d'un phénomène... incomplet. Mais outre l'erreur méthodologique — on ne doit jamais écarter les non-réponses ou les réponses qui ne cadrent pas avec la question —, cette attitude relève d'un a priori assez curieux : phénomène incomplet ! Tu parles ! Curieusement pourtant, leurs travaux ont permis de redécouvrir le mécanisme de la mort. Mais la mort de qui ? De tous ceux qui, à supposer qu'ils soient allés au bout du chemin... auraient loupé le coche. Le grand public a naturellement donné crédit à ces études. Or, la société moderne joue son va-tout sur ce point-là. Ceux qui pourraient entrer dans le Monde des Maîtres s'alignent sur un consensus majoritaire et se précipitent dans la Clarté informelle, le symbole de l'ignorance.

— Ho ! Tu veux dire que si Gwenaelle ne m'avait pas aimé à en décrocher les étoiles, je serais mort pour de bon ?

— Oui, Kris. C'est ainsi ! Ton JE se serait dilué. Ton Âme, livrée à elle-même, sans guide, n'aurait eu d'autre choix que de se réincarner dans l'espoir de trouver un véhicule plus connaissant. Retour à la case départ ! Une nouvelle rencontre avec un autre JE, un nouveau mariage d'Amour avec la vie. Ce drame ne la concerne pas puisqu'Elle a l'éternité pour trouver son guide vers la conscience d'être. Il se joue uniquement pour l'individu, car en tant que lui, avec sa conscience d'aujourd'hui, il n'aura pas d'autre chance.

— Ça me... révolte ! Des millions d'individus meurent en ignorant ça ? Ils loupent leur voyage, simplement parce qu'ils ne savent pas que tout pourrait être différent ?

— C'est la preuve que la mort n'est ni châtiment ni récompense, mais le résultat du vivant, une simple conséquence, puisque... plus de 90 % des gens meurent ainsi.

— Mais c'est encore plus scandaleux ! Les marchands de croyances abusent de notre crédulité en diffusant un enseignement qu'ils ne comprennent pas. Ils entretiennent le mythe de la fausse mort. Les honnêtes gens qui n'ont pas été informés, induisent les autres en erreur en toute naïveté. Malgré tout l'amour qu'ils consacrent à leurs patients, les infirmiers et les bénévoles qui aident les grabataires à mourir passent involontairement à côté. Tout le monde ne s'est pas trompé à ce point ?

— Non, Kris, tout le monde ne s'est pas trompé. Celui qui veut vraiment savoir peut accéder à la Connaissance. Par les livres ? Oui, sans doute ! Mais lesquels ? On fait plus confiance à ceux qui confortent une croyance fondée sur les miracles. On croit être sauvé, on sera l'élu. Allez, je suis bon prince. Voici quelques pistes à débroussailler : *L'entretien avec Nicodème*, l'*Évangile selon Thomas*, le *Sepher Ha-Zohar*, évidemment, enfin *Le Livre tibétain des morts*... mais attention ! il contient un piège. À toi de le découvrir.

— Je vais m'y mettre. Si Gwenaelle ne m'avait pas sorti de là, toi tu m'aurais aidé, n'est-ce pas ?

— La mort est une expérience personnelle qu'il faut vivre avec soi-même. À l'époque, tu étais trop cérébral. Tu t'étais éloigné de moi. Tu étais rempli de doute. On n'aide pas les gens malgré eux. Et puis m'aurais-tu écouté ?

— Non, sans aucun doute ! Ce que j'ai vécu ne correspondait pas à ce que j'imaginais. Je n'y comprenais rien mais je faisais comme si... je subissais, quoi ! Et Constance ! Que serait-elle devenue ?

— Sois sans inquiétude. Cette petite bonne femme si fragile n'avait pas l'esprit encombré d'un fatras de savoirs contradictoires. Son cas est une *exception*, car si elle avait poursuivi le processus, elle aurait atteint sa révélation sans difficulté et aurait intégré le Monde des Maîtres. Comme quoi, la majorité n'a pas toujours raison, loin de là ! La spiritualité est une oasis dans le désert. C'est la soif de l'Absolu qui pousse à la rechercher. *Cherchez et vous trouverez, frappez et on vous ouvrira... Aide-toi et le ciel t'aidera !*»

Lumière est parti. Je suis resté là, tout seul, un peu hébété... non ! assommé par ce que je venais d'apprendre : j'aurais pu mourir en toute innocence pour RIEN. Au diable l'autosatisfaction ! *Lumière* avait raison sur toute la ligne. Mais mon fichu mental hésitait... mais non ! Avoue ! il refusait d'admettre un autre Maître que MOI : à m'entendre me rebattre les oreilles de Mon empire, je commençais à me casser les pieds. Ça me rappelait une histoire de myope qui perdait ses lunettes dans la forêt : à force de se cogner aux arbres, il devait bien se rendre compte, cet aveugle, que sans la vue, il était foutu. Aller au bout du chemin, d'accord ! Mais reconnaître ses âneries, ça demande un brin d'humilité, pas vrai Kris ? La vie est trop courte pour batifoler à cueillir des orties dans les fossés, mais juste assez longue pour s'engager sur la bonne route.

Allez, vieux, au boulot ! Ici-bas, on n'a rien sans rien !

Et puis, les orties, ça pique !

* *
*

11

LA TRILOGIE HUMAINE

III - LE MOI

J'aurais mieux fait de rester au lit. Je traînais ma fatigue dans les draps un peu froids. Tout ça à cause du ciel qui nébulisait une grisaille à fendre l'Âme. J'aurais préféré la grande symphonie, cymbales et grosses caisses avec une douche drue, bien propre et bien lavante. Tintin ! Dès septembre, le mauvais petit crachin du nord avait choisi la région d'Amiens où la nécessité des études avait à nouveau établi le hasard de notre demeure, un trois-pièces HLM à la cage d'escalier patinée de graffitis, de cris et d'enfants. Jacques, désormais diplômé d'Hippocrate, était reparti dans son Québec qu'il croyait retrouver inchangé.

Comme tout bon couche-tard, l'oppression de la nuit distillait ma conscience en lueurs révélatrices. Mais sitôt emprisonné dans la chaleur du lit, enveloppé par le corps de Gwenaelle, la volupté de chaque instant me transportait sur des plans révélatoires insoupçonnés qui m'apportaient mille réponses lumineuses à des questions à peine effleurées. Je rejoignais l'égérie du chercheur, Morphée, cinéaste et sculpteur, qui donnait forme — *morphologie* — aux personnages de mes mises en scène. Je n'ai jamais aimé les films qui finissent trop tôt. Le matin, quel supplice !

Petit déjeuner ! Yeux vagues, langue épaisse, le radar au point mort, les douleurs au dos, stigmates d'une trop courte nuit de sommeil, je me mirais dans le bol de café noir sans sucre — habitude de l'éducation — et Gwenaelle, attentive et bien éveillée, elle, prenait garde de ne pas brusquer le dormeur. Il est très dangereux de réveiller un somnambule. Dangereux pour qui ? Il fallait d'abord décaper les relents nocturnes qui stagnaient dans ma gorge. Gwenaelle, fidèle au rituel, bêtifiait :

«Une gou-goutte de café pour mon minet ?»

Le liquide âcre fouillait mes papilles, son énergie-miracle dilatait les canaux subtils et sonnait enfin le branle-bas de la conscience objective à l'illusion de l'éveil. Adieu rêves mirifiques !... Ça y est, du cran, de l'audace ! Dormir est une perte de temps. Tout à l'heure, comme à l'habitude, j'irai dans mon antre écrire et méditer pour ne rien perdre de la fraîcheur de la découverte, des circonstances, et mesurer plus tard le chemin parcouru.

«Eh-oh ! Kris ! Tu voyages ? souffla Gwenaelle en agitant la main devant mes yeux. Cette nuit, tu as parlé dans ton sommeil, quelque chose comme *Pourquoi moi* ? Et puis, tu t'es blotti contre moi. Je te sentais désemparé.»

Je posai mon visage sur la fumée du café qui assaillait mes narines. J'étais maintenant bien réveillé. Elle n'insista pas. Elle lisait en moi à livre ouvert et attendait que je tourne la page pour connaître la suite du roman.

«Tu sais que tu m'as sauvé la vie ?

— C'est de l'histoire ancienne. Réanimation banale !

— Oui et non ! Tu m'as vraiment sauvé de la mort.

— La pluie te rend normand ? C'est-y oui ou c'est-y non ?

— *Lumière* m'a fait découvrir une vérité effroyable sur la mort que j'ai vécue : si tu ne m'avais pas aimé à faire plier la courbure de l'espace, je ne serais plus ici. Comme Orphée, tu es venue me chercher dans l'enfer des limbes.

— Boudiou ! Tu bouleverses l'Olympe. Les limbes, ce n'est pas l'enfer mais le paradis des petits enfants morts sans baptême et aussi le lieu de repos des justes avant la rédemption. Pas vrai, Eurydice ?»

Sourire ! La grisaille du ciel vira vers l'est. Au-dessus des toits, une agate bleutée écarquillait les nuages. Je me levai et portai la vaisselle dans l'évier.

«Limbes : région mal définie, état incertain. La religion a sans doute inventé les limbes pour consoler les mères qui perdaient leur enfant à la naissance ou les saints innocents qui ne pouvaient aller ni au paradis, ni au purgatoire, ni en enfer. Mais le mot a acquis une connotation de néant. *Lumière*, m'a montré qu'après la mort, il y a une deuxième mort, LA VRAIE. Tu m'as ramené à la vie alors que je prenais la tangente. Je me serais anéanti dans mon absence alors qu'il était si simple d'accéder au plan des Maîtres.

— Comme ça, la réincarnation c'est fini ? s'étonna Gwenaelle.

— Réincarnation, bien sûr, mais celle de mon Âme spirituelle, pas celle de ma conscience en tant que Kris. Je ne serai plus jamais Kris alors que JE peux demeurer moi après ma mort.

— Et alors ! Que ton Âme prenne un autre corps, qu'est-ce que ça change ? Elle garde le souvenir d'avoir été toi, non ?

— Gwenaelle, je m'en veux de ne pas t'avoir parlé de mes derniers entretiens avec *Lumière* parce que j'étais troublé. C'est vrai, l'Âme garde en mémoire toutes les personnalités qui lui ont servi de support durant ses diverses incarnations, un peu comme les photos d'un album-souvenir. Mais pour nous, mortels, à quoi ça sert ? Que vaut-il mieux ? N'être qu'une image dans la mémoire de l'Âme ou contempler son propre livre d'histoire ? *Être ou ne pas être*. Fichue question, oui ! *Lumière* m'a conseillé quelques lectures, mais je n'ai pas encore... C'est bête, j'ai peur d'y trouver la confirmation de ce qu'il m'a dit. Et puis, je n'ai pas encore assimilé ma noyade.

— La peur n'écarte pas le danger. Tu as eu une deuxième chance. Rare privilège ! Un enfant qui apprend à marcher trébuche. Normal ! Mais l'enfant ne connaît pas la peur, il recommence jusqu'au succès.Tu dois continuer. Lorsque tu t'es noyé, une phrase t'a fait revenir :

> Chaque chose en son temps ! Ta vie ne fait que commencer. Tu devais goûter la mort pour témoigner de la vie auprès de tes semblables. Tu as vu et tu as su. *Sauras-tu les informer ?*

Si tu veux témoigner, tu dois te dépasser. Veux-tu de l'aide ?

— Comme maman avec bébé ?

— Prends-le comme tu veux. Je partage ta vie et je t'aime. Je t'aiderai.»

* *
*

Résultats et commentaires de mes recherches avec Gwenaelle

Évangile selon saint Thomas

Saint Thomas m'a profondément marqué, non en raison de l'aura de mystère qui l'entoure mais en tant que philosophe de l'Absolu. Au-delà de la mystique, au-delà de toute considération dogmatique, la simplicité de Thomas émerveille. Mais l'émerveillement ne suffit pas et une interprétation plus fouillée serait nécessaire. Or, je n'avais pas encore suivi l'initiation qui me ferait saisir la réalité du divin. J'ai donc confronté le produit de mes méditations aux informations de *Lumière*. Je retranscris fidèlement mes notes.

> Voici les paroles cachées que Jésus le Vivant a dites et qu'a transcrites Didyme Judas Thomas.

Logion 1 : Et il a dit : Celui qui trouvera l'interprétation de ces paroles ne goûtera pas la mort.

Douche froide ! *Lumière* m'a conduit à Thomas en tenant compte de mon aventure et de mes dispositions actuelles. Enfin savoir ce que j'ai vécu et ce que j'aurais dû faire !

Logion 3 : Jésus a dit : Si ceux qui vous guident vous disent : voici, le Royaume est dans le ciel, alors les oiseaux du ciel vous devanceront; s'ils vous disent qu'il est dans la mer, alors les poissons vous devanceront. *Mais le Royaume, il est en dedans et il est en dehors de vous. Quand vous vous serez connus, alors vous serez connus et vous saurez que c'est vous les fils du Père le Vivant.* Mais s'il vous arrive de ne pas vous connaître, alors vous êtes dans la pauvreté, et c'est vous la pauvreté.

Le Royaume de Dieu, il est en dedans et il est en dehors de vous.

Plusieurs interprétations :

- *dehors* = Espace Absolu; *dedans* = Matière.

Quand vous vous serez connus indique une action :

- le dehors = Immanence de l'Absolu qui prend forme dans la Matière en tant qu'Âme.
- le dedans = le JE ou Âme vitale de la Matière.

On peut inverser :

- *dehors* extérieur = JE; *dedans* = Âme.

Renforce la conviction que le haut rejoint le bas et le bas le haut.

- *connu* implique la reconnaissance entre deux éléments. Quand Âme et JE se seront *connus* l'une par l'autre, l'Immobile par le Mouvant et vice versa, alors ***vous** serez connus*, c'est-à-dire, nous saurons qui nous sommes vraiment, *des fils du Père le Vivant.*

Père le Vivant n'est pas Père qui Est.

Lumière a dit : «Dieu qui est, se connaît Dieu créateur, donc vivant par l'Homme. L'Homme doit connaître les deux parcelles fondamentales qui le constituent et les unir en une seule entité pour qu'Il se connaisse unique.»

Logion 22 : Jésus vit des petits qui tétaient. Il dit à ses disciples : Ces petits qui tètent sont comparables à ceux qui vont dans le Royaume. Ils lui dirent : Alors, en étant petits, irons-nous dans le Royaume ? Jésus leur dit : *Quand vous ferez le deux Un, et le dedans comme le dehors, et le dehors comme le dedans, et le haut comme le bas, afin de faire le mâle et la femelle en un seul pour que le mâle ne se fasse pas mâle et que la femelle ne se fasse pas femelle*, quand vous ferez des yeux à la place d'un œil, et une main à la place d'une main, et un pied à la place d'un pied, une image à la place d'une image, alors vous irez dans le Royaume.

• Confirmation du logion 3, mêmes notions du *dedans* et du *dehors* en tant qu'Âme et JE qui doivent s'unir en une seule chose. Phrase remarquable dans la bouche de Jésus : *Quand vous ferez le deux un* : le but de l'Homme est l'unification de l'Âme et du JE. Comment ? À méditer avec *Lumière*.

• Noter la répétition par l'inversion : *dedans* et *dehors*, *dehors* et *dedans*. La Matière n'est pas supérieure à l'Absolu, ni l'Absolu à la Matière. Ce sont deux choses égales qui se rencontrent. Donc, l'adoration de l'Âme au détriment du JE m'empêchera d'accéder au Royaume.

• *... pour que le mâle ne se fasse pas mâle et la femelle ne se fasse pas femelle* : ni l'Absolu ni la Matière ne doit prédominer. Au contraire, si l'Absolu EST et la Matière EXISTE, ce qui EST doit apprendre à EXISTER et ce qui EXISTE doit apprendre à ÊTRE. Donc, l'Âme et le JE doivent fusionner.

• Question : les Âmes-sœurs ? À voir avec *Lumière*.

Logion 48 : Jésus a dit : Si deux font la paix entre eux dans cette même maison, ils diront à la montagne : éloigne-toi, et elle s'éloignera.

• La maison est le corps humain. Les deux qui doivent faire la paix sont l'Âme et le JE. La paix indique le respect réciproque des fonctions de chacun sans prérogative de l'une sur l'autre.

• Pourquoi faire la paix ? L'Âme et le JE sont-ils en guerre ? Leur origine vibratoire, Espace-Absolu et Matière, et leurs fonctions propres les rendent inconciliables, sauf s'ils se reconnaissent l'une par l'autre et signent un accord de libre-échange. JE est le Dieu de la Matière, l'Âme le Dieu de l'Absolu. Leur union leur donne une force sur la matière (la montagne). Le psychisme, peut-être ?

Note : Nous avons consacré beaucoup de temps à développer la force psychique à l'aide d'exercices variés, comme modifier l'orientation d'une flamme de bougie ou la disposition de gouttes d'huile dans un bol d'eau.

On y parvient au prix d'un effort plus que louable. Puis un jour, on comprend que le JE est une onde de la Matière, comme un courant électrique de polarité – et l'Âme est une onde de l'Absolu, comme un courant électrique de polarité +. Lorsqu'on rapproche les deux pôles, il se crée un arc électrique constituant le psychisme. Certes, les expériences développent la concentration, la discipline, la rigueur, la curiosité, et surtout la patience. C'est-à-dire tout, sauf le psychisme, ou si peu. Par contre, appliquer le conseil de Jésus : Si deux font la paix entre eux dans cette même maison ils diront à la montagne : éloigne-toi, et elle s'éloignera, autrement dit, accepter d'aller au JE, de réveiller l'enfant qui sommeille pour qu'il s'unisse à l'Âme, ouvre les portes du pouvoir. Alors, les montagnes dressées devant la voie s'aplanissent.

Logion 50 : Jésus a dit : Si les gens vous disent : d'où êtes-vous ? dites-leur : Nous sommes venus de la lumière, là où la lumière est née d'elle-même. Elle s'est levée et manifestée dans leur image. S'ils disent : qui êtes-vous ? dites : Nous sommes ses fils et nous sommes les élus du Père le Vivant. *S'ils vous demandent : quel est le signe de votre Père qui est en vous ? dites-leur : C'est un mouvement et un repos.*

• Confirmation lumineuse des idées éclairées de *Lumière* sur la cosmogonie de l'Univers [...]

• Magnifique ! Voilà une clef limpide qui ouvre la porte de la Connaissance de l'Absolu. Nous sommes des *élus du Père le Vivant* et nous en donnons le *signe* : *C'est un mouvement et un repos*, le Mouvant et l'Immobile, le JE et l'Âme. Confirmation que Dieu est *Deux en Un*. Dieu n'est ni Espace absolu ni Matière, mais Celui qui leur donne naissance non par un commencement mais comme principe autogénérant en permanence les différentes structures de l'Univers, ce qui s'inscrit également en droite ligne de mon travail de traduction de *Beréchîth*, le premier mot de la Bible.

Logion 61 : Jésus a dit : Deux se reposeront sur un lit : L'un mourra, l'autre vivra. Salomé dit : Qui es-tu, homme ? Est-ce en tant qu'issu de l'Un que tu es monté sur mon lit et que tu as mangé à ma table ? Jésus lui dit : Je suis Celui qui est, issu de Celui qui est égal; il m'a été donné ce qui vient de mon Père. — Je suis ta disciple. — À cause de cela je dis : Quand le disciple est désert, il sera rempli de lumière; mais quand il est partagé, il sera rempli de ténèbres.

• Sur le moment, ce texte me perturbe. *L'un mourra, l'autre vivra.* De qui s'agit-il ? Le JE mourra et l'Âme vivra ? Le JE est mortel et l'Âme immortelle. Les deux qui *se reposeront* sur le même lit sont le MOI et le JE. *Reposer* s'applique au corps. Il s'agit donc de deux éléments issus d'un même principe matériel. À discuter avec *Lumière* quand nous parlerons du MOI. *Le disciple est désert* est le JE qui n'a pas encore reçu ou pris conscience de son Âme. Le JE reçoit la lumière de l'Âme. S'il reste *partagé*, indécis, entre la Lumière de l'Absolu et l'illusion de la Matière, il sera rempli de ténèbres. À sa mort, lui qui aurait pu survivre avec la lumière de l'Âme, sera pénétré par les ténèbres et mourra.

Logion 67 : Jésus a dit : Celui qui connaît le Tout s'il est privé de lui-même, est privé du Tout.

• Quand on a connu le Tout, on ne peut plus dire *je ne sais pas* sous peine de perdre la vie éternelle. C'est le JE de Matière qui permet de connaître l'Âme. Se priver de SOI, c'est se priver du JE qui personnalise le SOI profond. Sans lui, le Tout est inaccessible.

Logion 67 : Jésus a dit : Quand vous engendrerez cela en vous, ceci qui est vôtre vous sauvera; si vous n'avez pas cela en vous, ceci qui n'est pas vôtre en vous vous tuera.

• Logion plus significatif encore. Rappel de mon angoisse d'avoir pu me noyer... idiot.

• Le JE est un enfant qui sommeille sous la domination du MOI. Cet enfant endormi est ce que l'on est fondamentalement. C'est la notion d'être qu'il faut amener au plan de la conscience objective. Confirmation par : Quand vous engendrerez cela en vous, ceci qui est vôtre vous sauvera. *Engendrer* signifie faire naître à SOI sa véritable identité. *Vous sauvera* signifie que le JE peut survivre après la mort et assurer l'éternité. Le JE est donc bien le guide de l'Âme vers un autre plan.

• *Si vous n'avez pas cela en vous* — à la mort — *ceci qui n'est pas vôtre en vous* — le MOI, la conscience cérébrale est la première à disparaître avec le corps. Le MOI n'est pas le vrai moi, car il est le produit d'une civilisation, d'une socioculture. Le MOI est donc artificiel. Si j'en fais mon Prince, il me conduira directement aux ténèbres et me tuera. S'il domine mon existence, mon JE ne grandira jamais et ne pourra survivre à la clarté illusoire de l'au-delà. Donc, le MOI me tuera puisque le JE mourra.

Le *Sepher Ha-Zohar (Le livre de la splendeur)*. Éd. Maisonneuve et Larose, traduction de Jean de Pauly.

Comme l'*Évangile selon saint Thomas*, il faudrait tout réécrire pour en saisir tout le sens, en particulier le Ve volume. Le langage mystique juif et l'illumination de ses exégètes s'appuient sur des clefs kabbalistiques, les arbres séphirotiques notamment, complètement hermétiques. Je retiens un seul passage qui se passe de commentaires, page 366 du Ve volume.

> L'écriture dit qu'il a formé l'homme du limon de la terre, ce qui signifie qu'il forma une image dans l'intérieur de l'autre. L'écriture ajoute : «Et il lui inspira une âme vivante.» C'est le cachet imprimé à l'homme pour lui permettre de s'élever jusqu'au mystère le plus sublime, jusqu'au fond de tout ce qui est caché; car les âmes de tout ce qui vit en haut et en bas dépendent de l'âme par excellence, par laquelle elles subsistent. Et celui qui élève son âme vers Dieu peut arriver par des degrés successifs jusqu'à l'extrémité des degrés. Comme toutes les âmes ne forment qu'une unité avec l'Âme par excellence, il s'ensuit que celui qui perd son âme provoque une solution de continuité. Aussi est-il exterminé, lui et sa mémoire, de ce monde pour l'éternité.

• Sans ambiguïté ! Si je perds mon Âme, c'est-à-dire mon JE, moi et ma mémoire seront *exterminés de ce Monde pour l'éternité.*

• Confirmation des informations de *Lumière* sur mes attentes à l'égard des milieux occultistes, à savoir que je croyais que c'était moi, ma personnalité, qui me réincarnais avec mon Âme de corps en corps jusqu'à ce que ma Personnalité et mon Âme atteignent le degré ultime qui me ferait sortir de la mort.

• *Lumière* m'a démontré que je ne vivais qu'une seule vie en tant que moi et que je n'aurais jamais une autre chance de me réincarner pour aller sur le Plan des Maîtres. Mon Âme prendra un autre JE, donc une autre personnalité qui sera sûrement moins épaisse que moi. Le nouveau JE ne ratera pas le coche, lui, et parviendra avec MON Âme là où j'aurai dû aller.

NON, cela ne sera pas. C'est moi qui irai. Travailler ! Pas de troisième chance puisque je suis déjà mort par noyade.

L'entretien avec Nicodème (Évangile selon saint Jean, 3)

> Mais il y eut un homme d'entre les pharisiens, nommé Nicodème, un chef des juifs, qui vint, lui, auprès de Jésus, de nuit, et il dit : Rabbi, nous savons que tu es un docteur venu de Dieu; car personne ne peut faire ces miracles que tu fais, si Dieu n'est avec lui.

> Jésus lui répondit : En vérité, en vérité, je te le dis, si un homme ne naît de nouveau, il ne peut voir le royaume de Dieu. Nicodème lui dit : Comment un homme peut-il naître quand il est vieux ? Peut-il rentrer dans le sein de sa mère et naître ?
>
> Jésus répondit : En vérité, en vérité, je te le dis, si un homme ne naît d'eau et d'esprit, il ne peut entrer dans le royaume de Dieu. Ce qui est né de la chair est chair, et ce qui est né de l'Esprit est esprit. Ne t'étonne pas que je t'aie dit : Il faut que vous naissiez de nouveau. Le vent souffle où il veut, et tu en entends le bruit; mais tu ne sais d'où il vient ni où il va. Il en est ainsi de tout homme qui est né de l'esprit. Nicodème lui dit : Comment cela peut-il se faire ?
>
> Jésus lui répondit : Tu es le docteur d'Israël, et tu ne sais pas ces choses ! [...]

Longue méditation ! Je croyais, parce qu'on le répète à longueur de symposiums, séminaires et réunions de salon, que Jésus confirmait par ces paroles la loi de la réincarnation. Il s'agit bien de cela, tiens !

Si un homme ne naît de nouveau, il ne peut voir le royaume de Dieu. De quelle naissance s'agit-il ? Par la réincarnation ? Ce serait au fond l'avis de Nicodème puisque... *Comment un homme peut-il naître quand il est vieux ? Peut-il rentrer dans le sein de sa mère et naître ?* Cette position se comprend puisque la réincarnation est bien admise par l'ensemble du monde antique, y compris par les Juifs au début de l'ère chrétienne. Ne demande-t'on pas plusieurs fois à Jésus s'il n'est pas la réincarnation d'Élie ? Et Jésus termine son entretien par cette phrase humiliante : *Tu es le docteur d'Israël, et tu ne sais pas ces choses !* alors qu'il reprochait aux pharisiens de conserver une loi vidée de sa substance. Autrement dit, selon la loi de Moïse, la mort permet quelque chose de plus merveilleux que la réincarnation : la survie.

Saül (saint Paul), véritable fondateur du christianisme exotérique, s'est battu avec acharnement pour faire triompher l'idée de la résurrection. Résurrection et non réincarnation ! Pourquoi ? Parce que ses contemporains ne croyaient pas à la survie de l'Âme ? Absurde ! À part les Romains qui ne croyaient pas à grand-chose et dont la liturgie servait avant tout l'Empire, tout le monde méditerranéen était pénétré de l'idée de la réincarnation. Le gnosticisme avait envahi le judaïsme et les sectes esséniennes, celle du Baptiste et les premiers chrétiens. Au contraire, Saül mettait l'accent sur la *résurrection des corps* après une seule vie, en opposition flagrante avec les fondements de la culture helléniste qui avait profondément influencé les juifs de la diaspora, y compris les premières communautés chrétiennes après le martyre d'Étienne. Ce qui donne un tout autre éclairage au conflit que Saül — pharisien de haute lignée — a entretenu avec Pierre et les judéo-chrétiens de Jérusalem dits *vétéro-testamentaires* ou fidèles à l'Ancien Testament... un éclairage singulièrement éloigné de celui la tradition de l'Église qui a occulté tout le contexte culturel de l'époque. La question en suspens, c'est pourquoi saint Paul a opté pour la résurrection, concept nouveau, notamment pour les Grecs, plutôt que pour la réincarnation ? Pour contrecarrer le gnosticisme de Thomas ? Assurer l'expansion du christianisme dans le monde latin avec une idée simple, voire simpliste et plus facilement accessible que la réincarnation... ou que la survie du couple JE-Âme, en se servant de la *résurrection* du Christ, *revue et corrigée* ? À moins que la résurrection ne soit qu'une adaptation *a minima* d'un concept traditionnel vieux comme le monde et destiné au plus grand nombre. Enfin résurrection des corps, certes, *mais de quel corps* ?

Ainsi, dans *L'entretien avec Nicodème*, Jésus dit qu'on ne peut connaître le royaume de Dieu si on est incapable de naître à nouveau, c'est-à-dire de procéder après la mort, à une nouvelle naissance réalisée par la fusion du JE et de l'Âme. C'est à cette condition sine qua non que l'Homme accèdera au Royaume de Dieu. D'ailleurs, *ce qui est né de la chair est chair et ce qui est né de l'esprit est esprit.*. L'Esprit prend forme pour former l'Âme. L'Esprit est l'essence de l'Absolu. Pourquoi l'*eau* ? L'eau, quintessence de la Matière-mère, est le réceptacle de la vie biologique, support du MOI, seul capable de découvrir le JE et la voie de l'Âme.

• Je me contrefiche de savoir si l'*Évangile de Thomas* est authentique ou non, si les propos de saint Jean ont été bien rapportés, si le *Sepher Ha-Zohar* est un livre révélé ou même si saint Paul était vraiment de la famille d'Hérode. L'essentiel, à mes yeux, c'est de constater que des écrits importants jalonnent les siècles comme des lampadaires sur une autoroute et développent de façon constante la même sagesse, en opposition flagrante avec les altérations populo-mystiques diffusées dans le public. Aussi bien, la Connaissance est permanente et non l'exclusivité du XXe siècle. D'où ce rappel de la maxime de *Lumière* : ne rien accepter sans l'avoir vérifié par moi-même... et aussi celle de Jésus : *Frappez et on vous ouvrira.*

Le *Bardo-Thödol*, le livre tibétain des morts

• Déception cruelle ! Les lamas aident les morts à s'évanouir dans la Clarté informelle et illusoire. C'est un véritable assassinat; la mort commune, l'extinction simple de la vie ne permet pas d'atteindre le Monde des Maîtres. Si un lama m'avait assisté lors de ma noyade, il aurait anéanti mon JE et projeté mon Âme sur le plan de la réincarnation. Adieu Kris ! Adieu fusion de l'Âme et du JE vers la Vraie Lumière de l'Être réalisé !

• Coup de chance ! Je viens de tomber sur la transcription française de la traduction allemande du *Bardo-Thödol*, commenté par le lama Anagarika Govinda (Albin Michel, collection Spiritualités vivantes). Complètement abasourdi par l'introduction :

> **Pour qui la lecture du Bardo-Thödol n'est-elle pas nécessaire ?**
>
> Les personnes ayant déjà atteint un développement spirituel qui leur permet de reconnaître par la vision intérieure la véritable nature des phénomènes, n'ont pas besoin du *Bardo-Thödol*. Il en est de même pour tous ceux qui, de leur vivant, ont pratiqué le transfert de conscience. [...] Celui qui donc, par la méditation du transfert de conscience, est capable d'unir sa propre nature spirituelle à celle d'Amitabha, le Bouddha de la Lumière Infinie, n'a pas besoin du *Bardo-Thödol*.

L'introduction ajoute que le Lama peut aussi entreprendre pour un mort le transfert de conscience. Il est même en mesure de savoir si son effort a été couronné de succès. En ce cas, il cesse la lecture du *Bardo-Thödol*. Pour tous les autres, la lecture du *Bardo-Thödol* est indispensable.

Depuis, je me suis renseigné auprès d'un ami initié à la médecine des Tibétains et à leur philosophie de la mort.

«Pourquoi, lui ai-je demandé, le lama utilise-t'il une technique d'accompagnement vers la mort illusoire, alors que toi comme moi savons que cela enlève toute possibilité d'atteindre le Monde des Maîtres ?

— Kris, le lama lit le *Bardo-Thödol* pendant l'agonie du sujet qu'il accompagne. Il connaît le chemin pour devenir *Lumière*, mais la plupart des gens vivent toute leur vie dans un monde d'illusion. Comment pourraient-ils voir la réalité de la vraie mort ? Ils en sont incapables. En fait, pour le lama, l'essentiel, c'est l'Âme. Si le sujet est passé à côté de lui-même, ce n'est pas important. Il a vécu. Sa mémoire se retrouve dans son Âme et cela seul importe. Mais, mets-toi à la place de l'Âme qui va vivre une nouvelle illusion. Oui, une nouvelle illusion, car chaque incarnation est un mariage avec la vie. Chaque fois, elle enregistre l'incapacité d'atteindre le pourquoi de son existence. Ces divorces multiples peuvent la désespérer et l'enliser dans le Monde de la mort. Elle transmettra à sa prochaine incarnation la désillusion et l'incapacité d'atteindre la rédemption et elle deviendra une Âme errante. Il faut donc éviter la blessure de l'Âme. Guider un mort vers la Clarté lui évite les affres d'une illumination qui ne pourrait aboutir à l'état de Bouddha. Si l'individu ne manifeste pas de l'intérêt pour une autre dimension, autant le conditionner à bien mourir.

— C'est un point de vue. Mais s'il n'apprend jamais qu'il existe *autre chose*, comment pourra-t'il s'en sortir ?

— La sagesse est aussi dans le silence et la méditation. Bouddha apparaîtra et indiquera son chemin à l'être sincère qui ouvre son cœur. Il saura spontanément à qui s'adresser et trouvera les lamas qui sauront lui enseigner comment atteindre la Vraie Lumière. Ainsi, le Connaissant n'a pas besoin du *Bardo-Thödol*. Pour les autres, il est indispensable pour atténuer les craintes de la mort et supprimer les traumatismes de l'Âme, pour qu'elle ait plus de chance dans sa prochaine existence.»

* *
*

J'étais prêt à recevoir *Lumière*. J'entamai ma méditation et me concentrai sur la notion du MOI. Presque aussitôt, *Lumière* apparut. Il attendait avec sa patience proverbiale que j'eusse terminé les investigations qui devaient nourrir mon cerveau et calmer mes doutes humains.

Je dis bien *doutes humains*, car, en dehors d'un questionnement continuel propre à mon caractère, je voyais poindre au fond de moi un sentiment de certitude grandissante qui me retirait tout doute spirituel. Une paix intérieure inconnue s'esquissait et pourtant, elle me paraissait coutumière à ce que j'étais ou pensais être. Elle naissait sans aucune étrangeté. Mon mental freinait cette marée parce que tant qu'il n'avait pas compris l'illusion de la mort, il ne pouvait lâcher prise dans la Vraie Lumière. Je pouvais en rire : mon grand patron cérébral avait besoin de réconfort pour accepter la naissance d'un Roi.

«Alors, saint Thomas ! Tu as trouvé la confirmation que la Connaissance est une et indivisible, même si ses interprétations sont nuancées à l'infini ?

— Je me fais tout petit. Je devais me convaincre que je n'étais pas cinglé. C'est comme un type qui attend l'amour. Il l'imagine, il en rêve, il fantasme, il invente des scénarios de rencontre. Un jour, l'amour frappe à sa porte. Le type ouvre et demande :

> "Qui es-tu ?
>
> – Je suis l'amour que tu attends !
>
> – Pas possible. Je ne l'attends que demain. Et puis, tu ne lui ressembles pas."

Le bonhomme attendra longtemps, car à force de se construire un cinéma d'idolâtre, il n'est pas disponible pour reconnaître l'amour pour ce qu'il est.

Je suis comme ce type. Je voulais la Connaissance. Mais je la cherchais là où elle n'était pas. Du coup, je ne l'ai pas reconnue quand elle est apparue. Ce que tu enseignes est trop simple, évident, trop... enfantin. Ça devrait être plus compliqué que ça. Il faudrait faire de longues études, subir des initiations, passer des épreuves prouvant qu'on est élu, qu'on est capable de lire le secret des dieux. Triste orgueil ! Soudain, coucou ! La Connaissance est là, toute nue, sans mystère, naturelle et limpide. Il m'a fallu du temps pour découvrir qu'elle était plus belle, plus fantastique que tout ce que j'avais pu imaginer. Un adulte myope ne peut lire la vie avec les yeux d'un enfant. Il en faut du courage pour se passer de ses lunettes-béquilles. Pourquoi suis-je si compliqué ?

— Parce que tu es un enfant d'homme issu d'un esprit de matière diversifiée. Tant que tu seras soumis à cette diversité, tu te perdras dans le détail. Quand tu accepteras d'aller à l'Absolu, tu seras à son image. Tout te paraîtra simple et pourtant, tu sauras Tout.

L'expression de l'Esprit de la Matière est le MOI. Analyse bien les mots :

- *expression*, donc manifestation;
- *de l'Esprit de la Matière*, parce que le MOI est le produit de l'activité cérébrale.

Reprenons. L'Âme de la Matière, le JE, prend naissance, on pourrait dire prend corps, au moment où la vie crée la vie, quand le spermatozoïde — le pénétrant matériel — pénètre l'ovule — le vide matériel —, de la même façon que la matière du JE doit féconder le Vide Absolu de l'Âme. L'être humain *existe* virtuellement dans la première cellule embryonnaire, comme *existera* un Maître quand le JE aura fécondé l'Âme. Nous avons longuement discuté de l'activité du JE en tant que moule structuré et unique du futur embryon, du futur adulte. Je te rappelle que le JE est la conscience d'être sans besoin d'y penser. D'abord cellulaire, purement organique, elle réagit aux stimuli, bruits et agressions de toutes sortes modulant déjà des émotions. La conscience du JE se constitue progressivement et s'intègre définitivement vers le huitième mois de vie intra-utérine, âge auquel le cerveau fonctionne déjà à plein régime, enregistre, devient pensée-conscience... prélude à l'élaboration du MOI. Il ne s'agit pas, bien sûr, d'une pensée objective *intellectuelle* ni *raisonnée*, mais d'une *pensée d'existence*. À huit mois, le fœtus se distingue de l'animal par son imagination qui peut s'évader dans l'abstraction. Sa mémoire enregistre tout et peut restituer à la conscience objective de l'enfant ou de l'adulte, les impressions du dernier mois de la grossesse comme celle d'une chute dans un tunnel avec, au bout, la lumière de la vie, exactement comme dans la vision du mourant.

— L'éternité de la vie est un perpétuel renouvellement. L'Homme naît à la vie après la rupture du cordon ombilical, de la même façon qu'il naît à la mort lorsque le cordon astral se désagrège. En somme, on naît et on meurt par un trou noir.

— Humour... noir fort à propos, car la vie est en effet lumière et la mort absence. Mais contrairement à l'animal, l'Homme peut accéder à une Lumière rédemptrice. C'est une question de choix ! Quant à l'animal, sa mort est semblable à celle de l'humain inachevé. Il se retrouve hors de son corps. Il voit, entend mais son JE vital propre à son espèce s'épuise et tombe dans son absence sans idée de retour. Il ne souffre pas, le passage ne pose aucune difficulté existentielle et se résume à un simple constat. L'irréversible évidence ne trouble pas ce moment de quiétude. Puisqu'il a existé et que la mort révèle ce qu'il a toujours été, pour lui tout continue... et il sombre dans le néant sans s'en rendre compte. Tout change pour l'Homme réalisé qui, de son vivant, a trouvé la certitude et les moyens de son éternité. Celui-là devient l'exception.

— L'exception ?

— Ça t'étonne ? Tu as déjà bien assimilé que l'Âme correspondait à l'ÊTRE de l'Absolu et le JE à l'EXISTENCE. Tu n'as pourtant manifesté aucune surprise quand j'ai dit que rien, absolument rien, n'enlèvera à quiconque sa notion d'ÊTRE. Il ne lui est même pas nécessaire d'y penser pour savoir qu'IL EST LUI. De plus, après l'expérience servant à te faire prendre conscience de la réalité physique de ton JE, tu as dit : *J'étais... sûr d'EXISTER, d'ÊTRE moi*. Qu'en déduis-tu ?

— Rien. Je me pose une seule question : j'existe ou je suis ?

— On va finir par y arriver ! Car la réponse à cette question est la preuve que l'Homme est bien l'élément fondamental qui assure la cohérence *existentielle* de l'Univers absolu et de l'Univers matériel.

L'Âme incarnée dans le JE lui procure sa notion d'ÊTRE et le JE procure à l'Âme sa notion d'EXISTENCE pour ne former qu'une seule unité. Par conséquent, prendre conscience de son JE revient à prendre conscience de son Âme. L'introspection génère un sentiment unique d'EXISTER en ÉTANT dont on ne peut distinguer la source : le JE ou l'ÂME. Tout ÊTRE humain peut ressentir de sa naissance à sa mort cette notion unique d'ÊTRE soi et pas un autre. Donc, et contrairement à ce que tu croyais, tout le monde détient une Âme de l'Absolu même si, malheureusement, certains n'en *conscientisent pas la réalité*.

Examinons plus avant le genre homo en tant qu'élément charnière de l'Absolu dans la Matière mouvante. Pour assurer sa survie, la Matière lui attribue un ego qui s'extériorise sur le plan de la pensée par MOI, MOI, MOI... je suis **MOI**. Le MOI se confond avec subtilité avec le JE — **JE** suis moi —, parce que tous deux sont issus du même Principe vital. Pour couronner le tout, l'Âme qui EST ajoute son grain de sel en fortifiant *inconsciemment* la certitude du pauvre MOI d'ÊTRE L'UNIQUE et qu'en dehors de lui, rien n'existe.

Si nous pouvions personnaliser chaque élément de la trinité du JE SUIS MOI, on pourrait dire que chacun tire la corde pour dominer les autres. Le MOI — *je suis **MOI***, le JE — ***JE** suis moi*, et l'Âme avec sa notion d'éternité d'ÊTRE — *je **SUIS** moi*, laissent croire à qui veut l'entendre que le développement univoque et la suprématie de l'un sur les autres conduisent à la réalisation de l'Être. Les scénarios sont multiples mais il est aisé de les résumer, par exemple :

- MOI : assouvissement de désirs matériels, quel qu'en soit le niveau de jouissance et la plus ou moins grande valeur humanitaire.
- JE : recherche de pouvoirs psychiques, quel qu'en soit l'usage.
- Âme : endoctrinement et dilution de la personnalité, quel qu'en soit le bénéficiaire effectif.

Chacun est naturellement persuadé qu'il a raison. Il faut faire preuve d'une bonne dose d'ouverture d'esprit et de recul pour démêler les attributs et les missions de chacun des protagonistes de la *trinité humaine*, et donc de la place qui leur revient de droit pendant l'incarnation. *Rendez-à César ce qui appartient à César !*

Alors, l'exception, la spiritualité ? Certes oui, même si tout concourt à ce que le plus grand nombre parvienne au terme du voyage. La vie propose divers moyens de transport. Encore faut-il emporter les *bons bagages* pour supporter le voyage, et c'est là que commence le drame. Car suivant l'agence avec laquelle on fait affaire, on choisira tantôt l'ascension du MOI au sommet de la mélagomanie, tantôt la trempette du JE dans l'océan de la béatitude végétative, tantôt le décollage de l'Âme vers le tout Univers divin qu'elle a eu le malheur de quitter.

Selon la destination, les uns s'égarent sur des voies parallèles sous la férule de guides monnayant le salut éternel, la rédemption sans effort et des théories qui leur donnent l'illusion d'être grands. Les autres sont piégés par le milieu qui ne permet pas d'accéder au savoir ou par les erreurs biologiques de la nature, car l'accession à la spiritualité demande d'abord de conscientiser l'Onde d'Immanence en une Âme, ensuite de disposer d'un intellect adéquat — et non supérieur — pour conceptualiser l'Absolu, et enfin, se trouver — et non naître — dans un environnement propice qui n'agresse pas la spiritualité, ou du moins qui accepte son éclosion. Quoi qu'il en soit, combien sont prêts à aller au bout d'eux-mêmes et de s'en donner les moyens ? La spiritualité est bien une exception et même un privilège !

— Constat décourageant !

— Au contraire, il est plein d'espoir, car il mesure le travail à faire pour que chacun soit informé qu'il réunit cette possibilité unique d'atteindre l'éternité sans avoir à subir les foudres de l'enfer. Il suffit seulement d'en être *informé*... le reste le regarde !

Et ça en vaut la chandelle ! Souviens-toi de ton désarroi devant l'immensité de l'Univers en regard du peu de planètes accueillant la vie de type humain. À l'échelle cosmique, la vie humaine est à la puissance 10^{-9}, soit les dimensions d'un atome par rapport à la Terre. C'est peu, très peu. La vie est l'exception, un don précieux, au même titre que la spiritualité. Et pourtant, l'humanité, inconsciente de son privilège, s'amuse non seulement à bousiller sa planète, mais aussi à entraîner ses semblables sur le chemin de la mort spirituelle au lieu de développer un MOI averti qui offre la possibilité au plus grand nombre de toucher le rivage des Maîtres.

Maintenant que tu sais, tu es seul parmi les autres. Mais je comprends ta révolte. Tu te sens meurtri dans ta chair d'homme et ton émotivité refuse d'admettre que parmi ceux que tu aimes, peu iront au bout du voyage. La vie est à l'image du seul spermatozoïde sur des millions qui fécondera un ovule pour donner un enfant, POUR DONNER UN JE. La mère ressent ce privilège. Elle protège son ventre comme un don du ciel. Un échange télépathique s'établit entre elle et son enfant. Un enfant se développe comme un petit animal pour devenir un être parfaitement adapté à son environnement. Il faut donc lui apprendre à développer sa sensibilité et la mère doit vivre en harmonie avec lui et la nature, loin du monde artificiel de l'homme. *Au fait, Gwenaelle est enceinte !*»

Je reçus la nouvelle comme un simple télégramme. Je n'en ressentis qu'un ébranlement vague et étrange, une sorte de mise sous tension, sans ce tressaillement du cœur devant une grande œuvre. Il est vrai que la paternité ne se découvre multiple et subtile qu'après la naissance et je connais peu d'hommes qui confessent une relation étroite avec un produit biologique tout à fait étranger, jusqu'à ce qu'il apparaisse au grand jour. Je dus donc confier à l'avenir les émotions à développer devant une petite boule rose d'allure plutôt végétale et je tâchai d'asseoir mes réflexions sur le concret de l'éducation future.

— Je pensais que la société pouvait lui apporter la garantie...

— ... du bien-être technologique, oui, mais à quel prix ! La musique de la nature, le chant des oiseaux, le vent dans les branches, les vagues de la mer, la chanson du silence et celle de la mère conviennent mieux aux oreilles de l'enfant que le tintamarre de la vie moderne qui agresse le fœtus dans sa quiétude amniotique. Ils sont bien loin, la douceur de la brise dans la mâture des arbres et le froissement des herbes sous le vent. Il ne s'agit pas d'une évocation pseudo-écologique du mal-vivre de notre société. Le bruit est l'un des principaux facteurs de dépression dans les grandes villes. Le hard-rock à fond la caisse provoque une folie furieuse chez des animaux de laboratoire. Une salle d'accouchement développe pour le nouveau-né, un vacarme équivalent à celui d'une rame de métro entrant en gare. L'éclat du scialytique brûle sa rétine avant même qu'elle puisse décrypter la beauté de la nature. Lui qui a vécu neuf mois dans la pénombre utérine, comment pourrait-il supporter ou même voir la Lumière quand elle se présentera à lui ? Il sera aveugle, comme la plupart des humains non réalisés.

— Pourtant, le cerveau permet à l'être humain de s'adapter à son monde.

— Sans doute, mais au prix d'un gaspillage d'énergie qu'il vaudrait mieux consacrer à la recherche intérieure. Il t'importe donc de connaître les meilleures méthodes qui permettront à ton enfant de grandir sans trop de casse. Quand il naîtra, il aura conscience d'exister mais ne pourra le savoir puisque son cerveau n'aura pas encore acquis les outils d'une pensée objective. Tout ce que l'enfant voit, sent, goûte, entend et appréhende font partie intégrante de lui. Il n'est qu'une pensée incapable de distinguer entre lui et son environnement. Il *est* et il lui suffit de sourire aux anges en fonction de son bien-être personnel.

— Le sourire aux anges ! Tu insistes. C'est un réflexe tout bête !

— Absolument exact ! Un réflexe *primitif*, ou *archaïque*, selon la médecine. Je préfère l'adjectif *premier*, car moins chargé de connotations techniques. Mais un réflexe qui signe l'activité du JE et prouve que le bébé intègre tout sans faire la distinction entre lui et son environnement. Mais le cerveau évolue très vite. Le nouveau-né apprend en trois ans ce que l'adulte acquiert en sept, c'est-à-dire l'essentiel pour se débrouiller. Si la pression sociale refoule certaines de ces acquisitions, il pourra les retrouver en cas de nécessité. Il prendra, grâce à vous, conscience du monde, développera des signaux d'appel, d'alarme, bref, établira avec vous une communication qui culminera avec l'éclosion du langage. Vous aussi, vous bêtifierez comme tous les parents de l'humanité émerveillés par leur progéniture : "Toi bé-bé-elle-ma-man-moi-pa-pa-tu-veux-pot-pot ?" Il découvrira peu à peu ce qui le distingue de vous, des autres et construira une personnalité originale.

Un jour, tu l'emmèneras au zoo. Il te demandera : C'est quoi ça ?

– C'est une vache. Elle mange du fourrage parce que c'est un ruminant. Elle nous est utile, car elle produit du lait.

Plus loin, devant un lion dans sa cage :

– C'est un lion. Il peut être dangereux pour l'homme, car quand il a faim, il cherche de la viande fraîche.

— Puisque nous sommes au zoo, pourquoi ne pas lui apprendre la langue des oiseaux ?

— Que cache ton ironie ? La langue des oiseaux ! La langue des marins d'Argos et de Papageno, la langue des alchimistes ? Qui connaît vraiment la langue des oiseaux ? Et qu'en ferait-on ? Le plus grand génie qui ne saurait que siffler comme un merle ne composera jamais de symphonie. Pour l'heure, ton enfant te pose des questions claires. Il est un JE qui existe. Il en a conscience sans besoin d'y penser. Mais le Monde matériel ne se conçoit que par le cerveau dont le développement et le plein achèvement constituent le MOI. Le MOI s'interroge, il veut aussi des réponses. C'est un accumulateur permanent de questions-réponses ! Il se demande si ces animaux sont, comme lui, des êtres vivants qui existent.

Pour lui permettre de les distinguer, tu associeras un mot spécifique à chaque animal. Mais ce mot sera d'abord vide pour lui. Il devra l'habiller d'un sens et d'une charge affective, l'ensemble constituant un véritable champ sémantique (de *semeios* = signe) personnel. Par exemple, il voit une tulipe, tu dis *fleur*. Plus loin, il montre une rose et tu dis encore *fleur*. Quand il verra une marguerite, il songera *fleur*. Il y associera également le contexte, l'ambiance, l'émotion dégagée au cours de cette perception. Ainsi, quand il verra une vache, il associera : lait-vache-fourrage-pâturage-pas-dangereuse-sauf-si-je-me-fais-piétiner... Au lion, il associera : crinière-jaune-rugissement-carnivore-à-éviter...! Il s'insérera dans la société en confrontant ses propres champs sémantiques à ceux de son entourage. Évidemment, si tu lui dis qu'un lion est une vache, il risque d'avoir de gros ennuis. Il vous revient donc de lui offrir les champs sémantiques les plus justes et les plus larges possible. C'est pourquoi le vocabulaire est l'arme de l'intelligence, car il signe la précision de la pensée.

De la même manière, chaque fois qu'il vous interrogera, vous éviterez de classer les choses en bonnes ou mauvaises, car il est plus important d'inculquer une vision globale de l'environnement qu'une démarche fondée sur les distinctions qualitatives en bien-mal. Il acquerra une plus grande ouverture d'esprit, propice à l'éclosion de la spiritualité. Cela exigera de toi de la prudence, une grande disponibilité et surtout le refus catégorique de projeter tes propres fantasmes et tes angoisses sur un potentiel qui n'a rien à fiche de tes problèmes. C'est uniquement par la socialisation qu'il comprendra que le bien et le mal répondent à des nécessités biologiques, culturelles, sociales... et si peu morales ! Il ne vous sera pas aisé — souviens-toi comme il t'est encore difficile de te dégager des contingences manichéennes — de lui montrer qu'un précipice sépare les intentions des hommes de leurs actes.

— Les conflits naissent toujours de malentendus. Le syndrome de Babel atomise l'humanité dans des monologues à sens unique. Nous avons déjà évoqué la difficulté de définir l'Âme.

— Cela montre à quel point le mot véhiculé ne recouvre pas un seul sens mais une infinité de valeurs dont la perception globale est indispensable pour appréhender complètement le monde. Les différences de perception des nations conduisent à des malentendus regrettables puisque, sûr de son *bon sens* et donc de son *bon droit*, le citoyen d'une nation est persuadé que celui d'en face est un salaud de mauvaise foi. Le peuple enrégimenté croit toujours à la juste cause. Mais sait-il que de l'autre côté, on pense aussi la même chose ?

Il ne te sera guère facile de choisir les meilleures méthodes d'éducation.Certaines sont mieux adaptées que d'autres au contexte. Mais aucune ne peut prétendre à l'universalité si elle assène des *vérités* dogmatiques invérifiables. C'est pourquoi, le développement du MOI doit s'appuyer non sur le doute mais sur la remise en question permanente. Le *doute* est un sentiment négatif qui envisage que tout est peut-être faux. La *remise en question*, par contre, suppose que des éléments favorables côtoient des éléments litigieux. C'est une démarche positive. D'où le souci de ne rien accepter...

— ... qui ne soit démontrable. Refrain ! Alors passons aux travaux pratiques ! Je croyais que l'Âme pénétrait le corps avec le JE, c'est-à-dire à la fécondation.

— Voilà un point important ! Nous l'avions sommairement abordé mais j'avais préféré le laisser de côté. Platon distingue cinq Âmes, les hindous sept, les hébreux trois et le christianisme réalise une synthèse de toutes ces Âmes en une seule. Certains affirment que l'IVG — l'avortement volontaire — tue l'Âme. Sans doute ! Mais quelle Âme ? L'Âme vitale, le JE qui apparaît à la fécondation. La première cellule est constituée, à parts égales, d'une parcelle du JE paternel et du JE maternel. À partir du moment où l'ovule a accepté, par le spermatozoïde, le JE du père, l'énergie vitale de la mère nourrit l'embryon de sa propre vitalité. Le JE de l'embryon et le JE maternel ne sont donc pas incompatibles, car le JE qui se développe dans son sein est aussi sa propre vie en phase avec celle du père.

Tout est différent pour l'Âme de l'Absolu. Le support vivant de la mère baigne déjà dans une Âme de l'Absolu. Donc, le fœtus baigne dans l'Âme de la mère. Deux Âmes spirituelles ne peuvent cœxister dans le même corps. Mais le bébé n'est pas encore formé. C'est donc lorsqu'il devient indépendant qu'il reçoit l'Onde d'Immanence par un phénomène d'enroulement intérieur, au moment où l'air entre dans ses poumons et où la vie spirituelle pénètre son JE vital. À cet instant précis, le nouveau-né compose la possibilité unique pour l'Immobile de se connaître par le Mouvant. Par le MOI !

— Comment ça, par le MOI ?

— Nous en parlons depuis le début de cet entretien et tu n'as toujours pas compris. Le JE vit dans l'ombre du MOI. Paradoxalement, alors qu'il est le plus apparent, le MOI est l'élément le plus difficile à comprendre. D'autant plus que tous deux proviennent du même principe, le Principe vital.

Le Principe vital dynamise toutes les cellules du corps adapté à la survie dans la nature. Il transmet les automatismes et les instincts qui se cristallisent dans l'ego, la conscience de sa propre peau au niveau viscéral. Dans les tripes, quoi ! Ainsi, le plus bel ego d'une Miss Univers est la conscience instinctive d'un tube digestif. Les cellules du cerveau, les neurones, ont le don de conscience. Leur activité biochimique déclenche une infinité de courants dont la résultante est la pensée cérébrale, le MOI, conscience supérieure de l'ego qui permet, par un processus de classement et d'analyse informatique, d'interpréter les données fournies par les sens.

Le MOI est donc lié au développement cérébral. L'individu évolue, mais non le JE ni l'Âme qui recouvrent la simple mais fantastique notion d'ÊTRE, la conscience de deux principes, Matière et Absolu. Seul le MOI évolue. En dehors des informations filtrées par le liquide amniotique pendant la gestation, le cerveau de l'enfant est vierge à la naissance. L'apprentissage de la communication par les sens et le langage développe le MOI. Plus le MOI évolue et plus son centre de conscience s'élargit. Or, le MOI évolue aux dépens du JE. L'enfant grandit, devient adulte, s'affirme pour se définir par rapport aux autres : parallèlement, le JE, s'évanouit peu à peu et s'endort : c'est l'Âme à l'état de veille (le Roua'h) des hébreux qu'il faut réactiver.

— Maldonne ! En *état de veille* signifie : être éveillé. Comment *Roua'h* peut-il en même temps s'endormir et rester éveillé ?

— Bien vu ! La mystique juive, nous l'avons amplement démontré, développe une argumentation subtile sur les niveaux de conscience des trois âmes. Selon le point de vue, l'activité prédominante est soit éveillée, soit endormie. Ainsi, le MOI-*Nefesh*, l'activité cérébrale, domine la conscience objective alors que l'activité végétative passe au second plan. Ainsi, à moins d'en faire l'effort, tu ne perçois pas les battements de ton cœur.

Mais quand le MOI s'efface, pendant le sommeil par exemple, la vie végétative continue à *veiller* sur le corps, faute de quoi tu mourrais. Le terme de *veille* est parfaitement adapté, en dépit du piège sémantique qu'il recèle. Le JE est vraiment un veilleur silencieux, comme un garde-frontière, qui assure la survie du MOI qui se repose, même si, en apparence et considéré par le MOI objectif, il semble toujours endormi. C'est dire à quel point ses pouvoirs sont immenses quand le MOI daigne les reconnaître. Pour l'heure, le MOI n'a qu'un but : accumuler le Savoir sans se préoccuper de ce qui le soutient.

Le MOI est la mémoire du savoir de la civilisation, l'expression du savoir individuel, le dépositaire du savoir social, aussi et malheureusement, la poubelle du savoir humain, car il se développe sur des acquis culturels et la problématique d'une civilisation. Il est aussi le lieu de manifestation des instincts de reproduction, de survie, de puissance, de domination. Il est l'expression de tous les refoulements d'un individu. C'est pour cette raison que les hébreux disent que seul le *Nefesh* ou MOI est coupable de péché. Les passions, les drogues, les sévices, les dérèglements mentaux, font de ce principe psychologique un état sans cesse diversifié, de la naissance à la mort. Sans être son ennemi, le MOI s'oppose au JE parce que le JE est invariable et indélébile, de la naissance à la mort.

— Le MOI n'est pas l'ennemi du JE parce qu'ils sont tous deux issus du même Principe vital. Seulement, la distinction n'est pas claire.

— Il suffit de s'observer tout nu devant une glace. Le premier diagnostic est critique. Le constat s'appuie sur des critères sociaux et des stéréotypes. On se trouve beau ou laid selon l'intensité de la libido pulsée par les hormones. Mais oui ! Après quelques minutes, la laideur fait place à une certaine estime de soi, la beauté artificielle s'efface en faveur de la beauté intérieure. On se découvre un amour — non pas narcissique — d'être et de vivre comme on est. Le sentiment du JE ressurgit et permet de s'accepter tel quel.

Le MOI est une unité psychologique temporaire, consciente de jouer une comédie à laquelle il adhère de toutes ses forces pour mieux en convaincre son public. Le JE demeure la conscience d'être et le sentiment indélébile d'exister. Il n'y a pas place en lui pour le souvenir, car il refuse la flétrissure du temps. Mais tant qu'il se trouve dans le corps humain, il accepte, faute de pouvoir s'y opposer, de subir les clowneries d'un MOI qui se prend vraiment trop au sérieux.

Le JE est tellement effacé devant ce mégalomane que le MOI peut douter de la présence en lui de l'Âme, tant il est vrai que la notion d'Être l'Immobile se juxtapose si bien à la notion d'Exister du JE. Mais dans un voyage astral, et plus encore dans l'état per-mortem, il découvre la certitude révélée qu'il est effectivement le guide de l'Âme... s'il en a été informé de son vivant.

— Quelle est la réelle utilité du MOI en dehors de permettre l'adaptation du corps à un environnement donné ?

— Il a une fonction que la plupart des ésotéristes, philosophes et religieux semblent totalement méconnaître. Il est si haïssable, n'est-ce pas ? **Il permet au JE et à l'Âme de se reconnaître sur un plan conscient.** Il joue le rôle d'une sorte d'agence matrimoniale où les amoureux font connaissance et s'épousent dans la félicité d'un amour réciproque. Certes, il dirige le corps mais il est aussi le précepteur qui aide l'enfant JE à grandir, à s'assumer et à découvrir que son amie d'enfance, l'Âme, est une demoiselle fort attirante qu'il faut protéger et courtiser s'il veut, par un acte d'amour, donner naissance à un *Être de Lumière*.

— Le corps est une voiture, le MOI le chauffeur et le JE le copilote qui dit au MOI où aller et qui, en même temps, peut conter fleurette à la passagère, l'Âme ?

— Tout dépend du conducteur. S'il décide de tourner à droite ou à gauche, il est difficile de lui résister, car il tient le volant. S'il refuse de remplir sa véritable fonction, il n'arrivera pas au terme du voyage. La voiture qui s'aventure sur une voie moins carrossable peut tomber en panne. Pour ménager sa monture, il devra reprendre la bonne route, c'est-à-dire être un conducteur obéissant aux instructions que lui communique l'Âme par l'intermédiaire du JE.

La maladie et les épreuves déstabilisent le MOI. Il est si fragile puisqu'il est constitué de matériaux tellement disparates. Il n'aura d'autre choix que de s'accrocher à du tangible, à une constante, le JE. La solidité de cet enfant qui se réveille lui donnera une importance qui développera sa stabilité. Le MOI qui s'oublie pour le JE se fortifie dans sa certitude que le JE peut lui procurer la force d'être à travers lui. Le monde se renverse. Le MOI qui accepte de faire naître en lui la réalité du JE, liquide ses angoisses, même s'il conserve les petits travers d'une personnalité originale.

Or, certaines doctrines préconisent la destruction du MOI au bénéfice du JE. A priori, l'intention serait louable : le MOI est si pervers, si superficiel. Mais cela revient à détruire le seul moyen d'amener le JE à se révéler sur le plan de la conscience cérébrale. Le JE n'est pas conscience, il est existence.

Le MOI n'est ni beau ni moche. Il apporte avec lui un bagage difficile à cerner, de la matière première, quoi ! On s'imagine à tort que les MOI de tous les bébés sont identiques. Je n'entrerai pas dans le conflit éculé de l'inné et de l'acquis et je clos le débat en disant qu'il y a de l'un comme de l'autre. La vie sociale sculpte une statue sur un modèle mais l'œuvre est toujours unique... exactement comme l'Onde vitale se moule dans un JE. Il est vrai que notre existence terrestre flatte l'ego et accentue le culte de la force individuelle ou collective. Ici, un tyran enrôle des foules aveugles, là une liberté illusoire entraîne la débauche sexuelle... j'arrête car, s'il y a eu mieux, il y a aussi eu pire ! Mais qui incite ainsi ce naïf MOI, lui qui était conscience vierge à la naissance, à se proclamer roi de l'Univers ? Les mêmes crétins qui lui crient maintenant : "Meurs, détruis-toi, efface-toi de mon visage, tu es laid, tu ne mérites pas de vivre !" Les exploiteurs de la bêtise ! Au XVIIIe siècle, on les appelait *souffleurs*, ces escrocs vivant de la crédulité des princes prêts à vider leur cassette pour une pépite d'or alchimique.

Détruire le MOI supprime l'unique moyen d'aller à SOI, de s'identifier, d'exister; c'est la seule voie ouverte vers la spiritualité. Il n'y en a pas d'autres. Celui qui refuse de penser avec son MOI pour devenir le TOUT, ne peut plus conquérir la conscience qu'il est TOUT. Il n'est RIEN ! C'est pourquoi, je m'oppose aux systèmes doctrinaires qui cherchent à le détruire au profit d'un anonymat qui conduit au néant. Ce néant, il est si facile de le remplir d'autres pensées puisque le MOI, déshabillé de l'esprit critique, n'analyse plus ce qui le nourrit. Un tel lavage de cerveau par la spiritualité de bas-étage conduit au pire des asservissements. À l'inverse, un MOI surdéveloppé enchaîne l'Esprit dans la matière et empêche le contact avec le JE. La voie est donc très étroite entre deux anéantissements.

Le MOI qui daigne reconnaître le JE, décide à son tour de changer pour habiller le JE d'un vêtement personnalisé : le SOI, qu'il offre en cadeau aux mariés pour leur voyage de noces afin qu'ils se souviennent qu'il fut leur ami au temps de leur mutuelle ignorance. Le MOI est le premier à mourir après avoir rempli sa fonction : réveiller le JE et l'informer de son rôle de guide per-mortem de l'Âme. En compensation, le couple JE-Âme — un Maître — conserve l'empreinte du SOI. Ici, un Maître de bonté : le MOI fut bon; là, un Maître de la kabbale : le MOI a étudié la kabbale pour réveiller le JE; là-bas, un Maître de l'Amour : le MOI fut amour, plus loin, un Maître de la médecine : le MOI fut don de soi. À sa façon, le MOI est devenu Immortel par le SOI.

— Tu me fais songer à un appareil-photo. Un paysage n'est qu'une nature morte tant que personne ne le regarde. Ce paysage est l'Âme. Le MOI le remarque, le cadre et appuie sur le déclencheur. Le JE est le film sensible; il s'imprègne de l'image. La prise de la photo n'est qu'un moment de la vie du MOI. Un jour, il décide de développer la photo. Il prend le film, le sort de son boîtier. Le MOI reconnaît que le film sensible recèle une beauté intérieure qui n'est pas encore apparente. Le MOI, issu de la Matière, est le révélateur avec ses éléments chimiques. De la qualité de ses ingrédients, de son savoir et de ses mots, dépend la révélation parfaite du film. Il sait aussi que le révélateur a une durée de vie limitée et devra être jeté un jour. Mais qu'importe de mourir, puisque grâce à lui, le film, matière vitale, s'est imprégné d'un paysage qui serait autrement resté virtuel. Aujourd'hui, le film révèle l'éternité : l'Âme, consciente d'elle-même grâce au JE de Matière. Perdre le JE, c'est perdre sa révélation d'Être-existence à travers le film qui garde en SOI la marque de l'artiste qui l'a révélé, le MOI.

— C'est un beau symbole. L'Âme est une parcelle d'un Espace vide procédant de l'Absolu. Elle EST en n'étant rien, tant qu'elle n'a pas pris forme dans le MOI par la révélation du JE qui lui procure son EXISTENCE. Tu as bien compris la Trilogie de l'Être : la dualité du JE et de l'Âme qui se connaissent par le MOI. Maintenant, tu pourras comprendre ta mort et ce qu'elle doit être pour le Connaissant.»

* *
*

Heureux ! Sonnez trompettes ! Il n'y a rien de mauvais sous le soleil ! Bouger, créer ! J'en perds toute envie de me battre contre des moulins à vents. La trilogie MOI-JE-ÂME marque le vivant. À la mort, le couple JE-ÂME reforme l'unité dans le Monde des Maîtres. La certitude grandit en force. J'ai l'image d'un doigt de gant retourné : l'intérieur vers l'extérieur dans un regard agissant, l'Immobile manifesté dans le Mouvant de la vie quotidienne...

Lorsque Gwenaelle rentra, je l'entraînai comme le vent dans le printemps de Vivaldi. Je m'agenouillai. Elle, interdite, me regardait avec ses yeux-de-chat curieux de mystère ! Solennel, en gestes délicats, j'effeuillai sa chemise pour découvrir le cœur de son ventre. J'humai son parfum et, enivré, tombai à la renverse, les bras en croix. Pèlerin repentant, je murmurai :

«Je me suis converti à la secte des adorateurs du nombril.»

Sans un mot, elle s'agenouilla, posa ses mains sur son ventre, puis fixa droit devant elle l'invisible infini pour en mesurer la profondeur.

* *
*

12

LA MORT LUMINEUSE

Le boulot avait pris le dessus sur la recherche spirituelle. Bien sûr, je voulais comprendre la réalité de la mort pour retrouver la Connaissance absolue que j'avais *touchée* pendant une seconde d'éternité. Mais, curieusement, plus rien ne pressait. J'étais disponible et attendais avec confiance l'ultime confrontation. Le temps m'obligeait à prendre conscience d'une autre réalité : Gwenaelle ! J'orientai donc mes priorités sur la consolidation de mon nid afin de mûrir la trilogie de l'Être.

Quand l'humain prend conscience de sa dualité JE-Âme grâce à son MOI et découvre qu'il peut atteindre l'Unité, il ne réalise pas toujours les répercussions de sa démarche sur son psychisme. En dépit du tourbillon social dans lequel je m'étais précipité, je me sentais différent. La mutation s'opérait. Des impressions fugitives mais de plus en plus prégnantes s'imposaient à mon esprit, souvenance d'un passé révolu mais encore si présent à ma conscience. L'état d'Immobile Être-Existant connu par-delà la mort me détachait du monde. Une force-certitude me poussait à braver le quotidien avec l'énergie d'un ouragan délitant les angoisses de l'existence. L'action dominait la réflexion, *faire* prévalait sur *que faire* ? Je demeurais lucide et bien décidé à consolider le havre où Gwenaelle se soucierait uniquement du développement de la vie qui se mouvait dans son sein.

Au début de l'année, nous nous étions établis en Savoie, loin des turpitudes d'une société en effervescence, pour que *bébé* naisse dans le milieu le plus sain possible. Remarquables Savoyards ! Ballottés des siècles durant entre les rois de France et les princes d'Italie, ils avaient finalement choisi la République. Mais l'atavisme avait nourri ces montagnards d'un goût prononcé pour l'indépendance, sous couvert d'une franche et familiale hospitalité afin de singulariser, disaient-ils, *ceux d'ici* de *ceux d'en France*. Dieu saurait bien reconnaître les siens ! Maxime tout à fait adaptée aux citoyens du ciel. Chambéry avait conservé son cachet médiéval mais, c'était dans la vallée... autres temps, autres mœurs !

J'établis mon nid d'aigle dans le calme intemporel des hautes cimes : Albiez-le-Jeune, 1 800 mètres d'altitude. Ce petit village vivotait, plutôt mal, entre les deux extrêmes : A et Z, alpha et oméga, ciel et terre, Âme-JE. Il faut gravir une montagne, lancer son piolet dans le roc des sommets et piquer le ciel comme une flèche de cathédrale pour comprendre que l'Homme est à la mesure de l'Infini et à la démesure de ses prétentions. La matière sait avec sagesse s'effacer devant la projection de l'esprit qui s'évade dans l'atmosphère raréfiée. Les distances se déforment, la réalité se distend, fragile, éthérée, sous un ciel qui choisit sa tendresse et se pare d'un indigo vivifiant la pureté des neiges éternelles. La chanson du silence souffle la grandeur que renvoie le contrepoint de l'écho. Le sommet force l'admiration du voyageur solitaire qui mesure la terre comme il contemple sa vie et où se mêlent soupirs des espaces et tempêtes de l'existence. Mais la poésie de la montagne, c'est aussi le toboggan d'un chemin serpentant vers la Maurienne : quarante kilomètres de routes de rocailles qui torturent le moteur et la suspension des machines et des hommes — mille mètres de dénivelé avant la vallée —, encore trente kilomètres le long de l'étroit couloir de la rivière de l'Arc qui tire sa révérence devant l'usine et les odeurs pestillentielles. Car il faut encore revenir, c'est-à-dire remonter, jusqu'à s'abîmer de fatigue. L'adaptation refuse le sommeil réparateur.

C'est dans cet état d'abandon physique, à mi-chemin entre le rêve des grands espaces et l'actualité contraignante, que j'essayai de tirer un fil à la nuit, un coude rivé dans la table de chêne, le visage juché dans la paume, les yeux vissés dans le mur de plâtre effrité. Gwenaelle reposait, paisible et rayonnante d'un calme heureux et serrait dans une pose de tendresse un rêve qui se réalisait.

Je me levai et m'installai sur le pas de la porte de ma masure centenaire que je rafistolais tant bien que mal. Les lampions des hameaux au flanc des montagnes se disputaient aux étoiles de la nuit claire. Le ciel épousait la terre, comme mon Âme et mon JE. Ma méditation vagabondait sans but quand une main caressa mon épaule; le frôlement d'une jupe de laine, le corps aimé qui se blottit contre le mien et un souffle confident :

«Il fera beau demain. À quoi penses-tu ?»

Gwenaelle, déjà très mère, jouait de son sixième sens. Mon absence près d'elle, l'avait réveillée.

«Je suis heureux. J'ai trouvé la paix et les réponses que je cherchais depuis si longtemps. Elles étaient en moi. Grâce aux méditations de *Lumière*, j'ai redécouvert la substance de la Connaissance absolue. Je n'ai qu'à y puiser les éléments de ma compréhension. Tout est simple. Quand tu comprends le Un, tu comprends le Tout, car Tout est à l'image du Un sur des plans de conscience différents. Je suis un autre. Je ne doute plus, j'ai seulement la certitude de ce que je suis et du bonheur que j'ai de t'avoir. Ça fait cul-cul ! Je m'en fous. Mais j'ai le droit de dire aujourd'hui que notre complexité provient du capharnaüm de notre esprit. Nous attirons, nous provoquons ce qui nous ressemble et la simplicité fait pompier parce qu'elle touche le cœur de l'enfant... pas celui de l'adulte qui court après un merveilleux qu'il refuse. Contradiction !

Je ne sauverai pas le monde. Il y en a un qui est déjà mort sur la croix. Ça suffit ! Mais... au moins offrir aux autres les outils pour rencontrer leur *Lumière,* se situer dans leur quête d'eux-mêmes et mesurer le chemin à parcourir ! Maintenant que je connais la mort, je veux parler de la vie et vivre.

— Kris, qu'as-tu découvert sur la mort que tu ne comprenais pas et qui a tant soulagé ta conscience ?

— Pas seulement soulagé ! Surtout ouvert mon Âme à la Connaissance. L'ai-je vraiment trouvée ou n'est-ce qu'une réminiscence de ce que je savais déjà ? J'ai découvert le piège de la Clarté mortelle que l'on dit *amour*. Dis-moi, t'es-tu déjà évanouie ?

— Oui, mais ça ne date pas d'hier.

— Qu'as-tu ressenti ?

— Difficile à dire ! Je me suis sentie faible, oppressée. Je n'arrivais plus à me soutenir. J'étais consciente mais impuissante à réagir, passive. Puis, j'ai sombré en moi. Curieux... j'éprouvais un certain plaisir à me laisser aller. Puis, plus rien !

— Juste avant de perdre connaissance, as-tu perçu quelque chose ?

— Attends! Peut-être une sorte de flash fulgurant, une clarté blanchâtre... comme l'éclat d'une lampe qui grille...

— Une clarté blanchâtre ! Le mourant perçoit la même lueur au rythme de sa forme-pensée personnelle. Cette Clarté, soi-disant expression de l'Amour divin, est en fait absence, comme un évanouissement. Au fur et à mesure que sa vie se fragilise et que sa pensée devient éthérée à cause de la fuite de l'énergie vitale, la lueur de son absence *grandit en lui*. Alors qu'il vient de revivre sa vie, il assimile cette Clarté d'absence à l'amour puisqu'elle est sans émotion, sans problème... vide ! S'il a la chance de revenir dans son corps, il y repense et la trouve fantastique. À côté, le monde paraît fade. Mais sait-il qu'elle n'est qu'un leurre à l'image de toute son existence : absence ! Absence à lui. Il a couru après des chimères sans trouver ce qu'il cherchait : lui. Il suffisait de s'arrêter et tout serait terminé. Dans Perceval, un roman initiatique du Moyen Âge, le roi Arthur envoie ses chevaliers chercher le Saint-Graal de par le monde.

— Le calice qui a recueilli le sang du Christ après que Longin eut percé son flanc.

— Oui. Des chevaliers périssent, d'autres reviennent bredouilles après des années d'errance. Un seul, Perceval, a compris que le Saint-Graal se trouvait dans son cœur. On devrait tous, comme Perceval, prendre conscience de cette chance unique de devenir *Lumière* en regardant au-dedans de soi au lieu de s'accrocher aux transformations de la matière. La fausse Clarté est un feu illusoire qui n'attire que les éphémères. Les ailes brûlées, le corps grillé, elles retournent à la cendre, conformément à la sentence adamique : *tu es poussière et tu redeviendras poussière*. Le JE meurt en se diluant. Mais le corps vital ne se vide pas de la vie dans l'instant. Les cheveux, les ongles d'un cadavre continuent à pousser, les dents se carient. Le *corps vital résiduel* suit le corps physique. Des spirites l'appellent *aersome* et affirment pouvoir le voir. D'après eux, le mort suivrait son enterrement. Inexact ! Il s'agit du corps vital résiduel qui met en effet quelque temps à se dissoudre mais pas du disparu, car s'il a raté son voyage, il est mort et bien mort.

— Pourquoi dis-tu que la Clarté *grandit en lui* ?

— Considère les rêves ! Pendant ton sommeil, tu parcours des milliers de kilomètres, le monde, l'univers. Il t'arrive des aventures émouvantes auxquelles tu adhères comme si elles étaient vraies... et pourtant, tu rêves. Tu es dans ton lit et tout se passe dans ta tête. La mort est comme un rêve, sauf qu'elle est réelle et s'accorde sur le niveau de conscience atteint pendant la vie. Par exemple, le sceptique invétéré sera tellement imprégné de doute qu'il subira sa mort dans l'indécision. Le doctrinaire dogmatique sera si désorienté de ne pas découvrir son paradis qu'il se laissera attirer vers la Clarté, assuré d'avoir trouvé son Dieu. L'angoissé qui n'a cessé de fuir son ombre croira se réfugier dans le soleil. De telles dispositions les persuadent tous que la Clarté est un phénomène extérieur à eux qu'il faut atteindre, alors qu'à l'instar d'un rêve, TOUT SE PASSE DANS LEUR ESPRIT. Il n'y a aucune Clarté à atteindre. La Clarté est notre absence qui grandit en nous à cause du délitement progressif de l'énergie vitale, d'où la sensation de chute dans un tunnel. À l'extérieur de l'esprit, la nuit est noire. Le mourant s'évanouit à lui comme au cours d'une banale perte de connaissance. Mais s'évanouir signifie disparaître pour toujours.

— Tu parles comme un livre. La grande Clarté en perd tout son merveilleux. C'est d'une logique irréfutable, trop froide même.

— Pas pour le mourant. Pour lui, c'est un émerveillement. C'est pourquoi la mort est toujours belle. Mais si je détruis un mythe et tue le rêve, la réalité est plus fantastique. À la mort, tant que l'énergie vitale te sustente, tu vois et entends ce qui se passe sur le plan physique. Progressivement, une paralysie engourdit ta conscience. Tu dois alors absolument faire l'effort psychique de rester lucide, affirmer avec détermination ta certitude d'être pour que la vie continue en conscience. À aucun moment, tu ne dois abandonner. La Clarté est un signal dont l'intensité est inversement proportionnelle à ton désir de demeurer. Tu sombres ? Elle apparaît et signe la dissociation du complexe JE-Âme, car le JE n'a plus l'énergie nécessaire pour retenir l'Âme. Tu demeures ? La Clarté s'éloigne. Le JE féconde l'Âme, ta conscience grandit en *Lumière* jusqu'à l'infini. Tu n'iras pas à la Clarté, tu deviendras *Lumière.*

— Et les sons, les voix, les murmures ?

— Un bruit de fond plutôt, sans sons ni paroles. Il t'arrive d'allumer la radio pendant la journée. Entends-tu vraiment la musique ?

— Pas vraiment ! Elle meuble le silence, crée de la compagnie.

— Parfois, pourtant, un air te rejoint et tu t'arrêtes pour l'écouter. *Tu prends conscience de la mélodie.*

— Vu sous cet angle, en effet.

— Dans la mort, seuls demeurent ceux qui ont su conserver leur combativité. **Si dans ta vie, tu as appris à être, dans la mort *tu sauras rester*.** Pendant ce fragile instant infini où ta détermination s'affirme, ta conscience objective s'amenuise. Ce moment-frontière est capital, car tu ne peux plus te raccrocher consciemment à ce que tu as été. Le film de ta vie défile et te pousse à abandonner la lutte. Tu n'es plus qu'un esprit avec, pour seule réalité, ta forme-pensée, ta conscience d'être. Si tu n'as jamais manifesté le moindre intérêt envers ton identité profonde, tu disparais. Si, au contraire, *tu as pris conscience* d'être toi et pas une autre, tu affirmes ta résolution de demeurer, car dans la mesure où ton JE reste *conscient* encore un temps, ton *vouloir* en tant que concept rejoint ta *volonté* en tant qu'acte. C'est alors que le murmure apparaît DANS ton esprit. C'est le langage des Maîtres réalisés qui t'encouragent à demeurer toi et consciente en vue du transfert, de la fécondation astrale, de la symbiose spirituelle du JE-Âme. Tu pénètres alors dans le Monde des Entités de Sidéralité. Ce murmure est semblable à la mélodie qui habillait ton silence. Si tu ne t'en rends pas compte, elle emplit ton absence comme une berceuse dont la rengaine endort le bébé le plus tranquillement du monde. Mais si un air particulier t'attire, tu en prends conscience. Tu es donc consciente d'exister et d'écouter. L'enfant qui s'intéresse aux paroles de la berceuse ne s'endort pas.»

Sous la faible lueur lunaire, je traçai du bout d'une petite branche une esquisse* dans la poussière.

«Voici deux demi-cercles tangents. À droite, le Monde de l'Absolu, à gauche celui de la Matière. Les deux demi-cercles décrivent une sorte de X qui évoque un trou noir, la frontière entre le Tout et le Rien. Une parcelle d'Absolu franchit la frontière. Voilà ! Cette petite bulle, c'est ton Âme autour de laquelle s'agglutinent des millions de spermatozoïdes personnalisant la vie. À la mort, en l'absence de fécondation, l'Âme vide se retrouve en instance de réincarnation dans le secteur inférieur du X, le Marais astral. S'il y a fécondation, le JE pénètre l'Âme et le couple JE-Âme rejoint l'Ordre de Sidéralité. Je pourrais dessiner dans le secteur du Monde de Sidéralité, plusieurs petits cercles fécondés par des JE vitaux identiques, mais différents dans leur révélation. Mais on voit bien que toutes les Âmes sont identiques, autrement dit que toutes les Entités de Sidéralité sont des Maîtres Connaissants.

— Où se trouve le Monde des Entités de Sidéralité ?

— Ici, là, devant, partout autour de la Terre ! En fait, dans le sidéral de la Terre, car il est spécifique d'une planète qui entretient la vie de type humain. Le sens commun exige un haut et un bas. Le haut étant par définition supérieur : le ciel, et le bas inférieur : l'enfer. Évidemment, c'est une représentation, une vue de l'esprit; le haut et le bas n'ont aucune réalité tangible. Les

---

* Voir page 203.

spécialistes du voyage astral prétendent avoir frôlé des dimensions supérieures interdites. Il faut démystifier cela.

Imagine trois sphères quelconques de mêmes dimensions mais pouvant s'interpénétrer toutes trois. Aucune n'est supérieure à l'autre, seul les différencie leur état vibratoire ou leur niveau de conscience. Le Monde terrestre est la sphère de la conscience cérébrale. Elle est ENTOURÉE par les deux autres. L'une correspond au Marais astral — mais je préfère l'expression Marais spatio-temporel qui montre bien que l'Âme reste liée aux contingences matérielles, même s'il est hors du temps et de l'espace. Là, l'Âme SANS le JE est en instance de réincarnation dans un corps animé par un autre JE, dans l'attente d'une nouvelle promesse de mariage. La troisième sphère est celle de l'Ordre de Sidéralité, un niveau vibratoire plus subtil, plus organisé, plus harmonieux, d'où le terme Ordre; l'Âme est en symbiose AVEC le JE. Par analogie, on peut distinguer en haut, l'Ordre de Sidéralité, plus éthéré que le Marais astral en bas, plus dense et parcouru de formes-pensées plus chaotiques.

Je le répète, ces trois Mondes s'interpénètrent. Les vibrations du Marais astral et de l'Ordre de Sidéralité ne sont pas assez subtiles; elles ne sont pas inaccessibles au vivant, comme l'indiquent les manifestations spirites certes, mais surtout l'action des Maîtres dans le Monde physique. À l'opposé, le dédoublement permet d'accéder au Monde astral.

— Le Monde astral ? Un quatrième Monde ?

— Non, Gwenaelle ! Le Monde astral est une frontière entre deux états, la vie et la mort. Imagine une carte ! Une ligne en pointillé sépare deux pays. Le pays que tu quittes est le Monde de la Matière. L'autre pays a deux provinces : le Marais astral et l'Ordre de Sidéralité. Pour voyager d'un pays à l'autre, tu franchis d'abord la douane du pays que tu quittes, tu entres en zone neutre, puis tu passes un deuxième poste de douane pour entrer dans l'autre pays. La première douane correspond au dédoublement qui te dédouane du corps physique. Mais le deuxième poste de douane ne te laissera pas passer, car dédouanée ou non, tu traînes avec toi une corde d'argent ou cordon astral qui te relie à ton corps, donc au pays que tu quittes. La frontière te restera fermée parce que tu n'as pas reçu le visa de la

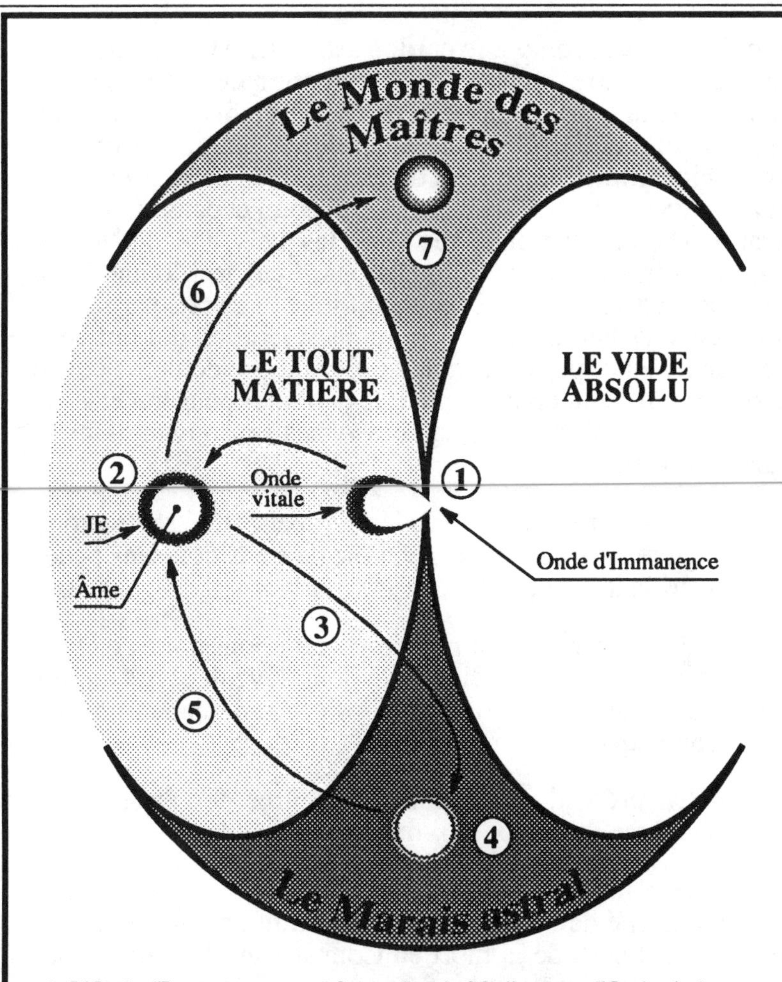

1- L'Onde d'Immanence prend forme dans la Matière avec l'Onde vitale.
2- Elle devient une Âme vivante (Substratum) dans le JE vital.
3- Le JE se révèle incapable de guider l'Âme dans le Monde des Maîtres.
4- L'Âme se retrouve dans le Marais astral (Marais spatio-temporel).
5- L'Âme s'incarne dans un nouveau JE vital.
6- Au bout de «x» incarnations, l'Âme découvre un JE *valable* qui la conduit dans le Monde des Maîtres (Ordre de Sidéralité).
7- Le JE a fécondé l'Âme; le couple JE-Âme est devenu un *Être de lumière*.

Nota : Après la mort du support physique, l'Âme atteint *idéologiquement* la frontière entre leTout-Matière et le Vide absolu — le point 1 où l'Onde de forme concrétise l'Onde d'Immanence en une Âme vivante — pour se retrouver dans le Marais astral OU le Monde des Maîtres.

mort qui seule peut rompre le cordon astral. Le Monde astral est donc la zone neutre — une zone internationale si tu veux — entre la vie et la mort, mais aussi entre les provinces du Marais spatio-temporel et de l'Ordre de Sidéralité. Comme la frontière parcourt l'intégralité du Monde de l'au-delà, tu peux *pressentir* ce qui se passe dans le Marais spatio-temporel et dans l'Ordre de Sidéralité. D'où les témoignages selon lesquels, dans le Monde astral, on *pressent* d'autres dimensions. Seul le Monde de la Matière peut être *vu* avec précision, puisque tu en fais partie. Par contre, seuls les habitants de l'Ordre de Sidéralité, qui ont conservé leur JE vital, peuvent franchir leur propre douane pour te rencontrer en zone internationale et te parrainer pour traverser la frontière. Ce qui n'est pas le cas des Âmes se trouvant dans le Marais spatio-temporel.

— Ainsi, une Entité de Sidéralité peut pénétrer en zone neutre et agir auprès des vivants en voie de transition sans pénétrer le Monde de la Matière ?

— Exactement. Il est plus important pour nous de chercher à rejoindre l'Ordre de Sidéralité pour devenir actifs auprès de ceux que nous aimons que de nous croire indispensables à nos amis, au risque de rater le voyage.

— On prétend qu'on peut rencontrer des êtres chers décédés ou même ses aïeux. Toi-même, tu as vu ton Père ?

— Je n'ai pas *vu* mon Père. J'ai perçu sa résonance à travers une Entité de Sidéralité. J'en ai déduit qu'il s'agissait de lui et qu'il était sorti de la mort en Connaissant. Les amis dont nous gardons la mémoire et qui se sont réalisés, peuvent nous aider à franchir l'ultime étape. Les autres en sont incapables. Leur JE est mort et leur Âme se prépare à la réincarnation.

— Mais moi, comment puis-je savoir si ma Grand-Mère que j'aimais tendrement n'est pas dans le Marais spatio-temporel ?

— Ta Grand-Mère en tant que personnalité *Grand-Mère de Gwenaelle* ne peut aller dans le Marais spatio-temporel. Son Âme, oui... si elle a raté son voyage. En fait, tu ne peux pas répondre, sauf si elle s'est manifestée à toi. Je m'explique. Si le mourant fait une fixation sur un être aimé, ce dernier peut recevoir par télépathie l'expression de cet amour. Ma sœur a ainsi découvert que notre Père l'aimait plus qu'elle ne le pensait. La puissance psychique du dernier instant peut même provoquer une matérialisation ectoplasmique. Parfois, le message télépathique arrive à destination plusieurs heures après la mort. Tout dépend de la disponibilité du destinataire. Quoi qu'il en soit, ce genre de manifestation ne prouve pas que le décédé est passé du bon côté. Penser à lui, en songe ou consciemment, ne change rien à l'affaire. Par contre, s'il est devenu un *Maître de lumière*, il signale toujours sa présence à ceux qui lui ont manifesté un authentique amour.

On dit que les morts ne sont jamais revenus pour nous dire ce qui se passe de l'autre côté. C'est faux, ils ne font que ça. Mais, comme on ne se voit bien que dans son miroir — Narcisse tiens ! —, on se fait plaisir en habillant le disparu de ses fantasmes et en projetant sur lui la forme qu'il avait de son vivant. Triste illusion encore ! Le Connaissant *communique de l'intérieur*. Encore faut-il entendre la sonnerie et décrocher le téléphone ! Et, du même coup, percevoir le murmure de la *musique des sphères*.

J'ignorais tout ça quand mon Père est mort, mais j'étais convaincu qu'il *vivait* toujours. Je me sentais réconforté quand j'allais mal. Vois-tu, la différence entre l'hypothétique message d'un mort et le contact réel avec lui, réside dans la montée de l'énergie vivifiante dont on se trouve envahi. Cette force grandissante apporte une paix enivrante. Le bonheur dynamise notre soif de vivre. Je n'aurais pas assez d'un livre pour traduire cette richesse. Et on ose dire que les habitants de l'après-vie ne nous communiquent pas leur réalité ! Les charlatans de l'improbable font croire qu'ils peuvent faire apparaître des guides. Fadaises ! Tout le monde peut communiquer. C'est gratuit en plus. Il suffit d'être à son écoute intérieure. Et le meilleur, on t'appelle même par ton prénom.

— Comme la voix qui t'a dit : *"Tu devais goûter la mort pour témoigner de la vie auprès de tes semblables ?"*

— Je ne sais toujours pas d'où elle venait. Une mission ? J'ai une petite idée là-dessus mais ce n'est pas encore clair. Mais je t'assure que je n'ai pas... l'âme d'un martyr. Je suis si heureux de vivre près de toi. Chaque instant est un diamant volé au temps qui me rend riche de vie. Mais les autres, là-bas.... *ceux d'en France ou d'ailleurs* ! J'aimerais tant partager ma joie avec eux, leur donner des trucs, je ne sais pas, moi... comment atteindre leur vérité et devenir à leur tour des *Êtres de Lumière*.»

Gwenaelle se leva, fit quelques pas sur le sentier et se retourna brusquement, la tête de guingois, le sourire moqueur.

— *Lumière* ne t'a pas encore expliqué comment ?

— Non ! répondis-je en souriant. Le déménagement, le boulot à Challes-les-Eaux... je n'ai pas eu le temps de méditer. C'est la première fois, ce soir, que je rassemble mes données avec autant de clarté. Assembler mais non remodeler. Je les traduis mal, je ne les... transcris pas. Les impressions sont claires, faciles, simples, elles me transportent... mais elles grignotent ma cervelle et pondent des morceaux de mot ou de phrase : bouleversements progressifs, réveil de la Connaissance, impressions nouvelles s'engouffrant dans des portes grandes ouvertes, lâcher prise intérieur, écoute totale de mon Âme, plus de doute, ni violence personnelle, ni torture de l'esprit. Au total une belle matière première à transformer. J'aurais besoin d'aide pour mettre ça en forme. Il faudrait ... un moyen d'expression. Mais tout ce que nous avons échangé, je le découvre avec toi. Tu es mon égérie. Tu me gardes en vie comme un ange descendu du ciel. Tu te rends compte ? Un ange gardien doit aider son protégé, pas tomber amoureux de lui.»

Gwenaelle s'avança vers moi. Je la serrai très fort tandis que mon regard se perdait dans le vague de la mer de lune. Une voix chaude me soupira avec une grande satisfaction :

«Je suis fier de toi, Kris. Tu commences à vivre ta spiritualité vers l'avenir irréversible que *tu as choisi*. Ton authenticité résonne en harmonie avec les sphères subtiles. Elles te préparent à ouvrir ton Âme au Divin.

— *Lumière*, moi aussi je suis heureux.»

* *
*

13

LA MORT GUIDÉE

Mes propos font appel à ma mémoire, n'ayant pris aucune note de cet événement particulier.

Gwenaelle s'était prise d'affection pour un couple Albiézois qui habitait, à l'orée du village, un petit hameau nommé *À la ville*. Philomène était une brave Savoyarde cordiale et aimant la jeunesse qui portait bien ses soixante ans. J'hésite sur le prénom de son mari à la santé fragile. Je pense bien que c'était Henri. Je ne sais plus si ce couple avait encore de la famille quelque part chez *ceux d'en France*, mais ici, sur ce toit du monde, nous étions un peu leurs enfants. Je n'étais pas insensible au bon sens paysan d'Henri dont deux sentences biens senties me reviennent :

«Il faut travailler la terre en montagne pour comprendre à quel point elle est basse en ce monde.»

«Donne à manger à une meute de chiens ! Le plus fort mange à satiété et abandonne le reste aux autres. Donne à manger aux hommes, le plus fort s'empiffre et conserve le reste... au cas où !»

Gwenaelle leur rendait souvent visite pour papoter. Elle rapportait le lait frais qui avait bouleversé mes habitudes, car il accompagnait désormais mon café matinal avec du bon pain du pays. Après avoir tant broyé du noir tant que je n'avais pas déjeuné, je survolais maintenant la crème voilant le café comme un nuage qui diluait mes états d'âme. On dit que ça fait mal à l'estomac. Pas à moi !

L'hiver ! La terre avait épousé le ciel de février et s'était figée dans l'épaisse pelisse qui pétait le feu sous le soleil. Éblouissant ! Dans les coulisses, la nature se refaisait une beauté et préparait les pépites d'or du printemps ou étouffait pour de bon ce qui avait trop duré.

L'automne précédent, Henri avait pris le mal qui refusa de le lâcher et sa santé s'était fortement dégradée. Il avait 70 ans et la vie le quittait au rythme des jours qui raccourcissaient. Gwenaelle avait plus d'une fois discuté avec Philomène de mon expérience per-mortem et des conclusions que j'en avais tirées. On imagine les personnes âgées coincées dans les croyances obtuses qui ont dirigé leur vie mais on oublie que le merveilleux offre sa chance à ceux qui veulent l'écouter. Le naufrage des sens n'a d'autre but que d'inviter le vieillard à faire sabbat, à être à l'écoute de sa réalité profonde pendant que les perceptions externes, faute d'attache, restreignent les limites de leur juridiction. Le vieillard qui a bien vécu, entre en résonance avec sa notion d'être et mesure sa certitude d'exister dans l'au-delà. En général, ces êtres sublimes nous quittent vite et bien, comme s'ils avaient juste oublié de respirer. Ils savent quand ils doivent partir, ils choisissent même leur moment. Ils sont prêts : tout est en place, affaires réglées ! Ils appartiennent déjà à l'autre monde. D'autres par contre, refusent ce qu'ils considèrent comme une déchéance, s'accrochent à l'Eldorado qui leur échappe; ces désespérés s'enlisent dans l'illusion, n'en finissent plus de mourir et traînent leur vieille carcasse comme le boulet d'un condamné aux travaux forcés. Bien sûr, tout est nuance et l'expérience individuelle n'obéit jamais à des règles immuables.

Quoi qu'il en soit, Henri avait décidé de nous tirer sa révérence. Philomène ne l'entendait pas du tout de cette oreille et elle lui avait demandé d'attendre juste un peu, le temps de s'y habituer.

Le dernier soir, Philomène était venue nous chercher. Le dernier curé avait déserté le village. L'église menaçait ruine, le clocher s'était effondré et ses pierres soutenaient désormais la foi des maisons contre l'hiver. Au demeurant, à quoi aurait servi l'extrême-onction puisque même ici, la magie du culte avait aliéné son pouvoir sur la mort ? Autrefois, l'huile sainte et l'énergie du rituel latin diluaient les liens vitaux de l'agonisant pour rompre la corde d'argent et dégager définitivement le corps vital. De la sorte, le mort ne subissait plus l'attrait de la matière qui risquait de fixer l'Âme dégagée de son JE à ce qu'elle abandonnait derrière elle. Mais, plus important, le rituel offrait les meilleures chances au Connaissant d'entrer dans le paradis de l'Ordre de Sidéralité. Aujourd'hui, l'extrême onction n'était plus qu'une arme supplémentaire dans l'arsenal thérapeutique de la réanimation d'urgence; on ne sait jamais, elle *peut* ressusciter les morts, façon comme une autre de se concilier les bonnes grâces du Seigneur en jouant sur les deux tableaux de toutes les subtilités du traitement de choc. Effet pervers de la libéralisation, l'Église avait tué la magie et renvoyé le pouvoir christique à la mémoire du temps.

Je me tenais aux côtés d'Henri. Son corps se creusait au rythme de sa respiration. Je percevais à peine le pouls, faible et lointain, qui sautait des marches et trébuchait au creux du poignet décharné. Sa conscience s'effilochait, interdisait le moindre mouvement. Le poids inconnu qui oppressait sa poitrine l'obligeait à rentrer en lui, l'emprisonnait dans un rôle de spectateur d'une vision dentelée qui broyait sa conscience et échappait à toute logique. Il semblait entraîné dans une tourmente qui libérait son esprit de l'oppression de son corps. Il frissonna comme un linceul sous un courant d'air glacé. Puis une pelletée d'ombre tomba sur ma pensée. J'imaginais pour lui un noir sans nuance dont le tourbillon glacial renvoya une perle de salive aux commissures des lèvres du mourant. Ce tout sans couleur le précipitait dans un chaos sans image, sans compréhension ni contrôle ni analyse : cauchemar, réalité ? Le résidu de sa conscience s'évapora dans une explosion en spirale, tandis qu'une poigne invisible nouait sa gorge. Un hoquet dans la raideur, puis plus rien.

Comme convenu au préalable, personne ne dit mot. Mais mon hochement de tête légèrement tendu confirma son départ pour des cieux que j'espérais pour lui éternels.

Je me levai dans le silence pesant. Compte tenu de son âge avancé, j'avais, en temps terrestre, une dizaine de minutes pour l'aider à basculer du bon côté de lui-même. La transition d'un homme plus jeune m'aurait laissé au moins vingt bonnes minutes. Question d'âge ! Tout se joue dans cette frange du non-temps où la forme-pensée du mourant lui fait vivre une éternité en une fraction de seconde.

Le mort voit et entend. Il ne s'agit pas de télépathie. Il observe ce qu'il a été avec déjà un certain détachement. Il faut donc trouver un lien : son prénom, objet de tendresse pour ceux qui l'ont aimé. Je devrai le répéter inlassablement pour le sortir de la torpeur dans laquelle il risque de basculer. Elle signerait son anéantissement.

Accompagner un mourant consiste essentiellement à :

- lui expliquer ce qu'il *vit* pour qu'il constate, dans ce monde étrange et inconnu, que vous avez raison, donc que vous pouvez le guider en toute confiance.
- l'obliger à garder la lucidité indispensable pour que, dans la pression de son état d'existence, son JE féconde son Âme.

Une seule précaution à prendre : ne jamais utiliser des phrases du genre : *"Tu sais que tu es mort"*, car le mourant est intimement convaincu qu'il va continuer à exister. Le choc peut le persuader que tout est fini et qu'il n'y a plus rien à faire alors que tout reste à venir.

«Henri ! Henri ! dis-je lentement d'une voix haute et vibrant de détermination et de confiance. Je sais que tu me vois et que tu m'entends. Henri ! Nous avons déjà parlé de ce que tu es en train de *vivre*. Henri ! Tu es là, je le sais. Ce monde te paraît étrange mais tu es bien vivant, tu es juste de l'autre côté.

Henri ! Dans le silence qui est le tien, je suis le lien qui te rattache à ce que tu as toujours été. Henri ! Des images surgissent dans ton esprit et te détournent de ma voix. Henri ! HENRI, tu m'entends ? Laisse ces images suivre leur cours sans y attacher d'importance. HENRI ! Constate comment chaque fois que tu entends ton nom, ta conscience s'éclaircit. HENRI ! Tout devient clair en toi quand tu fais l'effort de m'entendre. Laisse défiler les images qui se forment en toi et qui te rappellent ce que tu as vécu ici-bas. Henri ! HENRI ! Attache-toi à ma voix. Elle te relie à ta pensée.

Henri ! Malgré tes efforts, ma voix devient de plus en plus lointaine. HENRI, TU M'ENTENDS, TU DOIS M'ENTENDRE ! Regarde encore comme tout redevient clair en toi.

Henri ! À nouveau, ma voix s'éloigne tandis qu'une clarté t'apparaît et t'attire. HENRI ! Une lueur te détourne de moi. HENRI ! **HENRI !** REFUSE CETTE CLARTÉ, REGARDE ! CHAQUE FOIS QUE TU T'EFFORCES DE M'ENTENDRE, ELLE S'ÉLOIGNE POUR PRATIQUEMENT DISPARAÎTRE. HENRI ! **HENRI !** RESTE CONSCIENT D'EXISTER. CONTINUE À EXISTER !

HENRI ! TU PERÇOIS UN MURMURE. **HENRI !** ENTENDS CES VOIX QUI DOMINENT LA MIENNE. HENRI ! ELLES VEULENT PRENDRE LE RELAIS. **HENRI ! ESSAIE DE LES COMPRENDRE, CHERCHE LEUR COMPRÉHENSION ! HENRI !** CES VOIX TE GUIDENT VERS L'EXISTENCE. CE SONT DES AMIES. CHERCHE À LES COMPRENDRE !

HENRI ! CES VOIX TE CONDUISENT DE L'AUTRE CÔTÉ DU MIROIR. AU REVOIR, HENRI ! BONNE CHANCE ! **JE SAIS QUE TU ES PASSÉ DU BON COTÉ.**»

Le silence a conquis la pièce. J'étais exténué d'avoir donné tant d'amour et de puissance. C'est alors seulement que j'observai le visage d'Henri depuis que son souffle s'était éteint. Je m'étais adressé plus aux poutres chevillées du plafond qu'à la coquille vide qui reposait sur le lit. Henri souriait. Me remerciait-il ? Non, bien sûr ! Les muscles pauciers de la face s'étaient simplement relâchés, revivifiant le sourire que tant d'humains stressés ont perdu. Le sourire est naturel à la naissance. L'enfant sourit de bien-être de la même façon que le corps sourit de ne plus souffrir. N'empêche, ce sourire me réconforta et enrichit ma satisfaction personnelle.

Nous n'éprouvions aucune peine. Certes, nous n'avions pas envie de chanter ni de rire mais nous étions sereins. L'air était léger, s'emplissait d'énergie. Philomène avait le cœur lourd mais la mémoire se chargerait de combler l'absence. Elle servit le café. On parla d'Henri. Nous en parlions au présent. Philomène ne porta pas le deuil.

* *
*

À la lecture de ces lignes, on pourra m'interpeller et exiger des comptes : au nom de quelle morale me suis-je permis de guider un être humain vers le plan des Entités de Sidéralité ?

Au nom de la Connaissance et de l'humain, donc au nom de l'Amour !

Personne ne peut s'arroger le droit de décider qui est ou non autorisé à pénétrer le Monde des Maîtres, sous peine d'être lui-même jugé.

La mort n'est pas un châtiment mais la conséquence de la vie parce qu'une Âme de l'Absolu, en prenant conscience par l'Âme de la Matière, le JE, permet à l'Immobile de se connaître par le Mouvant. En dehors de cette évidence, tout le reste est littérature ou conviction personnelle.

La Connaissance transcende la matière et ne moralise rien. La morale ressortit de conventions et de normes plus ou moins culpabilisantes que des hommes, qui prétendent connaître les frontières du bien et du mal et dont l'histoire illustre plus souvent la maxime *Faites ce que je dis, ne faites pas ce que je fais,* imposent à d'autres hommes. Le proverbe *Autres temps, autres mœurs*, s'applique aussi à la morale et illustre les perversions des uns érigées en summum de vérité par les autres.

Quant à la responsabilité d'utiliser cette technique d'accompagnement au regard de la loi karmique, encore faut-il savoir ce qu'est le karma et quels sont les principes qui ordonnent la réincarnation. J'affirme en toute certitude que vous ne prendrez pas sur vos épaules les péchés d'un mort qui n'aura du reste rien à payer, tout simplement parce que cette technique reste sans valeur si elle est dépourvue d'amour. Or, l'amour est rédempteur quand il est authentique, harmonie, paix et disponibilité.

La vie s'est chargée de me l'enseigner et *Lumière* me l'a révélé. J'ai pris bonne note de son enseignement que je transcris dans les entretiens de ce livre.

* *
*

14

LE MARAIS DE L'ÂME

«Kris, aujourd'hui, c'est moi qui pose les questions.

— Je pourrai répondre ?

— Tu en as toujours été capable, mais comme la plupart des mortels, tu as passé ta vie à écouter ton MOI aux dépens de ton Maître Intérieur. Tu trouvais plus confortable de te conformer aux diktats des données acquises que de les remettre en question. Tu te prostituais pour gagner l'estime d'autrui, conserver son affection, te garder du qu'en-dira-t'on. Mais pas question de dénoncer ta propre hypocrisie, n'est-ce pas ? Plutôt jouer la comédie que reconnaître tes erreurs et faire naître l'enfant qui sommeille en toi !

Pardonne-moi cette sévérité ! Il faut du courage pour s'ériger contre la norme établie et gagner le droit de se regarder en face. Devenir *Lumière* dans l'au-delà est le privilège du gagnant qui a accepté la vraie Connaissance par le JE et l'Âme.

Tu as déjà subi beaucoup de transformations. Tu t'es efforcé de retrouver la vérité qui a été tienne lors de ton grand voyage. Maintenant, le canal est ouvert. Il te suffit d'entrer en résonance avec ton Être intérieur pour trouver par toi-même les réponses à toutes tes questions.

Pendant des années, *j'ai été ton propre miroir* pour t'aider à dépasser les apparences, conquérir ton autonomie, aiguiser ton esprit critique et devenir Maître de toi. La découverte de la Connaissance est un émerveillement constant; encore faut-il pouvoir l'exprimer, l'adapter afin de l'utiliser comme tremplin à un entendement plus subtil. Voilà le rôle du MOI. À toi maintenant de faire tes preuves et de démontrer qu'il est devenu un serviteur fidèle à l'expression de la vraie spiritualité.

À partir de ton savoir et de ton intuition, explique-moi l'activité de l'Âme dans le Marais spatio-temporel. Pour mémoire, le Marais spatio-temporel, ou Marais astral, symbolise l'*endroit* où *séjourne* l'Âme qui ne peut se rendre dans l'Ordre de Sidéralité, le Monde des Maîtres, parce que le JE humain n'a pu assurer son rôle de guide.»

La demande de *Lumière* se conformait au cadre imposé aux chercheurs sur la voie de l'autonomie spirituelle. J'aime les symboles. C'est pourquoi cette journée reste gravée dans ma mémoire. Le chant des oiseaux batailleurs m'avait tiré du sommeil plus sûrement que la mécanique du réveil-matin. Le jour m'avait tiré par les pieds en chassant le diable-hiver. La nature s'activait. Les fleurs pointaient leurs boutons téméraires à travers la neige pour respirer le printemps et le soleil. Le trop-plein d'énergie puisée dans les rêves d'une trop longue nuit d'hiver ranimait les nains, les elfes et les fées qui hurlaient de rire et jouaient déjà à publier les fiançailles des animaux, des plantes et des insectes. Alouette !

Le ventre de Gwenaelle arrondissait son ove avec prétention. L'enfant prenait sa place... avant de prendre de la place. Quatre mois encore ! Pour l'heure, moi, son Père, devais venir au monde avant lui.

«Le jeu en vaut la chandelle. Je me jette à l'eau...

— Encore ? fit *Lumière* malicieux.

— Juste pour vérifier que je sais nager... et me permettre quelques théories personnelles pour clarifier quatre points essentiels : **l'instinct, le stress, l'émotion, la sensibilité.**

L'instinct est une tendance innée et irréfléchie de tous les membres d'une même espèce. Il oriente les comportements en vue de l'adaptation. Il est en rapport direct avec l'élémental. Toutes les créatures du règne animal sont parfaitement adaptées à leur milieu naturel, leur biotope. La loi du plus fort régit la vie sauvage et prévient la dégénérescence de l'espèce : les faibles sont impitoyablement éliminés. L'adaptation est un gage de survie. Rien n'est bien, rien n'est mal, seules comptent la perpétuation de l'espèce et sa sécurité. L'instinct est l'outil de cette survie.

L'Homme est un animal supérieur. Supérieur par l'intelligence, certes, mais quand même un animal, également soumis aux instincts, et qui plus est, à la nécessité d'assurer la survivance de l'espèce pour que — et il est toujours bon de chanter le refrain — *l'Âme de l'Absolu prenne conscience d'elle-même par l'Âme de Matière*. L'instinct sexuel, de conservation, l'instinct maternel... nous rattachent à la terre plus sûrement que n'importe quel péché.

Grâce à l'organisation policée de la société, la civilisation a réprimé les expressions élémentaires de la loi du plus fort. Mais elle ne l'a pas supprimée, bien au contraire, puisqu'elle alimente toute la problématique du pouvoir. Le pouvoir ne se réduit pas à l'autorité de l'État mais englobe toute activité, parole ou acte, ayant pour but, avoué ou non, la domination d'un élément social sur un ou plusieurs autres. Qu'il y ait ou non volonté délibérée de domination importe peu, seul l'objectif compte, c'est-à-dire l'intérêt individuel ou collectif dans une optique de plaisir, de jouissance de biens matériels, intellectuels, voire d'objectifs plus abstraits...

Le choix d'une profession soi-disant *altruiste*, les options politiques, les idéologies répondent aux mêmes nécessités *de base* que l'envie d'une villa à Nîmes ou d'une croisière aux Antilles : l'intérêt rejoint la satisfaction du désir-plaisir, donc les moyens de se procurer l'objet, c'est-à-dire le pouvoir et, à terme, l'assurance de la survie. Qu'importe si les voies qui conduisent à la satisfaction sont pavées de risques, de bonnes ou de mauvaises intentions : à l'extrême, conduite suicidaire provocation sociale, drogue, escroquerie, meurtre et bien sûr guerre-révolution-otage au nom de Dieu-Liberté-Peuple (rayer la mention inutile). Je te renvoie à tes chères études, de Freud à Henri Laborit et tout le toutim !

Or, pour assurer la satisfaction de son désir, l'Homme est capable de toutes les compromissions : la fin justifie les moyens ! Seul, l'animal humain tue ses semblables pour accroître, *sans justification biologique*, les limites de son territoire foncier, intellectuel, idéologique ou, plus prosaïquement, financier. Alors, instincts, besoins fondamentaux ou grandes pulsions philosophiques... je m'interroge sur la différence ! Au plus bas niveau, l'individu qui ne prend pas conscience de ses pulsions et qui est incapable de contrôler ses décharges glandulaires est prêt à tout, viol, torture, trahison, meurtre organisé... Pour sauver sa peau, il vendra sa mère ou fantasmera sur la culpabilité des autres, les *pas comme lui*, les sales gueules... Vers quel nouvel holocauste s'orientera la solution finale ? Le tout avec la meilleure foi du monde !

Dans ce tableau qui n'a rien d'idyllique et qui rabaisse quelque peu notre superbe, le bellâtre homo se retrouve simple animal, un obscur, un sans-grade, guère différent d'un petit rongeur ou d'un rapace. Mais qui est le rongeur, qui est le rapace ? Question sans objet, car l'un comme l'autre obéissent à la Loi inéluctable qui foudroie l'un au profit de l'autre. Instinct toujours !

Le comportement fondé sur l'agressivité — extériorisée ou non — en vue d'accéder au pouvoir comme moyen de satisfaire ses désirs constitue pour diverses religions le *péché*. Alors, question : les instincts n'ont-ils pas pour but d'obliger l'Homme à s'incruster dans l'écosystème animal et ne le condamnent-ils pas à se réincarner tant qu'un JE ne devient pas maître de la situation ?

— Rien à dire jusqu'à présent. Continue !

— Nous avons vu que l'énergie vitale assure le fonctionnement subconscient de l'individu par l'entremise du système neuro-végétatif dont les effets sur le corps physique sont variables, plus souvent inaperçus — respiration, rythme cardiaque, digestion —, tantôt plus évidents et dominant tout le mental : pâleur, sueur, évanouissement, tachycardie, palpitations... Cette activité est liée aux organes des sens et aux récepteurs proprioceptifs qui transmettent au cerveau des informations liées à la perception d'une situation particulière. Attention ! la transmission d'une information ne signifie pas *prise de conscience*. Par exemple, la marche est une activité volontaire parce qu'elle fait intervenir les muscles striés. Mais personne ne réfléchit à chaque seconde sur les muscles qu'il doit faire fonctionner.

L'analyse — consciente ou non — des informations induit une réaction mentale où l'objectivité rationnelle n'a rien à faire, car ce n'est pas son rôle. L'estomac est vide, il se contracte, tu as faim et pour peu que tu manques de sucre, tu pâlis et tu tombes dans les pommes. Diagnostic : hypoglycémie ! Tu travailles au soleil, il fait chaud, tu es en nage parce que ton centre de régulation thermique fait son boulot sans te demander ton avis... Tu es seul, tu te ballades en ville, *elle* s'approche, tu *la* trouves belle, tu.... bref !

La localisation anatomique des instincts a donné lieu à des querelles byzantines. Ne revenons pas là-dessus. Constatons simplement que le réseau du système nerveux neuro-végétatif parcourt tout le corps et concentre les effets — *et non les causes* — de toutes les pulsions instinctives : hypothalamus, hyppocampe, corps striés, système réticulé, système sympathique et parasympathique, récepteurs alpha et bêta-adrénergiques, plexus nerveux, en particulier le plexus solaire. Celui-là est important !

Hans Selye, un chercheur belge établi à Montréal, a décrit dans les années 50 *le syndrome général d'adaptation* qu'il a dénommé **stress**. Le stress est d'abord une réaction générale de l'organisme intéressant le système neuro-endocrinien dans son ensemble, en réponse à un ou plusieurs facteurs de déséquilibre. On parle d'agressions physiologiques ou psychologiques sans lui attribuer une valeur négative ou positive. Une grande joie est une agression, comme une grande peine, car elle provoque un déséquilibre du système neuro-endocrinien.

Un facteur de déséquilibre est un *mouvement* de l'existence, c'est-à-dire la perception d'un phénomène, du plus insignifiant au plus dramatique : l'alternance de la veille et du sommeil, la faim, la soif, le trac, l'attente, les retrouvailles, l'orgasme, le divorce, la perte d'emploi, la mort d'un proche... Tout est déséquilibre, *tout est mouvement*. Le stress n'est qu'une réaction en vue d'un rééquilibre. Bien entendu, il n'y a pas UNE cause précise au stress, mais des facteurs de risques multiples qui s'influencent mutuellement. Il était important de remettre les pendules à l'heure, car on apprête le stress à toutes les sauces.

Les effets du stress sont innombrables et le plus souvent inaperçus. La symptomatologie lui associe des réactions vasomotrices du type rougeur ou pâleur, des tremblements, des palpitations, des gastralgies, des sensations d'étouffement, la constipation... Il peut provoquer un ulcère duodénal suraigu, favoriser l'infarctus, diminuer les résistances immunitaires. Mais à la base, le *primum movens*, c'est-à-dire la première manifestation physiologique du stress est un bombardement hormonal par les glandes surrénales, en étroite dépendance avec le *plexus solaire*. Le revoilà ! J'insiste : l'activité hormonale est un phénomène et non une cause. Je laisse donc aux scientifiques ou aux écorcheurs de cheveux le soin de chercher la poule et l'œuf ! Le stress régule l'activité humaine dans ses moindres manifestations, car la vie n'est qu'une succession permanente de déséquilibres caractérisant la diversité, le mouvement. Il n'y a pas de vie sans stress et donc pas de santé non plus. La santé est, selon le professeur Dubos, un équilibre dynamique de toutes les potentialités humaines dans un environnement en perpétuelle mutation. On ne peut mieux décrire le caractère éphémère du Mouvant. Au total, le stress n'est ni bon ni mauvais, il est nécessaire.

Les spécificités individuelles modulent la symptomatologie et chacun réagit au stress à sa façon. Mais tous les individus, quel que soit le cas de figure, répondent par une activité mentale plus ou moins extériorisée : **l'émotion**, c'est-à-dire un mouvement — encore — de l'affect : éclat, colère ou passivité, froideur, chagrin, angoisse... Il n'y a aucune échappatoire possible : l'absence d'émotion est une... émotion ! Le fanfaron qui prétend n'éprouver aucune émotion est un robot... ou un crétin. **Le comportement humain, qu'on le veuille ou non, est dominé par le stress et sa conséquence directe, l'émotion.** Il n'y a là aucune codification morale. C'est comme ça que ça marche, point à la ligne !

Si donc le stress n'est ni bon ni mauvais, pourquoi classe-t'on les émotions en bonnes ou mauvaises ? Parce que l'activité neuro-végétative ne pense pas alors que le cerveau qui élabore la réaction mentale est doué de conscience objective. L'émotion est une production cérébrale résultant d'une myriade de stimuli, d'origine multifactorielle. Elle est ***négative*** si, au cours du processus d'adaptation, elle entraîne un déséquilibre plus important que le déséquilibre initial qui lui a donné naissance ou si elle conduit le corps à sa perte. Cette émotion négative se comporte comme certaines réactions de défense immunitaire; l'introduction d'un allergène — venin de guêpe, par exemple — peut provoquer un choc anaphylactique mortel, même si la mobilisation des défenses vise a priori la sauvegarde de l'individu. À l'inverse, une émotion *positive* équilibre les diverses constantes physiologiques et psychiques afin d'assurer la meilleure adaptation... *dans un environnement en perpétuelle mutation.*

Quelle que soit l'émotion, l'Homme, animal de raison, la perçoit, la subit. Il peut aussi l'analyser, la contrôler. Pas besoin de sortir de la Sorbonne pour ressentir la puissance négative de l'angoisse et du doute. Doute et angoisse sont des sentiments complexes, protéiformes, tentaculaires, qui se nourrissent l'un l'autre et s'autogénèrent en parfaite réciprocité.

L'angoisse — endogène ou exogène, primaire ou secondaire, névrotique ou psychotique — développe des réactions de défense négative d'une effroyable brutalité. Sa violence, parfois insidieuse parce que pas toujours assimilée par la conscience, est telle que les réactions neuro-végétatives entraînent des perturbations psychosomatiques dont les symptômes alimentent à leur tour l'angoisse, même si le facteur initial a disparu. Alors, tintin pour arrêter le carrousel ! Au désordre fonctionnel succède la lésion organique : angor cardiaque, infection opportuniste, cancérisation... Va donc donner dans la spiritualité avec un pareil démon dans l'esprit !

Bouclier diaphane de l'illusion contre la réalité, **le doute**, quant à lui est l'expression d'une totale négation de soi. Il nie l'évidence, interdit la critique objective et domine la raison et l'analyse froide. La voie spirituelle refuse la foi dogmatique ET le doute absolu du nihiliste. Mais où est la différence ? "Ne doutez pas, hurlent les bons apôtres ! Croyez ! Ô sainte doctrine, pas touche ! Crois, mon bonhomme !" Joli saut de puce ! La foi est un chemin pavé d'incertitudes reléguées au fond du tiroir aux oublis. Mais on s'en fout ! Car un pont de compromissions relie le doute et la croyance. Croire n'est pas savoir ! Croire sans preuve, c'est refuser l'argumentation rationnelle. Croire, c'est risquer de se tromper. Croire, c'est douter.

— Conclusion audacieuse ! coupa *Lumière*. Le fossé qui existe entre doute intégral et croyance aveugle se comble en effet de la même boue d'irresponsabilité. D'un côté, le croyant n'entend que Sa vérité, de l'autre, le sceptique refuse d'en discuter les fondements. Deux intolérances n'aboutissent jamais à l'humanisme. Mais as-tu totalement raison ? Le doute est l'état d'une interrogation face à une incertitude sur la réalité d'un fait. Il se situe entre l'ignorance et la certitude. Il n'est donc pas foncièrement négatif.

— Tu m'as appris à vérifier les définitions. Je ne m'en suis pas privé. Au XIe siècle, le doute, du latin *dubitare*, avait une connotation religieuse, dans le sens de crainte. La crainte devait conduire à la sagesse puisqu'elle conduisait à Dieu. Le doute engendrait la foi dogmatique réfractaire à toute contestation. Vous pouvez toujours douter, il faut d'abord croire ! Sinon, le bûcher ! Juste retour des choses, la crainte de Dieu obligeait ses adeptes à lui rester fidèles. Le sens s'est élargi jusqu'à Descartes qui a écrit :

> Je ne puis douter que je doute ni que je pense, puisque douter c'est penser. Donc je pense, je suis une chose qui pense : cela du moins est *indubitable...*

Joli jeu de mot basé sur des dubitations, toujours de *dubitare,* c'est-à-dire une rhétorique permettant à un orateur de feindre d'hésiter sur la manière dont il interprète ou juge pour prévenir les objections. Mais, le jeu philosophique privilégie l'intellect du MOI aux dépens de son intelligence. L'intelligence associe et dissocie par l'analyse et la synthèse, l'intellect dégorge ses ratiocinations et coupe les cheveux en quatre. Je m'y refuse. Je reste pragmatique. Nos contemporains érigent le doute en système pour dissimuler l'angoisse métaphysique. Le doute comme instrument de sagesse, vraiment ? Quelle sagesse ? Celle de subir la loi par crainte d'une sanction inquisitoriale ? De s'humilier par crainte des représailles ? De se conformer aux conventions par crainte de l'opinion publique ? Cette prétendue sagesse, tu me la reprochais au début de notre entretien.

— Je suis l'avocat du diable sur le chemin de ta divinité.

— Heureux raccourci entre Dieu et la Matière ! **L'instinct**, **le stress** et **l'émotion** *sont des données fondamentales de l'humain*. Il faut vivre avec. Je ne prétends pas que toutes les émotions aient des effets négatifs. Mais l'émotivité, oui, car elle fige l'Homme dans son animalité. **L'émotivité**, en tant qu'excès, entretenue et amplifiée par **le doute** et **l'angoisse**, *est une faiblesse mentale lorsqu'elle n'est pas contrôlée par l'esprit*. Elle favorise la lâcheté, inhibe ou exacerbe les pulsions sexuelles, paralyse les réflexes ou porte à l'agression. Mais à l'instant où l'entendement humain, grâce à un examen pratique par l'abstraction de l'objet émotionnel, analyse et comprend ce qui le perturbe, l'émotivité disparaît, ou mieux, se transmute en émotion positive... une émotion sublimée. Je ne suis pas thérapeute et j'admets sans idées préconçues toutes les méthodes de traitement de l'angoisse, de la psychanalyse à la thérapie comportementale, en passant par le *rebirth* ou la sophrologie... du moment que le résultant soit probant.

L'émotion sublimée distingue mieux l'Homme de l'animal que son intelligence. L'animal vit aussi des émotions mais il ne les analyse pas. Sans émotion, tous les cerveaux humains seraient nourris du même savoir, comme un ordinateur doté d'une logique imperturbable sans... sans Âme ! Paradoxe ! L'émotion enchaîne l'humain à la terre mais sans émotion, pas d'Âme ! L'émotion serait-elle la voie obligée vers l'Âme ?

Tu... ne dis rien ?

— Tu doutes ? Tu uses — et abuses — de la logique pour décrire ce qui échappe à la logique. Or l'Amour et l'Âme nourrissent l'existence humaine. La raison peut les décrire mais non les expliquer.

— Tu peux ironiser... et puis zut ! Je suis convaincu de ce que j'avance.

— C'est mieux. Continue à m'instruire !

— L'émotion fait toute la faiblesse mais aussi toute la diversité et la richesse de l'Homme. Un tableau de maître, une fugue de Bach, un poème déclenchent des impressions innombrables, allant du dégoût prononcé — eh oui ! — à la contemplation du sublime. Le ressenti personnel engendre la richesse dans la multiplicité. Ainsi en est-il de l'émotion qui embrasse l'Absolu. Donc, l'émotion est aussi outil de Connaissance. Canalisée par le mental vers le ressenti intérieur, l'émotion devient un sens supérieur, **la sensibilité**. Je dis bien émotion *canalisée*, et non tuée.

Je résume :

> Au centre, l'émotion !
>
> D'un côté, l'émotivité, émotion non contrôlée du MOI, fige l'Homme dans sa fonction animale.
>
> De l'autre, la sensibilité, émotion sublimée, est sa richesse et libère le JE des liens de l'émotivité.
>
> Être prisonnier de l'émotivité, c'est avoir pour Maître le MOI.
>
> Devenir sensible, c'est avoir pour Maître le JE.

— Et l'Âme dans tout ça ?

— Elle enregistre les émotions et exprime la sensibilité par l'intermédiaire du JE. Tout événement vécu avec une grande intensité émotionnelle imprègne l'Âme qui en garde la mémoire grâce à la sensibilité du JE. *L'émotivité enchaîne l'Âme à la matière, la sensibilité l'élève.*

— Compte tenu des attributs du MOI et du JE, comment l'Âme enregistre-t'elle l'émotion, puisque par définition, l'Âme de l'Absolu ne raisonne pas, ne réfléchit pas ?

— Si, elle réfléchit, mais au sens de MIRER, puisque l'Âme est le miroir de l'Absolu dans la Matière. Elle reflète ce qu'elle a reçu.

— Tu ne réponds pas à la question. Comment l'Âme enregistre-t'elle l'émotion en fonction des attributs du MOI et du JE ?

— ...

— Une minute de silence ?

— Non, je laissais mijoter la réponse. Voilà ! Chez moi, dans ma maison, je suis libre de faire ce que je veux sans rendre de comptes à personne. Mais comme je vis en société, je suis tenu d'obéir aux règles d'hygiène et de respecter l'environnement. Je ne peux déposer mes ordures ménagères n'importe où ni importuner le voisinage par du bruit intempestif. La construction de ma maison doit se conformer aux règlements d'urbanisme et au plan d'occupation des sols qui fixent des normes architecturales spécifiques à la région où j'habite. Je dois me comporter en citoyen responsable : traverser la rue sur les passages pour piétons, respecter les limitations de vitesse, ne pas attenter à la sécurité d'autrui... En dehors de la maison, je dois me soumettre aux lois de la société au nom du bien de la communauté.

Supposons que le locataire de la maison soit l'Âme de l'Absolu. Admettons, pour les besoins de la démonstration, qu'elle ne puisse en sortir. La maison représente le JE et les lois sociales le MOI. Je constate que la vraie liberté est uniquement intérieure... liberté de penser mais pas forcément de dire. L'Âme cherche à vivre en harmonie avec le JE qui se révèle socialement d'après sa position sur le cadastre et son aspect extérieur. L'Âme se personnalise donc en fonction de la société-MOI : nombre d'étages autorisé, hauteur des fenêtres, relations avec l'environnement (adduction d'eau, ramassage des ordures, égouts, etc.). L'Âme en tant que locataire n'a rien à dire. Elle doit se soumettre à la situation qui préexistait avant son entrée dans le domicile. Cependant, l'originalité-SOI habille la maison-JE de ses préférences : couleur des volets, présence d'une véranda, d'une piscine, d'un jardin...

Soudain, dans la rue, une voiture heurte un piéton. L'Âme entend le bruit et se précipite à sa fenêtre. N'étant jamais sortie de la maison, elle ne connaît pas les lois humaines. Elle constate simplement qu'un homme est étendu sur le sol. Elle aperçoit les badauds, elle imagine ou ressent les douleurs de l'accidenté. Elle enregistre la scène sans la comprendre, mais conserve en elle la sensation émotive relative à l'accident. Les images ne s'organisent pas selon un ordre chronologique, mais en fonction de l'intensité émotionnelle. Plus une émotion est intense, plus elle imprègne sa mémoire. Ainsi, l'Âme enregistre les tribulations émotionnelles d'un MOI soumis aux divers stress subis par le corps et à son expression sociale, et elle les restitue avec sensibilité sous forme... d'états d'Âme. Bien dit, non ?

— Autosatisfaction du MOI ?

— Que non ! Juste l'émerveillement devant le mécanisme de restitution de l'émotion d'une vie antérieure dans la vie présente. D'où retour à la question initiale : Que fait l'Âme dans le Marais spatio-temporel ? Pas grand-chose a priori, puisque par définition, l'Âme est un élément de l'Immobile. Ayant perdu son guide dynamique de la Matière, le JE, qui n'a pu la diriger vers l'Ordre de Sidéralité, elle semble flotter sans motif ni raison. Elle sombre en elle, rejoint un état de contemplation qui ravive en elle les émotions emmagasinées. Ces émotions sont des éléments d'origine matérielle développant une énergie-désir qui la draine vers la réincarnation.

— Tu me surprends Kris, je l'avoue. Mais pousse plus avant ! Comment l'Âme choisit-elle sa réincarnation ?

— C'est un test ou quoi ? Tu me demandes de puiser la Connaissance dans ma source intérieure et de l'exprimer par le MOI... en m'imposant un schéma de réflexion purement déductif. Ta question est un piège : comment l'Âme CHOISIT-ELLE sa réincarnation ? En utilisant a priori le verbe *choisir*, tu induis une fausse réponse.

Un choix implique une comparaison préalable entre deux éléments. Une comparaison suppose une réflexion déductive propre à la pensée objective. Le choix exige une planification, c'est-à-dire une projection entre un constat actuel et un objectif à

ATTEINDRE, donc une programmation dans le temps : définition des besoins, affectation des moyens, action et évaluation. Le temps est lié à l'espace et l'espace est lié au mouvement de la Matière.

On ne peut admettre le choix potentiel d'un futur véhicule que si l'Âme planifie sa réincarnation. C'est incompatible avec son essence, puisque l'Âme est un élément impondérable issu de l'Absolu. Donc, l'Âme ne peut choisir sa réincarnation. C.Q.F.D !

— Ma question n'est pas un piège mais un exercice pour évaluer ta compréhension. La logique déductive du MOI ne réprime pas la spiritualité au profit de l'intellect mais mesure à chaque instant la perception d'une chose ou d'un concept. Tu as pris conscience de ta dualité MOI-JE, tu as l'impression d'être deux en un. Dois-tu pour autant préférer l'un ou l'autre ? Le MOI est un irremplaçable instrument d'analyse et de contrôle qui te situe en permanence par rapport à TA Connaissance subjective de l'Absolu. La dichotomie MOI-JE est indispensable pour atteindre à l'autonomie du Connaissant. Tu peux ainsi distinguer à l'instant le vrai du faux à partir de ta propre source connaissante, mais surtout les motivations de tout interlocuteur, même si tu ignores le sujet traité.

À l'occasion d'une conversation sur la spiritualité par exemple, ton MOI déductif et ton JE sensible analysent, chacun à leur manière, le discours de ton interlocuteur afin d'intégrer instantanément son savoir spirituel et de le comparer à ta source permanente issue de l'Absolu. Tu peux mesurer où il se situe et où il veut en venir. Tu as le choix : soit le contrer en lui coupant l'herbe sous le pied, soit lui apporter la réponse qu'il cherche pour aller à lui, sans imposer ta propre pensée. Ta réponse comprendra plusieurs paliers. Il saura bien trouver la marche qui correspond à son attente. Mais elle associera également des éléments implicites qui l'orienteront VERS son dépassement progressif et sa propre révélation. Tu seras sans parti-pris et ouvert à ses besoins, sans jamais tenter de détruire sa compréhension. Le Christ était un Maître de la parabole. Il trouvait les symboles les plus adaptés parce qu'il conscientisait parfaitement l'entendement de l'Absolu. C'est pourquoi je t'ai appris à chercher une image juste de ce que tu conceptualisais.

— Ouais ! Seulement... le contrôle constant des pensées tue la spontanéité.

— Erreur ! On s'imagine à tort que pour acquérir une démarche de spiritualité, il suffit d'en avoir envie, comme s'il s'agissait d'un passe-temps agréable. La spiritualité est une discipline de l'être. Pense aux *Sensei* japonais du kendo, aux virtuoses du violon. On n'a rien sans rien. Un jour, tu as pris un javelot dans tes mains et tu as battu le record du club. Un entraîneur t'a pris en charge pour t'enseigner la technique. Tes performances sont devenues ridicules parce que tu n'avais pas intégré l'enseignement comme une seconde nature. Mais à la fin, tu as pulvérisé tes performances initiales. L'effort intériorise ses effets. Tu auras l'impression de perdre la spontanéité de communication avec ta source, mais tu la redécouvriras au moment où tu t'y attends le moins jusqu'à faire corps avec elle. La preuve : tu as vu que ma question était mal posée.

— Donc, l'Âme ne participe pas de façon dynamique à la réincarnation. Elle la subit. Ça n'a rien à voir avoir un châtiment. D'ailleurs, qui peut s'ériger en juge et selon quel critère ? À la mort du JE qui n'a pas été informé de sa mission divine, l'Âme se retrouve sans énergie. Le JE sombre en lui dans son inexistence définitive et l'Âme sombre en elle dans son inexistence sans pour autant perdre son Principe d'Être l'Immobile, puisqu'elle ne peut se transformer mais seulement se révéler à elle-même par le JE. En sombrant EN ELLE, les impressions rémanentes assimilées durant la vie du support humain ressurgissent.

Précision ! L'Âme désincarnée ne REVIT PAS comme le JE les émotions qui ont marqué le véhicule du disparu. Le mécanisme est le même, à cette différence près que le Principe émotionnel lié aux sens, donc à la vie qui l'anime, oblige le JE — et par voie de conséquence l'Âme intégrée au JE — à participer aux temps forts qui ont émaillé de joie ou de tristesse la sensualité du MOI.

Les sensations sont pour le MOI, produit temporaire d'une monade, un fait de conscience *subjectif* qui ne prouve pas la réalité du monde extérieur, mais seulement sa perception analysée par une forme-pensée personnelle. C'est toute la dimension socio-culturelle qui est en cause : un Japonais ne perçoit pas le monde de la même façon qu'un Américain*.

Au cours de son *naufrage*, l'Âme entre en résonance avec sa propre essence, donc avec les buts de sa première incarnation : que l'Immobile se connaisse par le Mouvant. Elle développe une énergie-désir de réincarnation qui dynamise, sous forme d'images eidétiques, les impressions liées aux tribulations émotionnelles marquantes des MOI précédents. Je dis *MOI précédents*, parce que les émotions dominantes ne sont pas forcément celles du dernier véhicule. Dûment alimentée par les images les plus fortes, l'énergie-désir de l'Âme assure son transport vers le lieu de sa prochaine incarnation.

— Le facteur principal de la mémoire de l'Âme est le MOI. Pourquoi pas le JE ?

— Je te vois venir : l'Âme conserve la mémoire des JE des incarnations précédentes, mais de façon détournée. Quand je me suis noyé, ma dernière pensée, l'amour de Gwenaelle, a modulé les images de ma vie. Lorsque l'Âme se retrouve dans un état que l'on pourrait comparer à la méditation, le JE conscientisé, donc le SOI, module les émotions vécues par le MOI. L'Âme conserve donc la mémoire des différents JE en tant que résultante personnalisée de ses différentes vies.

Le JE, manifestation unique, de toute éternité, de l'Onde vitale — via le moule du code génétique — est d'origine matérielle. Il subit donc le *mouvant*. En tant que primum movens du stress par l'intermédiaire du système neuro-végétatif, il possède une conscience cellulaire mais non objective et conserve la mémoire du déséquilibre neuro-endocrinien à l'origine du mouvement émotionnel de base. Il n'a donc pas de souvenirs formalisés sous forme de rêves ou de fantasmes. Le MOI, par contre, expression la plus élevée de l'activité cellulaire du cerveau, habille la mémoire des impressions issues de la conscience objective. Donc, seul le MOI peut transmettre des souvenirs de type événementiel. Or, comme le MOI est mortel, il

---

* Voir à ce sujet les travaux d'Edward T. Hall, *Au-delà de la culture*, collection Points, N° 191.

s'ensuit que le JE et l'Âme ne conservent que la pulsion émotionnelle de base sous forme d'une empreinte holographique plus ou moins marquée, selon les circonstances et l'intensité d'un événement donné. Contrairement au MOI, le JE et l'Âme ne raisonnent pas leur souvenance qui est reçue comme telle sans analyse objective.

— Bien raisonné si l'Âme conserve effectivement les moments forts de l'existence du précédent support ! Un détail cependant ! Comment une Âme issue d'un Principe immatériel peut-elle conserver l'hologramme émotionnel d'un JE qui s'est dissous ?

— Même si l'Âme n'est pas mémoire au sens cérébral humain, une émotion qui fait vibrer le couple JE-Âme réalise de façon éphémère le miracle du couple EXISTER(JE)–ÊTRE (Âme). L'Âme *existe* vraiment, à tel point qu'elle pourrait *dire* : JE SUIS cette émotion. C'est pourquoi, sans doute, certains milieux ésotériques en ont extrapolé l'idée selon laquelle l'Âme est un Principe émotionnel et que le Monde astral est un monde d'émotion.

De plus, l'Âme conserve l'hologramme parce qu'elle a gouté à la vie qui peut lui donner existence. Dès lors qu'elle en a été imprégnée, l'aspiration à l'existence est sa seule contrainte, car la vie appelle la vie. C'est si vrai que si elle perd son guide JE, elle ne peut rejoindre sa source originelle, l'Absolu. Comme les *complexes émotionnels* qui la marquent proviennent de l'énergie vitale, donc du JE lui-même, elle conserve également la mémoire des précédents JE.

— Sans doute ! Mais... comment ?

— Comment... comment ? Techniquement, je n'en sais rien. Ce n'est pas le sujet. Je ne peux donner que des images.

— C'est ce que je te demande.

— D'accord ! Tiens ! L'Âme est comme une boule de pâte à modeler que l'on jette dans un bac de sable. Cette boule est incrustée de nombreux grains dont chacun représente une vibration de l'Onde vitale-émotionelle. Le sable reste à la surface sans pénétrer le cœur, contrairement au JE qui aura fusionné avec elle. L'émotion est de l'énergie vitale issue d'un type de monade — le bac de sable — et le Marais spatio-temporel, bien que hors du temps et de l'espace, est lié par son mécanisme au temps et à l'espace d'une planète.

Je pense aussi à la mémoire de l'eau. Cette théorie controversée du professeur Benvéniste illustre comment l'Âme sans mémoire de type humain conserve cependant en elle la mémoire subjective d'une émotion sans que le JE qui a vibré soit présent en elle.

Au total, l'Âme s'imprègne des émotions vitales comme d'un parfum. Au début, le parfum dégage beaucoup d'odeurs — comme le temps d'une vie — puis il devient plus discret, fugace. Mais il n'en demeure pas moins présent, même dans le Marais spatio-temporel où l'Âme ne garde en elle qu'une impression fugitive de la fragrance initiale. Lors de sa nouvelle naissance, elle vibrera quand elle sentira à nouveau un parfum émotionnel identique.

— Les complexes émotionnels conservés par l'Âme sont donc déconnectés de leur source événementielle ?

— Oui ! Dans la maison-JE, le locataire-Âme assiste à un accident provoquant chez le spectateur une émotion disons... de crainte des voitures. Elle enregistre la scène sans la comprendre. Ainsi, l'Âme conserve le souvenir de l'émotion ressentie au cours de l'événement, mais sans rapport avec la vie effective du sujet. Elle transforme une émotion spécifique en impression générale, une sorte d'énergie interne, une pulsion. Le nouveau support qui percevrait des relents mnémoniques de cette scène marquante sous la forme, par exemple, non pas de la crainte des voitures, mais de tout corps en mouvement rapide associé à un choc, éprouverait une angoisse bien compréhensible de ne pouvoir la replacer dans un contexte conforme à sa logique actuelle.

Les événements émotionnels d'un individu sont assez univoques et répétitifs d'une vie à l'autre : naissance, puberté, premiers émois amoureux, difficultés professionnelles, maladie, divorce, déchéance de la vieillesse et mort. Une vie plate, en somme, mais dont le MOI se persuade de l'originalité. La mort marque plus profondément l'Âme que la plupart des situations vécues au cours d'une existence. Elle la marque d'autant plus que sa réalité s'écarte résolument des schémas religieux ou philosophiques qui ont inondé la conscience d'un individu dépourvu de libre-arbitre et d'informations pertinentes sur le sujet.

— Tu fais bien de préciser ce point, répliqua *Lumière*. Certaines techniques permettent de remonter les vies antérieures. Or, les scènes retenues concernent la plupart du temps les circonstances du décès, un amour impossible ou un destin exceptionnel. Explique-moi ça !

— D'où l'objection assez logique des matérialistes qui s'étonnent avec amusement d'une telle concentration rétrospective de destins hors du commun chez les amateurs de régression. Mais a contrario, pour les spiritualistes — et en dehors des affabulateurs et des mythomanes —, seule une vie extraordinaire peut marquer profondément l'Âme pour de nombreuses incarnations à venir.

— Ta démonstration confirme le fait que la réincarnation n'est pas liée à l'évolution. Il n'y a pas d'ordre chronologique : première, deuxième, énième... incarnation mais plutôt une sainte anarchie. L'Âme baigne dans une mer d'émotions. Si les émotions dominantes sont atténuées par l'incarnation actuelle, elles peuvent être réactualisées pendant l'incarnation suivante. La réincarnation n'est pas plus liée au besoin d'apprendre, mais au désir de l'Âme qui EST de prendre conscience de son EXISTENCE par le JE. Le ressenti émotionnel n'est qu'un moteur, je dirais même un besoin et non une finalité. Cet aboutissement est pour l'Âme une promesse d'amour avec un nouveau JE, un nouvel espoir d'atteindre l'Ordre des Maîtres et non une condamnation à vivre.

— Et le karma ? proposai-je avec prudence.

— Tu me sembles bien parti Kris. Ne détruis pas tes certitudes au bénéfice d'un doute ou d'une connaissance acceptée sans examen par ton MOI. Nous avons convenu qu'aucune pierre nouvelle ne serait ajoutée à ta demeure tant que tu ne l'aurais pas toi-même taillée. La rigueur fait souvent défaut même aux chercheurs sincères. Socrate avait imposé une stricte discipline à ses disciples. Lors des réunions, chacun tenait une chandelle allumée. Chaque fois qu'un disciple s'écartait du cadre de la discussion, il devait souffler sa bougie et perdait son droit de parole. À la réunion suivante, il tâchait de mieux cerner le sujet. Je te recommande cet exercice.

— Soit ! Mais un point demeure obscur. Marais spatio-temporel ! Spatio-temporel... je comprends : le Marais se situe dans le temps et l'espace d'une planète. Mais *Marais* me gêne, même s'il signifie *enlisement.*

— Qu'est-ce qu'un marais ? Une nappe d'eau stagnante généralement peu profonde recouvrant un terrain partiellement envahi par la végétation. L'eau croupit et fermente. On y trouve des sables mouvants et des trous d'eau. Marcher dans un marais fatigue et on risque à chaque instant de s'enliser. Voilà bien le Marais spatio-temporel. Il est essentiellement fluide mais les Âmes confrontées à des émotions contradictoires s'enlisent dans une contemplation confuse, noyées par le nombre et la qualité des anciens JE qui ont personnalisé les différents supports humains. La réincarnation se fait plus ou moins rapidement, au gré des énergies-désirs et des *complexes émotionnels.* Dans ce lieu transitoire de la vie à venir, les bouffées explosives d'images eidétiques résument plus le désarroi d'une vie d'errance que le bonheur d'avoir atteint la Connaissance.»

Je gardai le silence, assez inquiet du *sort* trop... émouvant des Âmes privées de guide. Mais à qui la faute ? Qu'y pouvaient-elles ? Fallait-il être vraiment sans haine et sans amour pour franchir la dernière frontière ?

«Kris, le dîner est servi.»

Dans l'entrebâillement de la porte, la jeune femme vibrait d'innocence. Je l'observais comme un pantin sans vie.

Avant de me quitter *Lumière* me susurra à l'oreille :

«Réfléchis aux mécanismes de la réincarnation.»

— Je t'ai fait tes nouilles, coupa Gwenaelle mais à force de t'attendre, elles sont restées au fond ! Pas mal cimentées ! Oh Kris ! nous devons faire des courses *en bas*. Guillaume et Jeannine arrivent demain...

— Mea culpa, chérie ! La spiritualité ne nourrit que l'esprit.

— Allez, ouste !»

Sur le moment, je la maudissais. Mais les obligations du corps sont nécessaires au dépassement. Et puis, n'en déplaise aux machos et aux féministes, la préparation du repas est un acte d'amour. L'épouse, aussi attentionnée soit-elle, n'aime pas la contrainte. J'allai à la cuisine constater le désastre. Je pris mon courage et les nouilles à deux mains. L'inspiration choisit le gruyère. J'en inondai le plat et le fis gratiner au four. Le feu opéra la transmutation salutaire : du gruyère aux nouilles ! Unique !

* *
*

15

LA RÉINCARNATION

I - HOMME OU FEMME ?

Tout Maître digne de ce titre serait, paraît-il, doué d'ubiquité : un sermon à New York, une longue méditation dans un ashram de Katmandou — évidemment — une quête dans les rues de Paris, une ballade en Rolls... et tout ça en même temps ! Vache de performance ! Un rêve de jeunesse ! Mais un rêve. Imaginez : du même coup visiter tous ses potes sans passer par le courrier. Utile en temps de grève. Bon, blague à part, la projection, je veux bien, mais l'ubiquité active... Bof !

La projection, c'est vrai. Je l'ai expérimentée. D'abord sans le vouloir. Voici plusieurs années, j'ai éprouvé un doux penchant pour une fille du grand Nord. Le Québec m'attirait d'autant plus que Jacques, perpétuel abonné des vols nolisés, n'arrivait pas à se décider pour l'ex-Nouvelle-France ou la vieille Europe et avait pratiquement établi ses quartiers à Orly ou à Mirabel. Curieusement, je présentais les mêmes symptômes d'inconséquence, à telle enseigne que si Jacques revenait en France, je partais dans l'autre sens. Au cours de ce très culturel chassé-croisé France-Québec, j'avais eu le temps de tisser une fleur avec la susdite Québécoise avant de dégager aussi sec par un vol planant d'Air-Canada, visa périmé et très sainte loi d'immigration oblige. Tout à elle en pensée, plein d'une émotion épidermique, je lui consacrai l'intégralité de mes fantasmes. Un jour, elle me téléphona :

«Dis ! Qu'est ce que c'est ? Magie, amour ou jalousie ? demande-t'elle tout de go.

— De l'amour sans doute, dis-je sans hésiter. Mais... c'est à quel sujet ?

— Je t'ai vu dans ma chambre. Tu m'entends ? Je t'ai vu.

— Bah ! Où est le problème ?

— Le problème ! Je n'étais pas toute seule.»

Je tirai de l'anecdote un double constat.

À très court terme : elle ne m'aimait pas. L'amour est magique et n'a pas à se justifier. Les questions signent un cafouillage quelque part. Quant à être jaloux d'un prétendu rival... L'océan a donc rompu définitivement le câble téléphonique sous-marin.

À moyen terme : mon corps astral s'était déplacé vers elle. À ma décharge, je plaide non coupable d'une accusation de voyeurisme. Je n'étais pas conscient, moi. Par contre, plus tard, j'ai pu effectivement réaliser le dédoublement volontaire.

Mais personne, à ma connaissance, ne peut encore se payer le luxe de dormir éveillé en pleine conscience. Le quotidien trop réel empêche d'extrapoler la projection. Campons la scène : d'abord le lever du corps est spartiate, puis il y a le café dans la tartine et la confiture sur la nappe, le glin-glin poussif du métro, les secrétaires tintinnabulantes, le patron sur le dos, le vacarme de l'atelier, boulot-dodo, vie fourmilière ou d'abeilles sans taille de guêpe, retour à la ruche H.L.M. dans la cellule à la vie-l'amour-la-mort, bisous à bébé-bobonne, la télé-spectacle endormi devant... On est vieux avant de vieillir.

Gelé dans un seul champ de conscience à la fois, — travail-travail, loisirs-loisirs, foyer-foyer — on n'a guère le temps de penser à autre chose qu'à l'occupation présente. Mais au fond, rien n'empêche de cueillir de-ci de-là, dans le continuum de la conscience, un bouquet différent de façon à construire une ligne de défense contre le stress. Allons ! Une pensée pour la collègue, une pensée pour mon évolution spirituelle ! La cure peut paraître aussi indigeste que l'huile de foie de morue. Mais petit à petit, la routine fait place à la découverte : la vie devient curieusement plus agréable, la journée moins longue, plus riche.

Passons une étape : accélérer le processus en sautant du plan objectif au plan spirituel, puis à nouveau à la réalité. Loin de tourner à l'obsession, l'alternance des niveaux de conscience accroît la présence à soi et accentue l'impression de vivre sur deux plans différents. Le discontinu devient continu.

J'ai découvert ce *truc* au cours de ma quête pour retrouver la connaissance effleurée lors de ma noyade. Quoi que je fisse, je ne pensais qu'à ça ! Mais j'y pensais mal. Fixation ! En public, j'étais ailleurs. Mais vraiment ailleurs ! Dieu sait si on me l'a assez reproché. Puis, à force de concentration, je suis parvenu au détachement *apparent* qui me permettait d'être à l'écoute à la fois du monde et de ma nature intime. Je vivais sur deux planètes : l'actualité de l'environnement et ma quête.

Peu après notre installation à Albiez-le-jeune, l'ami Jacques, le complice de Bruxelles, avait définitivement opté pour la France et installé sa famille dans cette Picardie brumeuse qu'il affectionnait tant en croyant sans doute y trouver la clé des chants qu'il cherchait depuis des années. Au début mai, il m'avait recommandé par téléphone la compagnie d'un couple d'amis amiénois qui désirait visiter la Savoie. Il m'avait cependant averti : "Tu verras, ils sont assez... particuliers". Il n'avait pas voulu m'en dire plus.

Guillaume et Jeannine avaient donc rejoint notre home et notre hospitalité. Jeannine, une jolie brune bien élancée, au maquillage un tantinet provocateur, professait une ardente foi dans sa féminité et son penchant pour les beaux mecs. Guillaume, un athlète de deux mètres, répondait, semble-t'il, à cette ambiguïté sans... ambiguïté. Doux mais cynique, il avouait un goût immodéré pour les courbes et l'érotisme pur et dur. Un étalon ! Après deux jours, j'en savais déjà beaucoup, car ils avaient pour eux la franchise et la spontanéité d'un couple d'amoureux un peu bébêtes qui n'hésitait pas à dévoiler leurs difficultés et leurs enthousiasmes. Pour couronner le tout, ils manifestaient un vif intérêt pour le mysticisme et se piquaient d'en connaître un bout sur la question.

Le samedi soir suivant, la discussion s'anima autour d'un repas bien garni. Or donc, Jeannine pérorait un peu tandis que Guillaume jouait le lancinant ténébreux qui n'en pensait pas moins. Le sujet de l'heure tomba sur la table et se mêla avec délice aux mets qu'avait confectionnés ma Gwenaelle : la prochaine arrivée de bébé ! Entre la poire et le fromage, Jeannine demanda si Gwenaelle connaissait le sexe de l'intéressé. Gwenaelle sourit et hocha la tête négativement. Mais les petits gestes sans importance déclenchent parfois des réactions disproportionnées. Jeannine leva les bras au ciel, implora sainte Échographie, s'inquiéta du peu d'intérêt que nous accordions à la couleur de la layette et de la chambre, dialectique contre laquelle le souci de préserver la magie de la surprise qu'opposa patiemment Gwenaelle resta lettre morte.

S'ensuivit un débat acharné dans lequel chacun crut bon de saupoudrer son grain de sel : il était question de la conception que chacun se faisait de l'amour, de l'acceptation des défauts et des qualités de l'autre, de la variabilité émotionnelle des femmes — Guillaume dixit —, ce à quoi Jeannine rétorqua que son mari cultivait dans sa tête un petit pois qui lui conférait les qualités d'une maracas au cours de ses périodes d'activité les plus fécondes. Guillaume gloussa et exhiba ses biceps comme Atlas soutenant le monde. Gwenaelle profita de la pause-café pour tempérer le débat.

«Un enfant est le cadeau de l'amour; il témoigne de notre désir de vivre ensemble, Kris et moi. C'est un besoin, tu sais... pour concrétiser notre bonheur comme si je fleurissais la maison pour exprimer notre joie. Pourquoi tout savoir d'avance sans se préoccuper des désillusions qui risquent de nuire au développement de l'enfant ? Moi, je préfère le contenu au contenant. Alors le sexe, hein ? Zizi ou tirelire, je m'en fous !

— À cheval donné on ne regarde pas à la bride, siffla Jeannine un peu aigre. Mais tu sais bien que le désir d'un enfant attire un type d'Âme particulier. Si tu connais le sexe, tu te mets en condition pour séduire une Âme correspondante. Trop de gens se retrouvent dans un corps de femme après avoir été un homme dans une vie antérieure, ou vice-versa. D'ailleurs, notre société est tellement matérialiste qu'en occultant la réincarnation, elle entretient la confusion et favorise la recrudescence de l'homosexualité.

— Ô pauvres ancêtres qui n'avaient pas notre chance de piper les dés, renvoya Gwenaelle, cinglante.»

Je m'étais replié sur une position défensive, loin derrière les lignes, comme un général à la recherche de la faille dans le dispositif adverse. Je décidai de donner la réserve : j'ouvris mon canal intérieur et aussitôt, *Lumière* communiqua avec moi mais pour la première fois, consciemment, avec une précision qui m'étonna. Il me fournissait une argumentation synthétique que j'étais libre de développer, ou prenait la parole par l'entremise de ma voix.

> *Une Âme incarnée dans un corps de femme se réincarne en femme et une Âme incarnée dans un corps d'homme se réincarne en homme.*

«En d'autres termes, Jeannine, repris-je à haute voix, l'homosexualité résulte d'un changement du véhicule d'incarnation. Une Âme incarnée dans une femme peut se réincarner en homme ?

— Ben... c'est évident, s'étonna Jeannine de tant d'ignorance de ma part. Si je veux changer de voiture, ma foi, je peux aussi changer de marque.

— Es-tu heureuse d'être femme ?

— Quelle question ! Ça va de soi.

— Tu ne m'as pas compris. Oublions les équivoques et parlons sérieusement. Tu dois choisir un corps; lequel prends-tu ? Le mâle ou la femelle ?

— Quel langage ! Passons ! Je suis bien contente d'être une femme. Mais dans cette société phallocrate, tu sais bien que la femme est infériorisée : mauvais salaires, moins de responsabilités, inégalité des chances, harcèlement sexuel... Les juges — des hommes, le plus souvent — laissent la charge de l'enfant à la femme et l'homme s'en lave les mains. Oui, dans ce contexte, j'aurais parfois envie d'être un homme.

— Mais tu as été un homme dans ta dernière vie, coupa Guillaume.

— Oh non ! ce n'est pas vrai ! protesta Gwenaelle. Pas toi, Jeannine ! Tu aimes tellement les hommes, tu prends soin de ton corps, de tes vêtements. Je t'imagine mal en prince charmant.

— Ah, c'est ben vrè ça ! répondit Guillaume sur l'air du paysan recyclé dans la ferraille. J'ai lâ moustache délicââte, le corps rââcé, la cuisse légêêre. J'aime la fine dentêêlle, les plaisirs de la chair, je courtise la Marie-qui-conduit-la-vache-au-taureau et je rêêve de rondeurs toutes rondes...

— Tu projettes ou tu rêves éveillé ? s'inquiéta Gwenaelle.

— Je blague, s'assagit Guillaume. Mais Jeannine a raison. La semaine dernière, nous avons participé à une séance de régression. La femme qui dirigeait la séance... comment s'appelait-elle, chérie ?

— Irène ! répondit Jeannine en haussant les épaules d'impatience.

— Irène, c'est ça ! Eh bien ! Irène a fait reculer Jeannine jusqu'à sa naissance, puis au-delà, dans sa dernière incarnation. C'était impressionnant. Après l'avoir mise en hyperventilation, Irène a suivi Jeannine et lui a parlé de détails qu'elles seules voyaient. J'en avais la chair de poule. À la fin, elle a conclu que Jeannine était un homme réincarné dans le corps d'une femme attirée par les hommes pour qu'elle comprenne qu'à trop jouer les don juan, elle risquait de se briser le cœur.»

Tant de naïveté me laisse pantois, songeai-je.

> —*Ils cherchent et ils s'amusent,* dit Lumière d'un ton calme. *La critique est facile, mais rappelle-toi combien tes premières lectures t'emballaient et habillaient tes rêves : Rampa,*

Charroux... Aujourd'hui, tu les considères avec gentillesse. Pourtant, elles t'ont permis de trouver ton chemin. Alors, un peu d'humilité, ne détruis jamais les croyances des gens mais oriente leurs aspirations.

— Que penses-tu du *rebirth*, Kris, questionna Jeannine ?

Tolérance, tolérance ! chantonnait Lumière.

— Vraiment ? Tu veux que... Bon ! Je respecte toute technique dirigée par des gens compétents. Ce n'est pas du *rebirth* dont il est question, mais de la régression.

Premier point : où se situe la limite entre la réalité et l'imaginaire ? Ces séances se pratiquent en groupe et on ne peut nier la suggestion collective. Le consultant ressent la pression du groupe et l'initiateur l'aide à créer ses propres images. Les sujets influençables ne veulent pas avoir l'air con et disent voir ou ressentir quelque chose. Progressivement, ils entrent dans le jeu, convaincus par l'initiateur qu'ils sont sur la bonne voie.

Nous avons tous des refoulements. La relaxation permet la résurgence de désirs inavoués plus ou moins maquillés. Nous nous connaissons déjà très bien : Jeannine n'a pas fait de secret de ses déceptions sentimentales et des tentatives d'abus sexuels de la part de son père. Ce traumatisme ne l'a pas conduite au dégoût des hommes mais, à mon avis, au désir inconscient de les dominer pour mieux les aimer et ne pas en souffrir. Elle doit les rendre dépendants pour mieux s'en protéger.

— Merci pour moi, maugréa Guillaume.

— Tu sais très bien pourquoi elle est avec toi, vieux ! Tu n'as jamais été une chiffe molle avec elle et tu as su la laisser libre tout en lui montrant un intérêt constant. La régression extrapole sur nos refoulements. Au désir inconscient d'être un homme — faute avouée à demi pardonnée — peut répondre chez Jeannine l'envie de vengeance à l'idée de n'être qu'une faible femme dans notre société. La technique dévoile le refoulement avec une émotivité qui remue le cobaye dans ses tripes et le persuade que *son* image de l'homme correspond à la réalité : le désir d'être un homme apparaît comme une évidence. L'initiatrice de la régression entre dans le jeu et plaque sur la marée émotive une imagerie traduite en termes de vie antérieure. En somme, un alibi thérapeutique !

— Mais...

— Laisse-moi finir. Un minimum d'objectivité doit éclairer la nuit. Il en faut pour dénoncer les charlatans. Je ne remets pas en cause le rebirth en tant que technique. Mais pour ce qui est des pseudo-séances menées par des gugusses diplômés dans des académies ou autres instituts de sophro-machinchose, tu me permettras d'être sceptique. Une véritable spécialiste du rebirth n'est pas une voyante qui impose ses propres images, au lieu de les laisser venir naturellement. Quant à cette Irène, j'admets, au bénéfice du doute, qu'elle est foncièrement honnête et au fait de son art.

Deuxième point ! La relation de type dominant-dominé est indispensable. En l'occurrence, le dominé, c'est le client. Tiens, vous connaissez l'affaire Bridey Murphy. Une femme aurait révélé sa vie antérieure sous hypnose et décrit des événements survenus en Irlande au siècle dernier, des événements qu'elle ne pouvait connaître dans sa vie actuelle. Une enquête poussée faite par des Américains a montré le rôle capital de l'opérateur — dont je ne conteste pas l'honnêteté — qui avait communiqué inconsciemment les informations que son sujet ne connaissait pas. Il s'agit d'un véritable phénomène de vases communicants entre l'hypnotiseur et son client.

Sans remettre en cause la réincarnation et la possibilité de résurgence d'images de vies antérieures au cours d'une régression, les frontières entre le rêve, les fantasmes, les désirs cachés, le transfert de l'expérimentateur et la réalité sont extrêmement flous et je ne peux objectivement accorder un crédit total à ce genre d'expériences. Je préfère vérifier par moi-même. Trop d'interférences risquent de déformer le message.

— Pourtant, des tas de gens ont vu leur vie transformée après une régression, rétorqua Jeannine.

— Tout à fait d'accord ! Preuve que la technique en des mains expertes peut supprimer l'angoisse, comme une bonne analyse sur le divan ou une thérapie sophrologique bien conduite. Au total, exorcisme et déculpabilisation par transfert ! Mais le résultat est là, hein ? Ça marche ! Expliquer, comme pour Jeannine, la volonté de domination sur les hommes par des événements survenus dans une autre vie, évacue le problème *en transposant la faute sur un autre qui ne peut pas répondre*. Beaucoup de croyants subliment leurs difficultés sur Dieu et illuminent leur vie par la prière. Le subterfuge de la foi retire toute incertitude et réoriente positivement l'existence. Mais on peut obtenir le même résultat en utilisant mieux le pouvoir du subconscient.

Qu'est-ce qui nous reste ? Un ! la preuve de la réincarnation ? Certainement pas ! Deux ! les vrais artistes de la relaxation, une fois reconnus, encadrés et connaissant parfaitement les lois ésotériques seront les psychiatres du XXIe siècle. Pas les charlatans !

Conclusion, le rebirth, comme la psychanalyse, s'adressent à des personnalités douées d'une intelligence certaine et d'une bonne dose de maturité. Or, il semble que la clientèle se compose surtout de sujets fragiles qui cherchent plus des recettes pour supporter leur vie que pour l'assumer.

— Jugement de valeur, Kris, s'inquiéta Gwenaelle.

— J'en conviens ! Du reste, d'autres méthodes permettent de vérifier la réincarnation sans avoir recours à une tierce personne, l'autorebirth justement, l'autohypnose, le miroir hindou ou le voyage astral. Et là, je n'ai jamais vu un homme devenir une femme et vice-versa.»

Jeannine se révolta.

«Donc, je n'ai pas été ce beau jeune homme qui... Pourquoi ?

— Parce qu'une femme demeure femme entre chaque incarnation», proposai-je timidement.

Jeannine abattit sa main sur la table. Une vague de café déborda de sa tasse.

«Macho ! s'écria-t-elle.

— Et vlan ! passe-moi l'éponge...», chantonna Guillaume, bienvenue dans mon clan.

L'auréole brune nimbait la nappe. Je tambourinais du bout des doigts. Je commençais à m'énerver. Du calme ! une grande respiration...

«Est-ce si important pour toi d'avoir été un homme dans une autre vie ? demanda doucement Gwenaelle.

— Je... je ne sais plus. Ça donnait du sens à ma vie.

— Kris, tu veux une preuve ? Elle crève les yeux : l'homosexualité et les transsexuels, s'écria Guillaume-le-Traître, volant au secours de sa domination.

— Ah ! suprême argument ! Ton transexuel n'aurait-il pas été dans une autre vie un eunuque dans un harem ?

— Tu as raison, monsieur Je-sais-tout, grinça Guillaume.

> *Calme ! Calme Kris ! Prends sur toi et ouvre-toi à l'autre pour l'aider à grandir à lui et non pour prouver ta supériorité. Je vais t'aider. Laisse ta bouche exprimer ma pensée et par ta pensée, deviens observateur.*

— Guillaume, pardonne-moi ! Je ne veux pas t'imposer des connaissances que je ne possède pas. Dans ce domaine, tout est si fugace, si incertain que nous avons pris parti de ne rien croire sans certitude. Cherchons d'abord une explication rationnelle avant les explications ésotériques. C'est plus rassurant et ça nous évitera bien des déceptions. Mes objections ne s'adressent pas à toi mais aux illusions des sens et du mental. La foi en l'improbable fait régresser.

— L'aveu, triompha Guillaume qui s'engouffra dans la brèche que j'avais ouverte devant lui. Il veut se rassurer ! Dis-moi comment tu t'interroges *logiquement* !

— C'est pas un peu fini de vous sonner les cloches pour savoir qui est le plus fêlé ?» s'inquiéta Gwenaelle.

Guillaume souffla très fort. Jeannine penchait le menton. Elle boudait.

«Un, deux, trois ! compta lentement Guillaume. C'est bon, ne nous emballons pas ! Mais il y a de quoi ! Nous sommes troublés et nous aimerions voir clair.

> *Toi aussi Kris, obtiens le clair-voir, la clairvoyance et tu ne seras jamais rejeté. Continue de laisser ma pensée s'exprimer par ta bouche.*

— Je vais essayer de t'aider. Nous avons fait quelques recherches sur la réincarnation dans les textes sacrés de l'Occident.»

Tiens ! Chaque fois que *Lumière* parlait en mon nom, il disait *nous* et non *je*. J'avais parlé très doucement. L'air devint plus respirable.

«Nous sommes remontés très loin mais nous n'avons rien trouvé qui conforte l'idée du changement de sexe selon les incarnations. Au contraire ! La Bible n'est pas claire, à part le passage où, après avoir chassé Adam et Ève du jardin d'Éden, Dieu condamne l'homme à travailler à la sueur de son front et la femme à enfanter dans la douleur. Mais Il ne leur impose pas de vivre la même expérience. C'est plus clair si on assimile Adam et Ève aux Âmes-sœurs : Adam, principe masculin, et Ève, principe féminin, s'incarnent chacun dans un corps humain. D'ailleurs, le texte dit — *Genèse* 3-21— que Dieu les a revêtus de vêtements de peau... de chair.

Ailleurs, on trouve de nombreuses allusions à la réincarnation, par exemple celle-ci, dans Mathieu 11-11 :

> Jésus leur demanda : Que dit-on que je suis ? Et les disciples répondirent : Certains disent que tu es Jean le Baptiste, d'autres Élie, Jérémie ou l'un des prophètes.

Aucun nom de femme ! Et sans phallocentrisme, s'il vous plaît. Passez au salon ! Je reviens.»

Je courus à mon bureau et pris l'un des six tomes du seul livre que j'autorisais à séjourner en permanence sur ma table de travail. Je retrouvai tout mon monde installé devant la télévision... éteinte et heureusement en panne.

«Le *Sepher-Ha-Zohar* est plus explicite, repris-je. Cinquième volume, page 120, ouvrez les guillemets :

> Remarquez que tous les esprits qui viennent en ce monde sont composés de mâle et femelle; chaque esprit quitte le ciel mâle et femelle unis. Ce n'est qu'ici-bas que l'esprit mâle se sépare de l'esprit femelle. Si l'homme est digne, il retrouve l'autre moitié de son Âme qui l'unit à la sienne : c'est l'épouse prédestinée, à laquelle il s'unit pour ne former qu'une Âme et qu'un corps, ainsi qu'il est écrit : que la terre produise des êtres humains, chacun selon son espèce. C'est une allusion à tout esprit d'homme qui sort du ciel accompagné de sa conjointe qui lui ressemble.

Notez bien ! Le *Sepher-Ha-Zohar* parle de l'Âme-sœur et du dédoublement de l'Âme lors de la première incarnation, ce qui renforce la correspondance Adam-Ève/Âmes-sœurs.

Page 121 :

> Une tradition nous apprend que la raison pour laquelle l'Écriture dit : Si une femme conçoit et enfante un mâle..., au lieu de parler de mâle et femelle ensemble, c'est pour nous indiquer que si les Âmes mâles et femelles ne restent pas constamment unies après leur descente sur la terre, c'est à cause du péché d'Adam et de sa femme; c'est à la suite de ce péché que l'âme se sépare en deux dès qu'elle arrive ici-bas, et elle reste séparée jusqu'au jour où il plaît au Saint, béni soit-il, de faire l'union.

C'est la confirmation, dans la pensée juive, de la division de l'Âme en deux parties dont l'une intègre un corps mâle et l'autre un corps femelle. En plus de décrire parfaitement la réincarnation, le *Sepher-Ha-Zohar* précise aussi que l'Âme-sœur conserve le même corps car, et je cite : *Si l'homme est digne, on lui donne **l'épouse prédestinée**; sinon il en reste séparé, et **elle est donnée à un autre dont elle a des enfants** qui ne sont pas légitimes*. Fin de citation !

— Kris, s'exclama Jeannine, te rends-tu compte ? Tu remets en cause toute la doctrine des milieux ésotériques.

— Quels milieux ? Quels ésotéristes ? Ceux qui parlent haut et fort ? L'ésotérisme médiatisé, l'astrologie télévisée ? Certainement pas celui qui s'abreuve à la source de l'Occultisme révélatoire. Le public ne veut pas vraiment savoir. Il cherche le réconfort dans des bouquins qui appuient une foi aveugle ou qui soutiennent son insuffisance.»

Guillaume balaya ses mains devant lui, comme pour écarter l'attaque d'une nuée de moucherons.

«Tu te trompes, Kris. Enfin, on n'est pas bête à ce point ! Tout le monde dit qu'on se réincarne de corps en corps, de sexe en sexe jusqu'à atteindre la perfection afin de sortir des cycles de la malédiction de la Matière.

— Guillaume, des millions d'individus peuvent raconter des conneries. Ça restera toujours des conneries. Nous n'avons pas inventé ces textes. Ils existent depuis des lustres. Mais admettons que l'Âme se réincarne de corps en corps pour atteindre la perfection. De combien d'incarnations aura-t'elle besoin ? Dix incarnations ? Mille ? Un million ? La Matière étant par définition mouvante et imparfaite, l'Âme ne peut que tendre vers sa perfection sans jamais l'atteindre. Le plus grand saint ne sera jamais parfait tant qu'il vivra sur terre. Le fait même de respirer et d'en ressentir une jouissance quand l'air pénètre ses poumons est un péché, car qui dit jouissance dit sensations, qui dit sensation dit sens, et les sens lient l'Âme à la Matière. L'Âme aura toujours besoin de se réincarner pour se dégager de l'air qu'elle respire par le corps qui lui sert de véhicule. C'est un système clos dont elle ne peut pas sortir. À la fin du fin, qui va décider si elle est apte ou non à sortir de la mort ? Dieu ?

— Bien... oui ! esquissa timidement Jeannine.

— Alors, ton Dieu est sélectif et injuste, car sur quelle base jugera-t'il que tu es plus méritante qu'une autre et que tu ne connaîtras plus l'enfer ? Jeannine, quelle Loi divine oblige l'Âme à passer d'un corps d'homme dans un corps de femme entre deux existences ? Après tout, la vie est amusante, non ? Pourquoi atteindre un faux nirvana d'inconscience ou un paradis idyllique où tu joueras de la lyre avec des angelots emplumés ? Fichtre, si c'est ça, je préfère de loin continuer à me réincarner.

— Le karma ! Par exemple... euh, un homme qui rend une femme malheureuse, se réincarne en femme pour apprendre à la respecter.

— Tu me donnes des frissons. Le karma est apprêté à toutes les sauces comme alibi final à tous nos ennuis. On ne vit, ne jure, ne condamne que par le karma.»

Guillaume haussa les épaules, Jeannine détourna le regard. Je sentais leurs convictions ébranlées. Je m'en voulais un peu.

«Jeannine, pardonne-moi, je vais être cru. Quand tu fais l'amour, éprouves-tu les mêmes sensations que Guillaume ?

— Bien sûr que non ! Lui, ce qui l'intéresse...

— Aie !» gémit Guillaume, en se couvrant le visage.

Il était hilare.

«Toutes les femmes éprouvent, pour ainsi dire, le même type de jouissance, intervint Gwenaelle. C'est physiologique. Toutefois, les sensations intimes et leurs ramifications peuvent prendre des formes variées, alors que les hommes ont un orgasme plus explosif, plus extériorisé. L'orgasme féminin ne sera jamais une sensation masculine.

— Exactement. La sexualité est liée aux instincts, aux sens... L'expression de la sexualité dépend des hormones sexuelles, elles-mêmes placées sous la dépendance de l'hypophyse, de l'hypothalamus et des zones sous-corticales. Si, pour une raison ou une autre, physique ou psychologique, on reste insensible à l'érotisme du partenaire, le plaisir est impossible. Le cycle hormonal module l'humeur de la femme. Le flux hormonal influence les sensations qui marquent profondément l'Âme et guident sa réincarnation. Nous voyons mal l'Âme se dire : *"J'ai éprouvé des émotions féminines et j'ai des problèmes de femme à régler. Mais je les mets de côté pour mes moments perdus. En attendant, je vais aller me chercher des problèmes d'hommes."*

On pourrait arguer que pour intégrer toute la genèse de la vie, l'Âme devrait faire l'expérience des deux cycles d'existence, féminin et masculin, avant de retrouver son paradis. Pour rester cohérente, cette théorie devrait aussi admettre que tant que l'Âme n'est pas sortie du cycle féminin, elle ne peut pas s'incarner dans un cycle masculin et vice versa. Alors, question : À quel moment un cycle se termine-t'il ? Qui le décide et pourquoi ? Encore heureux que l'éternité n'ait pas de durée !

Quoi qu'il en soit, de nombreuses traditions ésotériques ou religieux rapportent l'histoire de bodhisattvas, des êtres éveillés, qui sont sortis de la mort en une seule incarnation... à commencer par le Christ qui l'annonce on ne peut plus clairement : *Ce que j'ai fait, vous pouvez le faire au centuple*. Or, Il est descendu directement du Père pour y retourner directement. Ces Âmes n'auront jamais connu la genèse des deux polarités du genre humain... et pourtant, elles sont sorties de la mort. Il y a un hiatus quelque part dans cette affaire de transmigration. Il manque un lien logique qui me fait penser que la réalité est différente, ou alors que la théorie de la réincarnation est fausse... ou complètement dévoyée.

— Sortir de la réincarnation en une vie ? s'inquiéta Jeannine. Quelle ambition ! Et puis... il y a problème ! On m'a toujours dit que j'avais une vieille Âme. Qu'est-ce que ça veut dire ?

— Que tu as une Âme cancre !

— **Quoi ?**»

Kris, éternel incorrigible, pourquoi ne m'as-tu pas laissé poursuivre ?

— Ils sont trop sérieux, je voulais détendre l'atmosphère. Je te redonne la parole.

— Non, tu n'as pas une Âme cancre puisque toute Âme issue de l'Absolu est parfaite en soi et possède les caractéristiques de l'Absolu. Mais nous ne pouvons nier qu'actuellement, tu es Jeannine, avec ce corps particulier, cette forme pensée en tant que produit singulier de ton présent cerveau. Tu es unique...

— Prends-en de la graine, toi ! proféra Jeannine à l'adresse de Guillaume.

— Tu ne vis qu'une fois en tant que toi. Dans une vie précédente, ton Âme a habité le corps d'une autre personne avec un intellect différent, un autre cerveau. Donc, si ton Âme s'est incarnée plusieurs fois, c'est que ses supports précédents se sont révélés incapables de sortir de la mort. Avoir une vieille Âme n'est pas le signe d'une plus grande sagesse mais plutôt la marque d'un grand enlisement émotionnel.

— Si l'Âme ne migre pas de sexe en sexe, intervint Guillaume, que fait-elle ?

— Le *Sepher-Ha-Zohar* donne la réponse. L'Âme, lors de sa PREMIÈRE incarnation, se divise en deux parties, dites Âmes-sœurs. Chacune s'incarne dans un corps de sexe différent. La parcelle incarnée dans un corps masculin doit se révéler à elle-même par l'intermédiaire d'une conscience humaine masculine. Elle se réincarnera autant de fois qu'il sera nécessaire pour trouver une conscience d'exister masculine capable de demeurer par-delà la mort. La parcelle d'Âme féminine vit le même périple jusqu'au moment où, à son tour, elle sortira de la mort. Laquelle des deux parviendra au but la première ? Ce n'est pas essentiel, puisque dans le Monde des Maîtres, le temps n'existe pas. Une seconde humaine est l'éternité et l'éternité humaine n'est qu'un présent permanent : la rencontre a toujours lieu au PRÉSENT. L'important, par contre, c'est que les retrouvailles aient lieu dans l'après-vie : les deux parcelles conscientisées, masculine et féminine, recomposent l'Unité originelle. Ainsi, l'Âme détient réellement l'androgynie divine et l'androgynie humaine. Sortir de la mort nous permet de retrouver notre Âme sœur et de fusionner avec elle pour devenir un *Être de lumière*.

— Tu vas un peu vite en besogne, l'ami ! insista Guillaume. L'homosexualité ! L'autre théorie l'expliquait logiquement.

— Pourquoi faire simple quand on peut faire compliqué, hein ? Les meilleures explications ne sont pas toujours occultes. Un peu d'histoire ! Les traces les plus anciennes que nous avons trouvées à ce sujet remontent à la fin de l'Ancien régime. En 1750, Malesherbes, dans le cadre de la protection qu'il voulait assurer aux philosophes, fit voter un édit qui supprimait l'interdiction de publier ou de discuter de sujets non orthodoxes selon les dogmes de la religion. Après des siècles d'horreur marqués par l'intolérance, le libéralisme a donc pu souffler un vent d'innovation — tout relatif, j'en conviens — qui préludait aux bouleversements révolutionnaires. On assistait aux premiers balbutiements de la liberté de pensée.

C'est à cette époque que Franz Anton Mesmer, un médecin allemand, né à Iznang, en Souabe, a prétendu avoir découvert le magnétisme animal. La noblesse parisienne, aussitôt conquise par Mesmer, s'épura avec élégance dans des rondes magnétiques, autour de baquets d'eau soi-disant magnétisée et dont le médecin fit le remède à toutes les maladies. Les séances de la Société de l'Harmonie donnèrent lieu à des rencontres d'un érotisme torride. Le siècle des Lumières brassait donc des idées nouvelles, des plus sérieuses aux plus farfelues. La réincarnation était à la mode et il était de bon ton pour être en vue d'y adhérer. Or donc, au cours d'une séance de mesmérisme, l'un des acteurs, un homosexuel dont le nom m'échappe, eut l'idée saugrenue de lancer à son amant : "Je suis la réincarnation de Louis XV". L'interpellé répliqua aussi sec : "Et moi, la réincarnation de madame Jeanne Bécu, comtesse du Barry. Tu viens, chéri ?" La blague, extraite de son contexte, fit le tour du Tout-Paris qui la déforma à tel point que la réincarnation expliqua et justifia l'homosexualité. C'est tellement bête ! Le pauvre Louis XV venait à peine de trépasser en 1774.

Sautons les siècles jusqu'aux années 1965-70. Le débat est relancé avec, en toile de fond, la libération sexuelle, le féminisme et la recrudescence de l'homosexualité masculine. Le féminisme s'est, à quelques occasions, servi de la transmigration de l'Âme de sexe en sexe pour accréditer ses revendications. Le mouvement a totalement pris les hommes de court. Certains ont préféré éviter la confrontation et se sont tournés vers l'amitié masculine avant de s'engager à leur tour dans une lutte de libération ouvertement homosexuelle. En parallèle, la libération des mœurs et la déstructuration de la cellule familiale a permis d'afficher des tendances que la morale traditionnelle aurait autrement refrénées et normalisées. Ce constat de sociologie élémentaire n'affirme pas que le féminisme est la cause de la recrudescence apparente de l'homosexualité mais que les deux phénomènes sont apparus de façon concomitante. L'homosexualité masculine s'est développée alors que le lesbianisme, malgré une légère augmentation, demeure pour ainsi dire constant. En tout cas, on en parle moins...

— Justement parce que nous vivons dans une société d'hommes, s'insurgea Jeannine. Les hommes affichent leur sexe comme un étendard et les femmes sont tout juste bonnes à faire des mioches ! Pour les mecs, le lesbianisme, c'est du pipo !

— Et puis, la femme est naturellement plus prude sur son intimité, proposa Gwenaelle pour calmer l'ouragan.

— Oh ! mais l'embryologie vient à notre secours, repris-je en évacuant la protestation de Jeannine. Vous savez que le spermatozoïde possède un seul chromosome X ou Y, et l'ovule un seul chromosome X. L'union donne une fille (XX) ou un garçon (XY). Tourné autrement, l'absence de chromosome Y donne une fille, sa présence donne un garçon. Si, sur le plan chromosomique, un mâle est un mâle et une femelle une femelle, l'expression du sexe, le phénotype, dépend de la présence, sur le chromosome Y, d'un gène découvert en 1987 par l'équipe du professeur Page de l'Institut de recherche biomédicale de l'Université de Cambridge, dans le Massachusetts. En effet, tout embryon possède les ébauches sexuelles des deux sexes. L'évolution spontanée des ébauches s'orienterait de préférence vers le phénotype féminin. Le gène de Page commanderait la fabrication d'une protéine qui induirait la transformation de la gonade embryonnaire en testicule, et la régression des ébauches femelles. On connaît mal la pénétrance de ce gène, c'est-à-dire sa force d'impact, mais comme la variabilité est de règle dans l'expression de la vie, on peut penser qu'elle n'est pas uniforme, ce qui expliquerait la grande variation dans l'extériorisation des caractères sexuels secondaires du mâle, agressivité comprise, et éclairerait d'un jour nouveau les cas de transsexualisme.

— ... de plus en plus nombreux, et certains déjà célèbres...

— De plus en plus nombreux en absolu ou en relatif ?

— Ben...

— Dis plus simplement : parce qu'on en parle ouvertement, que les *déviants* selon la norme ne sont plus brûlés en place de grève et que le monde découvre — enfin, pas partout — que le mouvement, la variabilité, et la différence régissent le monde et la matière.

— N'en jetez plus ! L'homme est une déviation de la femme ? s'écria Guillaume.

— Donc, enchaîna Jeannine, la femme est supérieure à l'homme. Freud doit se retourner dans sa tombe !

— Vous ne pouvez pas voir plus loin que le bout de votre nez deux secondes ? Soyons sérieux, l'homme et la femme sont deux principes différents mais complémentaires. Pour les anciens, la courbe est féminine et l'angle masculin. Tout symbole de la Divinité est courbe et tout symbole anguleux Matière...

— Femme divine, homme animal ! coupa Jeannine.

— Amazone ! Tu devrais te couper un sein, renchérit Guillaume.

> *Lumière, quel privilège d'être observateur ! C'est incroyable comme on devient clairvoyant !*
>
> *— À trop parler, on n'entend ni ne voit plus rien. J'interviens avant que ça dégénère !*

— Dites, je peux terminer ? L'homme et la femme ne sont pas des déviations de l'un ou de l'autre mais des complémentarités mutuelles. Individuellement, ils sont chacun un produit unique, *réceptif* à l'Absolu par l'intermédiaire de l'Âme. En tant que couple, ils sont complémentaires par la différenciation en Âmes sœurs. Ils doivent apprendre à *devenir conscients* de leur réceptivité à l'autre... donc à SOI. Les Anciens ont toujours adoré la femme comme symbole de la *réceptivité*, donc de la *divinité*. Dans sa démarche symbolique, l'homme doit apprendre à devenir femme donc *réceptif*.

Cette réceptivité féminine de l'homme n'est pas une tare, bien au contraire. C'est un fait physiologique. À preuve : la plupart des garçons, au début de la puberté, présentent une tension des seins et parfois même une montée laiteuse due à la sécrétion d'hormones sexuelles par les vestiges embryologiques des gonades femelles. Ça dure une quinzaine de jours.

— Un homme ? Du lait dans les seins ? s'étouffa Jeannine.

— Tout le monde sait ça, ironisa Guillaume. Sauf les ignorantes !»

Je levai la main pour tempérer le canardage dont Jeannine n'allait pas manquer de nous bombarder.

«Un ésotériste qui se veut objectif ne doit jamais dénigrer la science parce qu'elle est matérialiste. Il doit toujours s'informer de ses avancées pour mieux comprendre sa spiritualité. Ainsi, l'embryologie pourrait expliquer certaines tendances féminines de l'homme. Le milieu familial, l'environnement, la plus ou moins grande acceptation par la socio-culture, modulent l'expression de ces tendances. Le génie génétique, comme la découverte du gène porteur du phénotype sexuel, peuvent révolutionner l'embryologie. D'autres travaux éclaireront les tendances de la sexualité sans qu'il soit nécessaire de justifier nos choix, nos orientations, nos préférences par la réincarnation et la migration de l'Âme d'un sexe à l'autre.

— Kris, résuma Gwenaelle, la cohérence montre l'inanité de la conception selon laquelle l'Âme s'incarne sans tenir compte du sexe. Au contraire, l'Âme unique se dédouble et chaque parcelle se polarise dans des corps de sexe opposé jusqu'à leurs retrouvailles et leur fusion dans le Monde de l'après-vie.

La parcelle d'Âme qui est mienne a habité depuis son origine des supports exclusivement féminins. Et toute Âme de polarité masculine ne s'incarnera que dans des supports masculins.»

C'est alors que j'observai Jeannine qui, en silence, avait glissé du fauteuil et caché son visage dans ses mains. Son corps s'animait de soubresauts vifs et saccadés. Vaguement inquiet, je crus à un malaise. Mais soudain, elle rejeta la tête en arrière et découvrit l'éclat de sa denture. Son rire stridula à m'en décrocher les tympans. Décontenancé, j'attendis la fin de l'orage. Finalement, les larmes aux yeux, Jeannine hoqueta :

«Pitié, Kris ! Je me retiens depuis... je n'arrive pas à chasser l'image de Guillaume... à 15 ans, avec du lait dans les seins, en brassière, en tutu... et je me dis : c'est pas à cause de ses incarnations.... mais à ses hormones.»

> *Kris, tu as demandé beaucoup d'attention à tes amis.*
>
> *— Et eux me demandent beaucoup de patience !*

Je ne manquerai pas de remercier Jacques de son cadeau. À l'occasion !

* *
*

16

LA RÉINCARNATION

II - ALLER SIMPLE OU ALLER-RETOUR ?

Dimanche ! Petite promenade sans effort dans les vallons alentour. Pas trop loin. Gwenaelle s'essoufflait vite. Un autour planait très haut; une marmotte siffla l'alarme, un couple de chamois s'enfuit. Nous avons cueilli des myrtilles, flâné près d'un torrent. Guillaume cachait sous des plaisanteries douteuses le trouble dans lequel l'avait plongé la discussion de la veille; répliques pour le plaisir de la contradiction, rires cristallins, silence lunaire de Jeannine sous le soleil dru. À la maison, je soulagerai l'insolation au vinaigre de vin.

Sur le chemin du retour, nous nous sommes arrêtés à la ferme voisine. Le jeune couple qui l'habitait depuis peu vibrait de fierté : les cabris venaient de naître. Nous avons goûté à une succulente tome de chèvre au goût de ciel de montagne.

Au repas du soir, l'atmosphère se détendit. Nous avons parlé de Jacques, perdu dans ses brumes picardes, qui rêvait de romans de science-fiction et de bandes dessinées. Le soleil avait rapidement agonisé derrière les cimes et une nuit d'écume avait occulté les forces des ténèbres où s'engouffraient les craintes ancestrales sous le regard inquisiteur de Dame la Lune.

Au coin la vieille cuisinière à bois, nous avons flambé des crêpes au cognac comme pour la Chandeleur. Les vapeurs d'alcool et l'encens du café fumant enivraient la pièce. Les flammes invitaient à la complicité, loin de la clarté aveuglante du jour qui ridiculisait nos convictions intimes. La comédie n'était plus de mise. Guillaume, en veine de confidences, baissa le rideau du théâtre social.

«Kris, ce que tu nous as dit hier soir a ébranlé un édifice coulé dans le bronze. Je voudrais comprendre. *Peux-tu m'informer ?*

Peux-tu m'informer ? murmurais-je en moi.

Sésame ouvre-toi ! La demande de Guillaume força le coffret aux souvenirs. Ma quête spirituelle avait complètement occulté l'accident de la presqu'île de Giens. Maintenant, je savais ce qu'était la mort, la vraie mort et donc la vie, la vraie, celle qui concentrait ses forces dans le sein de Gwenaelle. J'avais trouvé l'essentiel des réponses aux questions que ma noyade avaient occasionnées, sauf une qui avait concrétisé mes derniers moments sur l'écran de ma pensée. Je me revis double : mon support inerte que Gwenaelle et Michel s'acharnaient à ranimer, et moi, ma véritable réalité d'être moi, mon double astral entouré de murmures et de *Lumières* dont l'une, plus lumineuses me disait :

«Kris ! Chaque chose en son temps ! Ta vie ne fait que commencer. Tu devais goûter la mort pour témoigner de la vie auprès de tes semblables. Tu as vu et tu as su. Sauras-tu les informer ?»

Chaque mot, chaque impression ressuscitaient avec une telle acuité que je mourais à nouveau. L'histoire sans fin déroulait les représentations répétées de la même pièce. Je connaissais bien mon texte :

«Ai-je le choix ?

— Kris, qu'est-ce qui t'arrive !» cria quelqu'un.

Lumière répondit :

«Elle est ta lumière du vivant, la contrepartie d'un double transfert qui illuminera désormais ta vie.

— Kris, je t'en supplie, prends mon souffle ! criait la voix déchirée d'une détresse infinie.

— *Quant à moi,* continua Lumière, *nous serons deux en un. Je serai ta mémoire, ton ami de toujours et à jamais ton éternité.*

— Kris, mon amour !»

Un cœur battait dans ma tête, des vibrations couraient dans mon cou comme le frisson d'un bonheur inassouvi. Je regardai Gwenaelle... l'amour ! Je voyais par transparence l'expression de Michel qui disait :

«Gwenaelle ! C'est fini !»

Puis le visage déterminé de ma femme :

«Laisse-moi, Michel ! Il ne faut pas... s'arrêter... une seconde...»

Retour à la vie, vomissement, le bout de bois coincé dans la contracture des muscles de ma bouche :

«Regarde !»

Son nez retroussé, ses yeux humides, sa bouche serrée et le regard rieur... son doux baiser sur mes lèvres, ses larmes sur son visage, son merveilleux sourire. Elle m'embrassait le cou, mordillait ma peau.

«Qu'est-ce qui t'arrive mon amour ? Tu es blanc, me murmura-t'elle à l'oreille.

— Rien, un souvenir oublié qui bat le rappel !

— Kris, s'inquiéta Guillaume. Tu n'es pas dans ton assiette ?

— Mais qu'est-ce que vous avez tous ? Je vais très bien ! Ça ne vous arrive jamais de partir sur une autre planète ? Une idée vient de m'effleurer l'esprit. C'est tout !

— On peut savoir ?

— Vous allez rire.»

Gwenaelle prit ma main et la serra pour m'encourager mais, malgré sa tendresse, le geste ne pouvait cacher sa curiosité. Elle voulait savoir.

«Je me suis dit qu'un jour je devrais raconter dans un livre mon aventure à la presqu'île de Giens.

— Excellent ! J'imagine la tête des potes quand je leur dirai que je connais le Grand KrisssT qui est revenu des morts. Tu me fileras un exemplaire à l'œil !

— Mais fiche-nous la paix avec tes sarcasmes, sermonna Jeannine. Moi aussi, *je veux être informée.*»

Je souris à Jeannine :

Informe-les... Oui ! me dis-je.

Je venais de comprendre ce que ça voulait dire et, plus encore, QUI ME L'AVAIT DIT !

> *Nous serons deux en un. Je serai ta mémoire, ton ami de toujours et à jamais ton éternité. Parle de la réincarnation comme tu le sens et nous parlerons ensemble.*

L'enthousiasme me gagna. Le plaisir d'informer !

«Pour comprendre les mécanismes de la réincarnation, il faut d'abord convenir entre nous d'exclure toute notion religieuse relative à Dieu et à l'Âme et ne s'attacher qu'au phénomène en soi. Faisons table rase des croyances personnelles. Attention ! je ne nie pas le Divin. Seulement, ce n'est pas le sujet. Pas encore !

L'Âme, parcelle de l'Absolu dont elle détient les caractéristiques, est parfaite par nature. Si ce n'était pas le cas, l'Absolu ne le serait plus dès l'instant où une parcelle de lui-même s'incarne. La Matière, marquée par la régénération et la transformation perpétuelle n'est pas absolue. Teilhard de Chardin a dit que l'Univers évoluait vers un point de plus en plus parfait. L'Absolu ne se transforme pas : IL EST dans un présent fixe sans pour autant avoir la conscience de l'individualité.

L'Âme est donc parfaite et son incarnation ne détruit pas sa perfection, sinon son essence serait transformable. C'est pourquoi la perfection est plus à révéler et à conserver qu'à atteindre. De même, l'Âme possède la Connaissance intégrale de l'Absolu. La connaissance n'est donc pas à découvrir, on l'a. Il faut apprendre à y avoir accès et à y puiser à volonté.

— Attends ! coupa Guillaume. L'Âme est parfaite et ne peut se transformer. Nous avons tous la connaissance de l'Absolu. Bon ! Pourquoi l'Âme s'incarne-t'elle si ce n'est pour évoluer ?

— La vie n'a plus de sens, enchaîna Jeannine. Où vois-tu la perfection en nous-mêmes et dans le monde qui nous entoure ?

— La Matière, par sa cristallisation, sa division, sa transformation, exige l'individualisation, c'est-à-dire la conscience d'être soi et pas un autre. Mais, en raison même de sa diversité, elle n'accepte pas l'Absolu immobile comme état permanent. Convenons donc à nouveau que la Matière *propose* une Âme du *Mouvant* que nous appellerons le JE et que l'Absolu *offre* une Âme de l'*Immobile* que nous appellerons Âme spirituelle. À l'image de l'Absolu, l'Âme spirituelle EST sans avoir la conscience d'exister propre à l'individualisation et, à l'image de la Matière, le JE EXISTE en tant que JE SUIS MOI, sans avoir la conscience d'ÊTRE universelle. L'Âme spirituelle qui EST s'incarne pour prendre conscience par un JE qu'elle EXISTE. En contrepartie, le JE qui EXISTE prend conscience de l'universel.

L'Âme n'a pas besoin d'évoluer. Le JE doit simplement prendre conscience de l'Âme spirituelle, laquelle prendra alors conscience de son individualité. J'insiste : l'incarnation n'a pour but que la seule et unique prise de conscience de l'Absolu par le Mouvant matériel.

Une seule vie suffit pour y arriver. Pourtant, on ne peut nier l'évolution. L'observation la démontre amplement. Mais l'évolution de quoi ? Pas de l'Âme parfaite. Pas du JE, simple conscience d'exister. D'ailleurs, le JE est lui aussi parfait et non transformable, sinon l'Âme ne pourrait fusionner avec lui. Si l'Âme fusionnait avec un JE imparfait, elle deviendrait, elle aussi imparfaite. L'Absolu que réintégrerait une Âme imparfaite perdrait du même coup sa caractéristique fondamentale.

Alors, qu'est-ce qui évolue ? Rien ? Si ! La conscience cérébrale, c'est-à-dire l'agent de liaison qui assure la rencontre et le mariage du JE, élément vital encore appelé Maître Intérieur, avec l'Âme spirituelle. La conscience cérébrale, ou MOI, emmagasine le savoir. Plus il en sait, plus il favorise la fusion du JE et de l'Âme spirituelle. Donc, seul le MOI évolue.

— Stop ! coupa Guillaume. Je résume :

- D'un côté, l'Âme EST mais ignore en quoi ça consiste... d'être ! En somme, une pucelle innocente qui ignore la féminité tant qu'elle n'aura pas connu l'homme.

- De l'autre, le JE EXISTE mais ne sait pas à quoi il sert. C'est un grand niaiseux qui ne connaît rien de la femme, mais qui est irrésistiblement attiré par la pucelle sans savoir pourquoi.

- Entre les deux, l'entremetteur, le MOI, doit éduquer le niaiseux pour le rendre capable de courtiser la pucelle. L'entremetteur est soit un maquereau, soit un type bien élevé, selon les normes de son milieu. C'est ce que tu veux dire par *Seul le MOI évolue* ?

Prends-en de la graine, Kris ! L'image est la meilleure façon de communiquer la Connaissance.

— Guillaume, je reste sans voix. Tu as tout pigé.

— Pas besoin de sortir de Saint-Cyr. C'est aussi évident que l'œuf de Christophe Colomb.

On n'ouvre son cœur qu'à celui qui fait preuve de réciprocité spirituelle et qui transcende le sens limité des mots. Ne te fie jamais aux apparences trompeuses du MOI !

— Tu as tout à fait raison. Le développement du MOI dépend du milieu où il est né et où il vit, de sa famille, de son pays, de sa religion. Il assure la survie dans la jungle des transformations inextricables de la matière diversifiée sans oublier ses propres besoins et les dépendances qu'il déploie pour exploiter l'objet de ses sens.

— Attends, je cale, protesta Jeannine en levant le doigt comme pour demander la permission de parler.

— Kris a oublié de dire, reprit Gwenaelle au bond, que chaque cellule vivante développe une conscience d'exister qui vise au premier chef sa propre survie. C'est l'EGO, c'est-à-dire l'expression de la force vitale à son niveau le plus élémentaire : respiration, digestion, réflexes... Les cellules du cerveau ont en plus le don de cristalliser une pensée consciente, le MOI. L'EGO dirige les instincts qui se traduisent par une réponse automatique aux perceptions des sens dans une équation toute physiologique : **sens x sensations = (sensualité x jouissance) à la puissance émotion**. Le Moi en tant qu'activité supérieure de l'EGO jouit de sa sensualité sur le plan intellectuel, qu'il en soit conscient ou non.

— L'entremetteur-MOI, enchaîna Guillaume, va émouvoir dans un sens plus ou moins pervers le JE. À son tour, le JE s'y prend comme un pied avec la pucelle et la marque pour le reste de sa vie... qui est longue, puisqu'éternelle. Pas vrai, Kris ?

— Bravo ! L'Âme retient les émotions intenses, bonnes ou mauvaises, transmises par le JE et le MOI, et qui l'ont marquée quand elle habitait sa maison humaine.

— Donc, à la mort, l'Âme retrouve tous ses JE précédents ?

— Pas trop vite ! L'Âme spirituelle est éternelle par nature. La mort est un attribut du Mouvant. Elle est d'abord cellulaire; le MOI-cerveau est donc le premier à mourir. Adieu savoir ! adieu évolution ! Après survient la mort du JE-suis, condensation orientée de l'énergie vitale spécifique de la Matière.

— Quoi, le JE meurt ? explosa Jeannine avec indignation.

— Sauf s'il a appris à fusionner avec l'Âme de son vivant, continuai-je. Si le MOI l'a averti de sa mission, le JE fusionnera avec l'Âme par la mort rédemptrice et deviendra un Maître Réalisé.»

Jeannine poussa un soupir de soulagement qui n'était pas feint. Elle était vraiment paniquée. Guillaume rétorqua dans la foulée :

«Si le beau damoiseau sait courtiser la mademoiselle, la mort officialisera leur mariage devant le créateur qui leur donnera l'absolution et les autorisera à s'envoyer en l'..., pardon à se fondre en un, à féconder l'autre de leur amour, de telle sorte que l'existence de l'un n'aurait plus de sens sans l'autre.

— Le JE n'est plus niaiseux, Guillaume ? ironisai-je.

— Ben, dame ! Seul un cœur pur peut épouser la pureté. Au départ, le JE ne sait rien. Il est aussi innocent qu'un bébé vagissant. Maintenant que le MOI lui a fait prendre conscience qu'il existe, il peut regarder son Âme en toute connaissance.

— Soit, mais je te rappelle nos conventions : pas de Dieu dans nos discours. Donc, les tourtereaux n'ont besoin de l'absolution de personne pour apprendre à s'unir. C'est un besoin et une loi de la spiritualité, aussi naturelle et obligée que la loi d'amour sur ce plan-ci. Une parcelle de l'Absolu n'est pas, par principe, dynamique. Seule la Matière est mouvante, c'est-à-dire le JE. Si le JE n'a pas été un bon prétendant et n'a pu épouser l'Âme, il rejoint le corps dans la mort. Privée de son guide physique JE qui l'aurait aidée à rejoindre le Monde des Maîtres, l'Âme se retrouve livrée à elle-même. Seule demeure la trace des émotions et des passions humaines qui l'ont marquée pendant son séjour terrestre. Ces émotions orientent l'Âme vers la réincarnation comme une ligne directrice. Oui, Guillaume ?

— Résumons encore ! La pucelle qui n'a pas trouvé un JE compétent, garde en mémoire les jeux de cour dictés par un MOI imbécile et qui l'ont malgré tout troublée. Elle sait qu'elle a désormais une raison d'être, comme une princesse abandonnée par son prince et qui découvre son ancienne beauté dans son miroir. Le miroir de la vie pour l'Âme est le JE. Si elle ne veut pas fêter la Sainte-Catherine, elle doit vite se dénicher un autre soupirant. Sa seule référence : son ancien JE. Alors, elle se réincarne et choisit un corps plus à son avantage en essayant d'éviter ceux qui ressemblent trop au précédent.

— Stop ! Erreur capitale ! L'Âme ne SAIT PAS. Elle CONNAÎT seulement l'émotion ressentie par le JE. En dehors de cette émotion, elle ne sait rien. Si elle savait, elle ne commettrait pas la même erreur et mettrait en œuvre une pensée déductive propre à l'intellect humain, seul capable d'analyser un élément évolutif dans le TEMPS. Comme l'Âme n'est pas consciente d'elle puisque le JE a échoué, elle subit la réincarnation comme un dormeur entraîné par ses rêves ou un navire démâté poussé par la tempête des émotions anciennes. La nouvelle promesse d'amour avec la vie l'oriente donc vers un nouveau JE du même type que les précédents et vers un milieu émotionnel similaire.

L'Âme ne peut programmer sa nouvelle incarnation. Elle ne peut prévoir la durée de vie de son futur support ni les étapes qu'il devra suivre parce qu'elle ignore tout de la temporalité et qu'elle ne sera consciente d'elle-même que lorsqu'un JE assez fort l'aura intégrée.

— Élémentaire, mon cher Watson, acquiesça Guillaume : une Âme-pucelle réalisée en Âme-femme par la mort rédemptrice !

— Ça ne tourne pas rond, vous deux ? s'écria Jeannine scandalisée. Puceaux, pucelles... frustrés, va ! Tu me déçois Guillaume. Kris parle, et hop ! Tu t'aplatis, tu fiches en l'air ton propre monument. J'ai toujours été femme, admettons... quoique, ça demande encore réflexion. Mais voilà que mon Âme ne décide pas de mon corps, de ma famille, de mon pays mais qu'elle subit, cette gourde, l'attirance des émotions d'une illustre inconnue qui l'obligent à revivre dans le même milieu. Tu parles d'un karma ! Et le bouquet pour finir : ce n'est pas moi qui me réincarne, mais seulement mon Âme. Ben voyons ! Moi, je ne suis qu'une poussière d'espace-temps qui a été et ne sera jamais plus. Absurde, complètement capotant !

— Ma colombe, minauda Guillaume. Il faut savoir jouer. Pour l'instant, Kris tient le bon bout. Je ne peux quand même pas tout refuser en bloc sous prétexte que c'est nouveau pour nous ? Attends voir comment il va expliquer le karma, les inégalités sociales, la pauvreté, les enfants mort-nés, les débiles, les génies...»

Guillaume me décocha un clin d'œil rapide. Complice honnête ou faux jeton pour donner la mise ? Jeannine signa l'armistice.

«Très bien ! C'est dur à avaler, ça ne ressemble à rien de ce qu'on entend d'habitude, mais... je suis ouverte et tolérante, non ? Je veux bien tenter l'expérience.

> *Kris,* dit Lumière, *suis un fil directeur cohérent illustré par des exemples simples. Ne cherche pas la précision des mots. Ils s'imaginaient détenir une vérité immuable. L'idée doit primer sur l'exactitude philosophique du discours. Ils auront assez à faire de leur côté pour vérifier ce que tu leur as proposé.*

— Supposons que tu n'aies pas d'Âme, demandai-je, qu'est-ce que ça change ?

> *Intéressante question, Kris. Je me demandais quand tu l'aborderais.*

— Que je n'ai pas... ? Ça n'a pas de sens. Je serais une morte vivante. Comment imaginer un instant un individu sans Âme ?

— Les ésotéristes médiatiques la déifient, ne vivent et ne respirent que par l'Âme mais pas un sur dix ne saurait la définir avec clarté. Que dire des autres, des milliards d'humains sur terre ? Crois-tu qu'ils ont tous le temps, l'envie ou la possibilité de discuter comme nous ce soir ? Mesures-tu notre privilège ?

Quelle proportion de l'humanité peut vraiment prendre conscience de son Âme ? Le monde est une misère, une symphonie de brutalités et d'horreurs. Nous sommes bien à l'aise dans notre paix domestique. Les soubresauts des nations nous atteignent si peu. Les séismes, les guerres, les attentats, la famine alignent leurs statistiques de mortalité comme un palmarès de records. Quand la Terre cesse un temps de vomir ses calamités, il reste toujours à ses pauvres guenilles humaines, bafouées, meurtries, torturées, l'envie chevillée au corps de se relever, de s'établir, de se marier, de faire fortune, de jouir — Grand Dieu ! quel mot ! —, de *jouir* de l'existence.

Et toi, quand bien même la télé t'arrose d'immondices, tu continues à jouer aux cartes, à papoter, à donner dans le féminisme ou la politique ou un hobby... pour passer le temps. Passer le temps ! Fadaises ! Bien sûr, ça t'émeut... un temps ! Ça ne t'empêche pas, toi, moi, nous tous, de rire ou de se taper un bon gueuleton pendant que les squelettes du Sahel ou des bas-fonds de Calcutta frappent à notre porte. Ça ne nous empêche pas plus d'être intelligents et même très perspicaces. Et tout à coup, un doute : si je n'avais pas d'Âme. Stop, la Terre ! Arrête de tourner !

L'Âme n'a pas besoin de monument. Le simple fait de nous demander si nous en avons une et d'EN PRENDRE CONSCIENCE cause plus de problèmes que de satisfactions. Sa découverte nous détache de la matière et nous impose une quête qui bouleverse nos choix, nos aspirations et nos acquis. Les autres qui ne se posent pas tant de questions n'éprouvent pas vraiment ce genre d'angoisse. Parle-leur de la spiritualité, tiens. Tu passes pour une conne. Alors, le privilège ?

— Boudiou, quelle flamme !

— Pardonne-moi ! As-tu conscience d'être quelqu'un d'autre que toi-même ? Non ! Alors, avoir une Âme ou pas, en prendre conscience ou non, louper son voyage ou le réussir, qu'est-ce que ça change pour l'Âme ? Absolument rien. Elle a l'éternité pour trouver le beau mec. Par contre, toi Jeannine et toi Guillaume, vous n'avez qu'une seule vie pour traverser votre horizon, une unique chance en tant que vous. Pas deux ! Bien sûr, votre Âme en gardera la mémoire, ça fait du bien au nombril, un souvenir de ce que vous avez été, une petite satisfaction à mettre au compte du vrai JE qui, lui, se sortira de la mort.

Le drame, c'est que le petit monde des sciences occultes complique tout à loisir. Fichtre ! Connaître son Âme, et en une seule vie en plus, non vraiment, c'est au-dessus de nos forces. Mieux vaut engranger les incarnations dans son compte en banque karmique. Quelle sécurité, hein ? On calcule les dépenses et les recettes en dollars réincarnationistes, les dettes, les arriérés, les prélèvements obligatoires et parfois les primes à intérêt variable, comme un livret d'épargne populaire. Au moins, on se persuade qu'un jour, le pauvre petit MOI, grossi comme une grenouille bovine, aura accumulé assez de gros et juteux billets pour payer avec les autres tortues le péage du bout du ciel. Quelle cotonnade ! Tout est tellement plus simple, c'en est risible : il suffit de s'accepter tels que nous sommes et de réveiller l'enfant qui sommeille en nous.

— Mais comment ? s'inquiéta avec sérieux Guillaume, quand on a un sale MOI ?

— Tu ne peux plus te faire refaire par ta mère, le moule ne sert qu'une fois. Sale MOI ou non, tu dois vivre avec. Alors, la lumière intérieure apparaît à ta conscience. Tu n'as qu'à y plonger; elle transformera ton MOI en un outil propre à remplir sa véritable fonction : permettre au JE d'informer l'Âme qu'il est son vrai prétendant, et la partie est gagnée

— Pour moi, c'est du prêchi-prêcha ! Exemple concret, *please !*

— À ton service ! Mais un exemple simple, anecdotique et donc incomplet. Au Xe siècle, une Âme s'incarne dans le corps disons... d'Enguerand, fils unique d'un couple de drapiers du nord de la France. Enguerand est un enfant *doux et obéissant, sensible et intuitif.* Alors qu'il a seize ans, ses parents sont assassinés sous ses yeux, au cours d'une émeute populaire. Enguerand mourra sans souffrance quarante ans plus tard avec, gravée dans sa mémoire, la vision des corps ensanglantés de ses parents. L'Âme a enregistré l'émotion la plus intense qui a dominé toute la vie d'Enguerand : *les cris, la violence, le sang, la douleur de la perte d'êtres chers.*

Cette ambiance émotionnelle la dirige en réincarnation dans le corps d'un autre homme également, et aussi dans un milieu correspondant à la tonalité dominante qu'elle avait connue avec Enguerand. Tiberge est le fils d'un serf *brutal* et débile. Tiberge, *doux* comme un agneau et pour qui papa est un dieu, ne fera pas de vieux os. Il a huit ans à peine quand son imbécile de géniteur lui fracasse la tête au cours d'une beuverie. Contradiction ? Le milieu familial de Tiberge est à l'antipode de celui d'Enguerand. Mais l'important est l'émotion vécue par l'Âme plus que le phénomène qui lui a donné naissance. L'Âme retient toujours la violence à laquelle s'associe une curieuse ambiguïté sur la famille : elle se laisse guider par un complexe qui *s'agglutine toujours autour de la violence dans un monde d'hommes où l'amour côtoie la haine.*

— Tu me passionnes, ironisa Guillaume. Tes bonshommes n'ont pas reçu des brevets de longue vie.

— Et pour cause ! Au XIIe siècle, Renaud, le suivant en ligne, est un manant au service du seigneur de Boves, un nobliau brigand qui dépouillait les voyageurs dans la région d'Amiens. Sans honneur comme son maître, il troussait les filles, détroussait les cadavres, mais se tenait en retrait quand il s'agissait de passer à l'acte. *L'égorgement lui répugnait sans qu'il sût pourquoi.* Comme son maître aussi, il finira sur le gibet. *Violence toujours. Et plus un seul soupçon d'amour,* relégué aux oubliettes.

La descente aux enfers s'achèvera-t'elle pour l'Âme ? On pourrait l'espérer avec Robert, ce sergent d'armes de l'ost de Philippe VI, qui se préparait pour la grande bataille contre l'Anglais.

— Tu aimes la Picardie, Kris.

— C'est pour vous mettre à l'aise. Robert n'était pas un tendre. Trois jours avant la bataille, il avait gaillardement lutiné Coline dans les fourrés. *Amour brutal, expéditif et terriblement fonctionnel.* N'empêche, Coline était douce et jolie. Et, bizarre... après le viol, elle avait caressé sa nuque. Troublé, Robert pensait à Coline quand l'armée de Philippe quitta la route d'Abbeville pour déboucher dans la plaine de Crécy. Il y pensait encore quand la flèche anglaise lui traversa la gorge et sectionna sa carotide.

Nouveauté ! *Douceur et tendresse pour un brisquard.* De quoi faire rougir les angelots du paradis ! Le cœur de Robert aurait-il été frappé par le *sens de l'honneur* ? Le comte Eudes, portant haut ses couleurs et le sens de sa lignée, aurait pu répondre s'il avait eu le temps de concilier *son goût immodéré pour les tournois et son attirance pour le joli minois d'Adeline.* Adeline n'était pas sotte. Fine lettrée, fait rarissime en cette période d'analphabétisme chronique, elle voulait orienter son benêt de mari vers les sphères subtiles de la philosophie. Eudes n'était pas insensible à ces jeux d'esprit. Hélas ! son adversaire tenait mieux sa lance et, au tournoi suivant, culbuta Eudes cul par-dessus destrier et lui brisa le cou. Par chance, Adeline avait semé une graine. L'*attrait des mystères* allait-il l'emporter ?

— Vous le saurez au cours de notre prochain épisode, s'esclaffa Guillaume. Pardon Kris ! Continue.

— Examinons la situation. Le **complexe émotionnel** se teinte de sensations hétéroclites. *Il s'articule autour d'un noyau dur de violence, mais une violence déjà tempérée par des émotions nouvelles, la tendresse* de Coline, le *savoir* d'Adeline, le tout ramenant quelque chose de lointain, enfoui très profondément, la *douceur enfantine* d'Enguerand. Toujours engonçée dans ce **complexe d'amour/haine–douceur/violence**, l'Âme subit les assauts d'un flot contradictoire : c'est un ouragan émotionnel, dont les bourrasques la renvoient de corps en corps sans direction, sans guide dans une succession d'incarnations malades : elle butine au hasard dans des individus malingres, parfois mort-nés ou tout à fait réfractaires au moindre développement intellectuel ou spirituel. L'enlisement la guette.

Sautons les siècles ! 1915, Angleterre ! John, malgré *ses dix quartiers de noblesse, n'a pas le sou. Froid et cynique, il cache mal son dégoût pour la sensiblerie.* Sa famille le rejette. L'Allemagne s'ébranle. C'est une tête brûlée; il répond "présent" et rejoint sur-le-champ le corps expéditionnaire britannique sur la Somme.

— Encore ?

— La filiation du milieu, Guillaume ! La France l'indiffère, mais il découvre la cathédrale d'Amiens et la maison de Jules Verne. Il s'invente des affinités avec le grand visionnaire, mort dix ans plus tôt, et commence à se poser de sérieuses questions. *Il trouve une paix intérieure qu'il n'a jamais connue...* croit-il. Un an de tranchée, de boue et de sang. John *est un bon tireur mais, comme un fait exprès, rate toujours son boche.* Le 1er juillet 1916, devant Beaumont-Hamel, lors de la grande attaque britannique sur l'Ancre, une baïonnette allemande met un terme définitif a sa quête. John ne réussira pas.

Enfin... mais on pourrait continuer longtemps encore, Jérome ! À quatorze ans, il voulait être *prêtre.* Mais il préférera l'*armée.* Il veut s'engager : réformé ! Versé dans l'art militaire, il abhorre la discipline bornée, parcourt les champs de bataille, collectionne les armes et les livres d'histoire, *déteste la violence, aime le beau,* et ses enfants et sa femme et tout le monde, mais ne sait pas le leur dire. Méticuleux et tatillon dans son travail, il se tient mal, s'habille mal, mange mal... tout un mélange de contradictions *alliant la paillardise du soudard et le raffinement de la noblesse.* Actuellement, c'est un écorché vif incapable d'exprimer l'explosion qui gronde en permanence en lui. Il pressent une flamme au loin mais ne peut encore la trouver. Mais Jérome, comme Tiberge, comme Robert, comme Eudes ou Enguerand, ne sera Jérome qu'une fois. Et rien qu'une !

— Que de détails ! C'est une histoire vraie ? soupira Jeannine, émue.

— Non ! À peine un survol anecdotique ! Que faut-il retenir ? Le *complexe émotionnel* s'alourdit à chaque incarnation. L'Âme, si lourde d'émotions contradictoires, s'enlise dans le Marais spatio-temporel à tel point que le *complexe émotionnel* ne parvient plus à créer une ligne de force, si ténue soit-elle, permettant de projeter l'Âme dans un nouveau support.

On pourrait penser que la réincarnation est devenue impossible pour elle, mais la nécessité que l'*Immobile* se connaisse par le *Mouvant* domine toutes les contradictions émotionnelles issues du vivant. Dans cet état de catalepsie, une lueur vacille très loin en elle. Aussi faible soit-elle, elle suffit pour faire remonter l'Âme lentement vers sa source originelle. Mais elle ne pourra pas l'intégrer parce qu'elle n'est plus androgyne. Évacuons, pour simplifier, les implications du dédoublement de l'Âme spirituelle originelle lors de la première incarnation. L'Âme va subir un bain de pureté qui effacera de sa mémoire toutes les émotions des précédents JE. Le *complexe émotionnel* hérité de toutes les incarnations précédentes — donc de tous les JE — est complètement éliminé de sa mémoire. Elle redevient COMME une Âme vierge, SAUF qu'elle a quand même connu la Matière et que ses anciens JE, en dépit de leur échec, ont instillé en elle une prescience de l'Absolu que ne possède pas, par définition, une Âme vierge. Lors de sa prochaine incarnation, elle laissera filtrer cette attirance dans son nouveau véhicule dont le MOI pourra appréhender l'Absolu avec les moyens intellectuels et culturels de son milieu.

— L'Âme passe à la lessiveuse et tout est effacé, coupa Guillaume. Ça me fait penser à une cassette vidéo. Malgré les enregistrements successifs qui suppriment les précédents, il persiste toujours des altérations, celles des consciences des JE antérieurs qui ont été assez forts pour cristalliser l'énergie de l'Absolu dans la tête d'effacement.

— Ouais ! Si on veut... mais c'est limite ! Je préfère l'exemple d'un ordinateur et d'une disquette vierge utilisée par l'Absolu qui veut se connaître par le Mouvant. À sa première incarnation, l'Âme est semblable à cette disquette vierge. L'Absolu-utilisateur l'introduit dans l'ordinateur-MOI. Comme elle n'a pas été initialisée, elle ne contient aucune information-émotion du monde d'où elle vient.

Initialiser une disquette-Âme consiste à tracer des pistes comme des lignes de stationnement sur le terrain d'un futur supermarché et à les étiqueter en fonction des places réservées pour les administrateurs-JE, les consommateurs-sens, les handicapés-angoisses, la police-justice, les pompiers-peur... Cela fait, on pourra y stationner différentes informations-émotions suivant leur propre classification.

Lors de chaque incarnation, cette disquette-Âme change d'ordinateur-MOI; celui-ci sera plus ou moins puissant mais il pourra toujours lire la disquette. À l'opposé, la disquette ne peut être insérée dans un ordinateur qui ne peut la lire — par exemple possédant un système d'exploitation différent... celui d'un animal par exemple —, car elle serait aussitôt éjectée. Ce n'est pas la disquette-Âme qui choisit les informations, ni l'ordinateur-MOI, mais l'Absolu-utilisateur dans le seul but de lire ce qu'il y a dessus. N'allez pas me dire que si l'Âme ne choisit pas son corps, Dieu le fait à sa place; c'est la même chose. La disquette-Âme *subit* son utilisation suivant les informations-émotions qui sont en elle.

Maintenant, comme n'importe quelle disquette-Âme, on peut jeter des informations-émotions ou en enregistrer de nouvelles. C'est ce qui se produit durant les diverses incarnations. Mais dans le cas extrême où la disquette-Âme est surchargée, elle ne peut plus emmagasiner de nouvelles information-émotions. L'Absolu-utilisateur jette toutes les informations-émotions et la disquette-Âme repart à zéro. Mais les traces prévues pour le stationnement des informations-émotions demeure. Comme l'effacement est un bain d'Absolu, la disquette-Âme retient naturellement la sensibilité de l'Absolu et garde les sensations d'un Administateur-Absolu-JE, des consommateurs-spirituels, des handicapés-miraculés, de la police-du-détachement, des pompiers-du-ciel-plénitude... Il suffira donc à l'Absolu-utilisateur de l'ordinateur-MOI de puiser les informations-*sensations* enregistrées sur la disquette-Âme.

— Mais si la disquette est abîmée, il faut la réinitialiser !

— Pas forcément ! On peut la restaurer, car les lignes de stationnement persistent, même si certaines sont effacées. Mais ce n'est qu'un exemple physique, car l'Âme ne peut se détériorer puisqu'elle est parfaite. Attention ! mon exemple personnalise l'Absolu-utilisateur comme s'il avait une volonté objective consciente. Il n'en est rien.

— L'utilisateur pourrait aussi bien être le JE qui a compris le fonctionnement de l'ordinateur-MOI. Comme il n'est plus soumis à son fonctionnement interne, il l'utilise pour puiser à volonté la connaissance de la disquette-Âme ?

— Pourquoi pas ? Voyons à présent avec des exemples tout aussi réducteurs comment se traduit l'information-sensible de l'Absolu que l'Âme garde en mémoire pour le nouveau support.

Une Âme s'incarne dans une famille de musiciens. La musique sert à l'apprentissage du MOI et permet d'exprimer la perfection de l'Absolu. On dira que ce musicien capte la musique des sphères : Mozart. Si le MOI s'exprime par l'abstraction mathématique, ce sera Einstein. S'il n'a aucun moyen d'expression, il animera la pensée d'un fou génial incapable d'objectiver son génie. Tous les cas de figure sont possibles si les véhicules possèdent un MOI assez éduqué pour accepter les sensations-absolues issues de l'Âme. Dans le cas contraire, un MOI élevé dans une société robotisée et totalitaire aurait peu de chances d'être à l'écoute de son Âme, à moins que...

— Une seconde ! intervint Jeannine. Mozart n'était pas le résultat de plusieurs incarnations musicales ?

— Je le répète, mon exemple très réducteur est un cas d'exception. Il ne vaut que pour une Âme dont les émotions héritées des incarnations précédentes ont été effacées pour qu'elle puisse se réincarner et intégrer un support valable lui permettant de rejoindre le Monde des Maîtres. Tant mieux pour elle et pour nous puisque ça donne à la société des génies de l'Absolu. De toute façon, l'Âme, dans l'infinie majorité des cas, rencontre un JE valable bien avant cette échéance ultime.

Quant à savoir si Mozart cadre ou non dans ce schéma d'exception, nous n'en savons rien et nous ne le saurons jamais. Si l'Âme a vibré émotionnellement par la musique, elle peut se réincarner dans une lignée de musiciens. Ce n'est pas une obligation, car l'émotion seule prime, pas le phénomène immédiat qui paraît à nos yeux lui avoir donné naissance. Qu'est-ce qui a le plus marqué Beethoven ? Sa musique...

— Une femme répondit Guillaume. Sa musique exprime la passion inassouvie. Si Beethoven a raté son passage, il s'est peut-être réincarné sur la ligne directrice de l'amour inassouvi plutôt que sur celle de la musique.

— Attention ! Beethoven ne s'est pas réincarné mais, éventuellement l'Âme qui a gardé sa mémoire et qui habitera un autre corps animé par un autre JE et un autre MOI.

Nous croyons être seuls à vivre nos sensations, sans égards pour le reste de l'humanité. Pourtant, notre devenir est lié à des émotions de même nature. La vie est banale : le cri de la naissance, les joies et les petits bobos de l'enfance, l'ivresse du premier amour, la jouissance sexuelle, l'angoisse professionnelle, la déchéance de l'âge... un paquet cadeau commun à tous, quelle que soit l'originalité phénoménale des uns et des autres. Où est la différence ? Dans l'intensité ? Dans les circonstances ? Personne ne connaîtra le destin d'Hitler, de Napoléon ou de Cléopâtre et qui sait si, pour eux, la vie n'a pas été d'une affligeante platitude ?

Je pense même que l'expérience émotionnelle qui marque le plus l'Âme est la mort. Elle nous prend sans avertir, et rarement comme le prévoient les croyances sociales, scientifiques, religieuses ou personnelles. C'est, semble-t'il, pourquoi la plupart des régressions en vue de retrouver les vies antérieures mettent l'accent sur les derniers instants et non pas sur ce que notre myopie intellectuelle estime le plus important.

— Kris... s'indigna Jeannine, c'est injuste. Hitler est responsable de millions de morts mais il peut allègrement se réincarner comme si de rien n'était. Le pire des salauds peut trouver à temps le bon truc pour mourir et hop ! le voilà qui flashe raide avec les *Entités de lumière*. Justice divine, mon œil !

— J'aime ton langage Jeannine, parce qu'il sonne vrai. Il témoigne aussi du refus de l'injustice des Hommes. En effet, il n'y a pas de justice divine, ni châtiment, ni jugement. La mort est sans haine et sans amour. Elle est le résultat du vivant. En théorie, tu as donc raison, en pratique, non.

— Il faudrait savoir ce que tu veux, grogna-t'elle.

— En théorie, tout est possible. En pratique, la prise de conscience de soi n'a rien à voir avec la démarche intellectuelle. Ça me rappelle une parabole, celle de la prostituée et du saint homme. La femme vend son corps au plus offrant, le saint homme vénère Dieu. À la fin de sa vie, le saint homme entrevoit la prostituée et a des pensées concupiscentes. À sa mort, il file droit en enfer. Près de sa fin, *elle prend conscience* de son péché et se repent; elle monte au Paradis...

Beaucoup prétendent avoir compris et affirment vouloir changer mais ne font rien parce qu'ils n'ont rien intégré par les tripes. La motivation fondamentale de l'Homme est la satisfaction de ses intérêts. Il n'y a rien de répréhensible dans l'usage des biens de ce monde si leur acquisition ne piétine pas les intérêts aussi légitimes du voisin. Il ne faut pas être grand clerc pour distinguer les limites de l'intérêt et de l'égoïsme sans avoir recours aux références judiciaires.

Mais l'histoire et l'actualité nous inondent d'images de guerre, de scandale financier, de trafic d'armes et de drogue, d'attentat, de crime organisé... Le cynisme côtoie les professions de foi d'une sincérité désarmante. Les promoteurs savent à merveille jouer des mots et de la sincérité de suiveurs qui iront au casse-pipes dans la ferveur religieuse ou partisane ou parce qu'ils ne peuvent pas faire autrement. Quel marchand d'armes souhaite un cesser-le-feu, quel caïd de la drogue échangerait ses champs de pavots contre des champs de betteraves ? Qu'importe si un lampiste pète avec la bombe qui anéantit une négociation ardue ou si un shooté atteint son nirvana dans une overdose. Voltaire n'a pas dit autre chose dans son article sur *Le fanatisme* au titre de sa contribution au *Dictionnaire philosophique.*

Le monstre criminel ne respecte pas la vie. Comment pourrait-il se respecter lui-même, respecter sa vie intérieure ? Il a refoulé ses émotions au prix de sa lucidité d'être. Par quels remords prendra-t'il conscience de ses erreurs ? Le remords est peu de chose, car il ne rattrape jamais l'horreur du geste; il faut encore vivre avec. Ça demande un sacré courage pour le dépasser, le comprendre, l'accepter et enfin se préoccuper de chercher la *lumière*. Les conversions sont rarissimes. Les errements d'une vie entière collent à la peau comme une obsession qui interdit tout retour en arrière. Mille excuses nourrissent la fuite en avant. Aucun proxénète brutal, tueur professionnel, politicien véreux ou exploiteur invétéré n'atteindra le Monde des Maîtres si l'indispensable prise de conscience viscérale n'a pas bouleversé l'orientation d'une vie axée sur la recherche des profits matériels. Quand bien même ils auraient appris par l'intellect la réalité de la mort, elle ne leur révélerait que ce qu'ils perdent. L'exploitation de l'Homme ne mènera jamais à la *lumière.*

Je ne le répèterai jamais assez, car c'est un point capital qu'oublient trop souvent les étudiants en spiritualité : il ne suffit pas de savoir *comment* devenir *lumière* et *comment* sortir de la mort pour que ça arrive. La mort est le résultat du vivant, on meurt comme on a vécu. La mort est rédemptrice. C'est tout le sens du Mystère pascal et de l'ascension christique : la résurrection de la chair est l'élévation des vibrations de l'énergie vitale du JE de Matière jusqu'à celles de l'énergie spirituelle de l'Âme. saint Paul avait tout compris quand il s'opposait à la *damnation* de la réincarnation en lui substituant la *résurrection*. Paul, l'Église exotérique, rejoint Thomas, l'Église intérieure. C'est déjà beaucoup de faire rentrer l'information et de la garder entre les deux oreilles; c'est un premier pas indispensable à la prise de conscience de SA réalité : notre saint homme n'a fait que cela toute sa vie.

Mais il y a un deuxième pas à franchir, le vécu par l'intérieur, par les tripes, comme une seconde nature, un réflexe. **Ce n'est pas une vue de l'esprit, c'est physique et absolument concret ! Ça revient à sentir chaque cellule de son corps vivre, vibrer... Je ne peux pas être plus clair !** L'effort d'un alcoolique pour refuser un verre est louable et augure bien de la suite, mais dépasse-t'il pour autant son besoin physique de l'alcool ? Un tel effort provoque un *stress* éprouvant et il n'est pas à l'abri d'une rechute, à l'instar du saint homme. S'il intègre à son corps le dépassement de sa dépendance alcoolique — et non pas le dégoût physiologique, source d'un déséquilibre qui devra être compensé d'une façon ou d'une autre —, il pourra, comme la prostituée, pénétrer dans l'Ordre de Sidéralité.

Alors Hitler ? A-t'il eu une VRAIE prise de conscience *viscérale* comme la prostituée et s'est-il repenti dans son bunker ? Je n'en sais rien. Supposons que non. Son MOI meurt et disparaît pour toujours. Son JE se retrouve face à sa mémoire qui ressuscite l'horreur de son MOI. J'ai peine à imaginer l'épouvantable tornade qu'il a dû subir devant son impuissance à corriger quoi que se soit. La mort s'est chargée de laver son remords et il a sombré dans le néant éternel sans espoir de retour.

Mais faut-il chercher si loin des références aussi extrêmes ? Je ne vois guère de différence entre l'ignominie hitlérienne et l'exploitation des 200 millions d'enfants qui font vivre le marché de l'enfance en Asie du sud-est ou en Amérique latine. Je n'en vois pas davantage entre un tortionnaire des camps de la mort et un petit délinquant qui rackette les élèves à la sortie de l'école, entre un assassin de vieilles dames et un industriel spéculateur. Oh ! bien sûr, la justice humaine apprécie le cas échéant, les circonstances atténuantes des uns et des autres. Mais sur le plan spirituel, tous n'écoutent que l'intérêt de leur MOI. Aussi raide et scandaleux que puisse être cette révélation pour notre conscience d'humains, le petit égoïsme quotidien rejoint l'infamie du génocide cambodgien si rien, je dis bien *rien* ne vient, avant la mort, dévoiler la *lumière* sous le boisseau. Nous sommes tous des petits Hitler en puissance quand nous stationnons en double file, faisons chier toutou sur le trottoir, insultons le voisin, ou oublions *par mégarde* de payer nos consommations. Là où priment l'agression, le manque de civisme, les petits coups de coude pour dégager la voie dont on se croit l'unique utilisateur, la *lumière* s'amenuise.

Si le MOI est démoniaque, le JE n'y peut rien. Mais le JE cristallise la conscience d'Exister et revit consciemment l'abomination de son existence. C'est l'enfer. La mort soulage le JE qui sombre par dilution progressive de sa vitalité. Elle communique *de facto* à l'Âme l'espoir d'une réincarnation dans un support valable, car si l'Âme pouvait choisir, elle refuserait toute nouvelle incarnation pour ne pas revivre une telle horreur, elle qui est la pureté même.

Accepterais-tu de payer pour un autre ? Si l'Âme de Guillaume avait auparavant habité le corps d'Hitler, devrait-il supporter le poids de ses atrocités ? Et tu me parles d'injustice ? N'est-il pas plus juste, au contraire, que l'Âme reparte à zéro avec un MOI et un JE vierges, sans que le nouveau support ait à subir les errements du précédent ?

Quel besoin d'une justice divine ? Pour soulager sa conscience en se disant : *"MOI, j'ai bien fait. Pas lui, il doit payer !"* Cette bigoterie vaut bien l'égoïsme du criminel. La soif de vengeance, la haine, la rancœur vivent de la matière. Prier Dieu de faire justice abaisse le Dieu qu'on dit aimer. Qui peut oser se dire juge impartial, honnête et objectif ? Dieu ? Par définition religieuse, peut-être, mais si ce Dieu existait, il ne pourrait condamner l'un qu'au profit de l'autre. Non, il y a une loi sans équivoque : **tu seras ton propre juge**. Sans l'influence de ton MOI, tu ne subiras pas pire enfer que le constat de l'errance de ta propre existence. Laissons donc s'éteindre tranquillement ce pauvre JE dans la Clarté informelle qui l'apaisera enfin des horribles visions de sa vie passée.

L'Homme est un être d'émotions. C'est sa faiblesse. Mais il peut en prendre conscience; c'est la force du cœur. La sensibilité qui prend appui sur l'Absolu aspire à l'égalité. Noble mais utopique attente, car la perfection n'est pas de ce monde de diversité. L'action conjointe de la diversité et de la recherche de l'Absolu est le moteur de l'évolution. Elle chante dans notre cœur l'aspiration de la Matière à l'éternité de la mort et guide l'amélioration de notre quotidien. Cela est bon aussi.

Tu as eu raison, Jeannine, d'avoir crié ton indignation. Continue à lutter pour la justice mais n'oublie pas que l'Univers est bien fait. Si l'égalité est une utopie sur le plan de la Matière, nous sommes tous logés à la même enseigne devant la mort, car nous avons tous cette possibilité magique et unique de devenir un *Être de lumière*, maintenant ou jamais.»

Guillaume se leva et arpenta la pièce.

«Pardonnez à vos ennemis ! Celui qui combat par l'épée périra par l'épée ! Ne regardez pas la paille dans l'œil du voisin mais la poutre qui est dans le vôtre.»

Il regarda sa montre.

«Il se fait tard, Kris.

— Très bien ! Je termine. Le seul déterminisme est le sexe. Si tous les êtres humains vivent des émotions semblables à des degrés divers, les organisations humaines les structurent chacune à leur façon. Le *complexe émotionnel* hérité des vies précédentes est lié à un milieu socio-culturel donné et oriente l'Âme dans sa réincarnation vers le même type de société dans laquelle elle côtoiera le même type d'Âmes. Dès que l'Âme retrouve un corps, elle repart à zéro. C'est déjà assez pour elle de recommencer dans le même milieu émotionnel.

Quel est le milieu le plus favorable ? La famille, sans aucun doute. Si Bébé est une fille, si je meurs avant qu'elle ne devienne enceinte, si son enfant est un garçon, si les émotions qui marquent mon Âme sont tranquilles et polarisées sur l'amour paternel et si, évidemment, JE rate mon coup... mon Âme pourra fort bien intégrer le corps du bébé de ma fille.

— Si ma grand-mère avait des roues, elle serait un autobus, ironisa Guillaume !»

Sa raillerie sonnait faux. Je les avais choqués quelque part. Je ne relevai pas l'attaque. Guillaume contourna le fauteuil de Jeannine et appuya les mains sur ses épaules.

«Une question encore ! Les enfants mort-nés ou en bas âge et les handicapés ?

— Je dois te répondre avec toute la froideur des faits : qu'est-ce que ça change pour l'Âme de s'incarner dans un corps dont le JE l'ignore et rate son voyage ou dans celui d'un malheureux enfant qui ne peut en prendre conscience ? Aucune ! C'est une erreur de parcours. Elle a l'éternité pour trouver un support apte à la recevoir et à la conduire vers le Monde des Maîtres. Quand tu achètes une voiture neuve, tu peux tomber sur un citron. Tu n'es pas responsable, et pourtant tu étais certain que c'était la voiture qu'il te fallait. Pour l'Âme, c'est pareil. Elle est attirée dans un corps apparemment favorable et voilà qu'il est infirme. Elle n'y peut rien. Cessons de chercher à tout prix une réponse sécurisante. La nature est expérience, elle n'est pas parfaite et il arrive qu'elle déraille. Parfois, le corps est valable, mais la mère contracte la rubéole. Le nouveau-né présente une cardiopathie et une cataracte. Ce n'est la faute ni de l'Âme ni de la nature et personne ne devra payer cette erreur. La mère peut se culpabiliser, c'est vrai, mais ce sera son problème et non celui de l'Âme incarnée dans son enfant.

Gare à toute généralisation hâtive ! Par exemple, un infirme moteur cérébral peut très bien conserver toute sa conscience. Si son handicap le décharge des problèmes majeurs des sens, son MOI peut se sublimer d'autant mieux qu'il utilisera au maximum ses capacités intellectuelles. Il pourra prendre conscience de son JE, donc de son Âme, plus rapidement qu'une personne dite normale et éventuellement sortir de la mort. Si, malgré tout, il rate le passage, l'Âme, peu marquée par les émotions dégagées par la perception du handicap, ne se réincarnera pas nécessairement dans un corps mal formé. À l'inverse, il peut se sentir dépossédé des avantages de la vie et développer une rage émotionnelle qui marquera profondément l'Âme. Il a peu d'espoir de sortir de la mort et le *complexe émotionnel* peut même conduire l'Âme dans un autre corps présentant le même handicap.»

Jeannine baissa la tête

«Quelle tristesse de penser que l'enfant innocent loupe son voyage à cause d'un accident de la nature ou de l'inconscience des adultes ! dit-elle.

— L'inconscience des adultes ? En effet ! Si nous étions assez mûrs, la mort ne serait pas tabou et nous saurions comment guider le cœur pur d'un enfant ou d'un innocent, même handicapé, vers le Monde des Maîtres.

— Je m'exprime mal. Tristesse sans doute... il suffit d'un peu de bon sens et de beaucoup de... courage pour arriver aux mêmes conclusions. L'illusion de la diversité nous masque la réalité. La jalousie et l'envie nous mènent par le bout du nez. À première vue, le riche est moins bien loti que le pauvre; il peut se payer tout ce qu'il veut et être enchaîné aux besoins de ses sens et de ses émotions.

— À première vue ? Illusion peut-être ? Quelle richesse ? Quelle pauvreté ? Je te laisse réfléchir sur l'enfant carencé par la famine et le millionnaire humaniste qui s'investit à fond la caisse dans l'aide humanitaire. Lequel des deux a le plus de chance ? La réponse est dans la parabole des talents, sans doute la plus difficile, mais la plus juste des paraboles (Mathieu, 5-14).

— Que la spiritualité se joue des distinctions sociales ou géographiques, j'y adhère de toutes mes forces. Mais qu'elle dépasse les limites du MOI et de sa situation particuliè-re.... Je ne suis pas, comment dire... totalement convaincue. Je dois assimiler trop de choses. Ça fait toujours mal aux yeux de voir clair après l'obscurité. L'éblouissement gêne la perception. La lumière crue aplanit les angles, simplifie tout, trop.»

L'horloge a tinté. Le signal ! Jeannine s'étira, sourit et leva la tête vers Guillaume qui déposa un baiser sur ses lèvres.

> *«Les ai-je bien informés ?* demandai-je à *Lumière.*
>
> *—Tu apprends. C'est déjà un début.»*

J'ai trouvé le jugement un peu raide.

* *
*

17

SAURAS-TU LES INFORMER ?

Le calme avait tendu un voile dans la maison. Jeannine et Guillaume étaient allés se coucher dans la chambre d'amis attenante à mon bureau. Je ne pouvais pas dormir. Je brûlais le temps en arpentant le salon, aller-retour de la cuisine au salon. J'entendis les pas de Gwenaelle dans l'escalier :

«Amour, murmura-t'elle, tu ne viens pas ?

— Non, je suis énervé.

— Tu veux une tisane ?»

Sans attendre ma réponse, elle mit de l'eau à bouillir.

«Je peux te poser une question ?

— Hmm ?

— Tu m'as fait peur, ce soir. Tu as failli tombé dans les pommes. Et cette idée de livre ?

— Le livre ? J'ai dit ça pour me sortir de l'embarras. Ça m'a traversé l'esprit, comme ça. J'ai eu une absence. Je voulais comprendre. Après l'*affaire* de Giens, j'étais sûr d'avoir tout compris, sauf... sauf l'essentiel. Tout a ressurgi d'un seul coup. Ce doit être pareil pour les gens qui ont vécu une période difficile. C'est Guillaume qui a tout déclenché... quand il a dit : *Moi aussi, je veux être informé.* Ça m'a fait l'effet d'une douche froide, ça m'a paralysé. J'ai revu en un instant toute ma noyade... et surtout réentendu les paroles.

— Tu m'en as souvent parlé, enchaîna Gwenaelle. Depuis des années, elles t'encouragent à savoir pourquoi la mort t'avait fait crédit.

— Ça va plus loin. J'ai court-circuité le message. Persuadé de tenir le bon bout, je me suis cru investi d'une mission, j'avais un message à délivrer. Pour être à la hauteur, j'ai construit un comportement d'automate qui enseignait la vie et la mort comme un illuminé. Ce soir, j'ai poussé le bouchon trop loin. J'ai imposé mes vues avec une assurance qui me surprend encore. J'ai été brutal, je n'ai écouté personne, j'interrompais tout le monde pour dégorger ma jactance. J'ai noyé — tu peux sourire — Jeannine et Guillaume dans un ouragan verbal, je les ai matraqués de MA science en bafouant leur liberté. Qu'avais-je donc à prouver enfin ? Je n'étais pas ouvert.

— J'avais remarqué.

— Prétentieux ! Et le pire, *Lumière* a laissé faire, comme s'il était à mon service.

— Au moins, tu t'en es rendu compte. La soirée n'aura pas été inutile, me consola Gwenaelle.

— Si ce n'était que ça. Ces mots : *Sauras-tu les informer ?* résument toute ma vie, mes tendances, mes aspirations les plus intimes.

— Où est le problème ?

— Le problème ? *Je sais qui me les a dits !* Ça peut paraître bête, mais... De tous les témoignages que j'ai lus ou entendus sur les expériences de mort imminente, une constante se dégage : la perception intuitive des raisons pour lesquelles la mort a été retardée. La plupart affirment avoir entendu quelque chose, une impression traduite comme un message de l'au-delà, un ordre du Créateur, de Maîtres cosmiques ou, comme moi, de *Lumière*. Tous les expérimentateurs du grand voyage ont accepté le fait comme s'il allait de soi et se sont consacrés à cet ordre, à cette mission. J'ai fait comme eux. Boudiou ! Le rôle m'allait comme un gant, en parfaite harmonie avec moi. Et pour cause !

— Pourquoi ?

— Quand Guillaume m'a demandé de l'informer, j'ai revécu ma noyade ALORS QUE J'ÉTAIS JUSTEMENT EN TRAIN D'INFORMER et j'ai compris que je m'étais complètement trompé. Le choc m'a fait vaciller. Je me suis gouré, Gwenaelle, parce que je n'ai connu que la mort du non connaissant. Je suis tombé dans son piège.

— Quel piège ?

— La dislocation de la forme pensée du JE qui agonise ! Ceux qui se sont soumis leur vie durant à l'artificialité du MOI, qui ont cherché à l'extérieur la richesse qu'ils avaient en eux, ceux qui ont nié leur autonomie en s'enchaînant à un Maître... bref, ceux qui n'ont pas réalisé leur unité et qui ont maintenu la séparation Âme de matière – Âme spirituelle, n'ont cessé d'engendrer le doute et d'entretenir leur division existentielle.

Alors, on se voit dans un miroir et on parle avec soi-même comme avec un étranger. La mort est d'abord celle de la pensée cérébrale. Elle déroule sa fantasmagorie dans l'esprit même du mourant qui croit assister en spectateur à une pièce étrange dont il ignore qu'il est à la fois SCÉNARISTE, METTEUR EN SCÈNE ET ACTEUR. TOUT, tu entends Gwenaelle, TOUT SE PASSE EN FAIT DANS NOTRE FORME PENSÉE, comme dans un rêve.

L'ordre qui explique pourquoi il faut réintégrer notre corps N'EST PROFÉRÉ PAR PERSONNE D'AUTRE QUE NOUS-MÊMES.

Notre dualité non unifiée engendre une distorsion aussi illusoire que la Clarté de la mort.

— La Clarté informelle est une illusion créée par l'extinction progressive du JE. Tu le savais... et tu t'es quand même fait avoir ! Te rends-tu compte ? Comment te situer maintenant ?

— Facile, fantastique ! Je me sens libéré. Mieux vaut découvrir l'erreur maintenant qu'à la fin de ma vie. Le mort sait qu'il est mort, et tout à coup, il redevient vivant. Il doit comprendre ce constat absurde en termes logiques, sinon il devient cinglé. Alors, il traduit... et se plante. Ça donne des messages divins ou angéliques du genre : *"On m'a dit de revenir, je n'ai pas fini mon travail, j'ai telle mission..."* Mais qui peut soupçonner l'aberration ? Le contenu du message devient la seule explication valable et irréfutable d'une deuxième chance ou d'une grâce divine.

Ça n'a rien à voir. Qui souhaite réellement mourir ? L'instinct de survie arrête bien des gestes désespérés. Le suicide est aussi un appel à la vie. Seul le Connaissant peut choisir sa mort en sachant qu'il ne vivra plus jamais en tant qu'humain. L'acharnement thérapeutique, le refus de la déchéance et de la corruption physique, les relents de souvenirs, raccrochent le mourant aux derniers sursauts de la force vitale qui, aussi infimes soient-ils, cristallisent LA RAISON DE PERDURER, l'OBSESSION DE PERMANENCE, alors qu'il assiste impuissant à son anéantissement. Cette obsession transite par la pensée du mourant comme la justification de sa renaissance.

En ce qui me concerne, si la mort avait été irréversible et avait entraîné mon JE dans son absence, l'obsession de permanence AURAIT MARQUÉ MON ÂME DU DÉSESPOIR D'UNE VIE INACHEVÉE, enivré mon Âme d'un tourment lancinant et dominé les tribulations émotionnelles de mon prochain support.

> En clair, ce que les rescapés de l'au-delà croient entendre comme justification à leur retour à la vie, c'est la résultante émotionnelle de leur existence passée, la synthèse de leurs joies et de leurs drames qui cristallise dans l'Âme l'originalité de la mémoire de l'ancien JE et qui servira de leitmotiv, de ligne directrice *au ressort* de la réincarnation.

— Plutôt déroutant !

— Mais non, c'est fantastique au contraire, parce que je ne suis pas mort. Le sens du message que le mourant ressuscité s'est donné à lui-même restructure désormais, consciemment ou non, toute sa vie. On a tous besoin d'harmonie intérieure, on veut utiliser au mieux ses capacités innées. Mais on ne sait que faire de sa carcasse. On court, on vogue, on change d'emploi, de maison, de conjoint, on cherche des trucs pour s'épanouir.

> La mort révélatrice imprime au mourant en voie de renaissance **la ligne directrice** vers ce qu'il a tant cherché pour trouver sa stabilité, pour vivre en parfaite harmonie dans le *Mouvant* avec MOI-JE-ÂME et affirmer l'originalité de son MOI en un SOI qui lui permettra de dire JE SUIS SOI pour l'éternité dans l'*Immobile*.

Le JE-SUIS-MOI constitue la trinité humaine qui permet de recevoir l'Esprit-saint issu de la trilogie de la Sainte-Trinité divine. C'est possible si AUCUN des trois paramètres ne prédomine sur les deux autres et si **chacun remplit parfaitement sa vraie fonction**. Alors, la mort transmutera l'esprit du mourant en un JE SUIS SOI lumineux spécifique et original, dans l'uniformité des *Êtres de lumière*. Le JE (Existence)-SUIS (Âme)-SOI (originalité du MOI transmuté) formera la Sainte-Trilogie humaine : Trois en Un sur le plan des Réalisés.

Tous ceux qui sont revenus de la mort et qui se conforment à ce message révélatoire ne peuvent que trouver le bonheur. Ça explique en grande partie leur transfiguration. Mission, ordre... qu'importe l'imperfection des mots si leur contenu conduit à l'équilibre !

Mais je préfère être lucide et savoir. Curieux ! La seule réponse spontanée que j'ai trouvée pour expliquer ce que j'avais vécu, est : je dois écrire pour informer, communiquer...

— Si c'est l'orientation que tu veux donner à ta vie, mon amour, laisse tomber ton boulot d'ingénieur. On se débrouillera, bébé et moi. Témoigne auprès des autres...

— ...de mes semblables coupai-je. J'ai vu et j'ai su. Saurai-je les informer ? Ma chérie, ta sollicitude me touche. Mais pas maintenant, ce ne serait pas... raisonnable. La dernière phrase du message est capitale : *Sauras-tu les informer ?* Elle implique une condition : pour trouver mon harmonie, je dois acquérir la pleine confiance en mes moyens, puis découvrir le meilleur moyen de communication : parole ou écriture ? Chaque chose en son temps ! Mon absence momentanée m'a remémoré aussi ce que j'avais découvert sur toi.

— Quoi donc ?

— *Tu es ma lumière du vivant. Tu es la contrepartie d'un double transfert unique qui illuminera désormais ma vie*. Et ça, je l'ai déjà vérifié.

* *
*

18

LA RÉINCARNATION

III - KARMA, QUI ES-TU ?

Debout, les damnés de la Terre ! À la nue aurore, je suis déjà sur le piton à vriller mes pupilles dans les lames de lumières au fil du rasoir des cimes. Je souffle de grimper encore plus haut, si haut que le sol disparaît. Silence du vide.

Je reviens par Les Buissons; la boulangerie des Faivre y délivre des miches de pain grosses comme des melons. Course descente dans les creux et bosses de la Maurienne, je coupe par les Fontaines Profondes, tout un programme ! À l'aplomb de la crête aux mélèzes, la maison, la mienne : l'ancien presbytère du village. Je l'investis, je crie, je suis le pirate à l'assaut du galion gorgé d'or; Gwenaelle sursaute, renverse le café, me traite de tous les noms. La faim tricote un ourlet dans mes entrailles. Je mords à pleines dents dans le pain chaud. Quelques tranches sur la cuisinière à bois... alchimie salutaire de l'odorat, magie du feu culinaire. Guillaume pousse un nez d'éclaireur dans la porte entrebâillée, Jeannine sur ses basques. Toujours prisonniers de la nuit, paupières plombées, teint coffre-fort des couche-tard, ils sculptent deux automates de Vaucanson, aux gestes saccadés, jusqu'au centre de la cuisine où, par chance, la table arrête leur déambulation aveugle et les renvoie sur les chaises que nous tirons juste à temps sous leur séant.

«Trop calme ici ! On n'a pas l'habitude.

— Tu penses trop.

— Après la médecine que tu nous as servie hier ?

— Alors, tu as le cerveau à la bonne place, plaisantai-je. Pain grillé, café ?»

Petit déjeuner ! Éveil du cerveau, du corps, assoupissement du sommeil, silence de la vie interne au profit du langage objectif, insuffisant et traître. Rassasié, le regard vibrant de vigueur pointue, Guillaume articula parfaitement :

«Kris ! Tu as oublié le karma.

— Oh non ! soupirai-je. Pas maintenant !

— Écoute, protesta Jeannine, je n'ai pas fermé l'œil. Nous devons partir aujourd'hui et Dieu sait quand nous nous reverrons.

— Kris ! implora Gwenaelle avec insistance.

— N'en jetez plus, c'est un complot. D'accord, mais pas de grande démonstration.»

Je rajoutai pour moi-même :

> *Lumière, aide-moi, mon ami !*
>
> *— T'ai-je jamais laissé tomber ? Rappelle-toi ! Nous serons deux en un. Je serai ta mémoire de l'infini, ton ami de toujours et à jamais ton éternité. Pourquoi doutes-tu ? Ton MOI est paresseux ? Tu dois toujours être prêt à recevoir la lumière. Comme hier, laisse ta bouche exprimer mon verbe.*

Du courage et un peu d'audace ! Je plantai mes coudes dans la table.

«Le karma, tel qu'on l'entend habituellement n'existe pas ! Il repose sur la théorie selon laquelle nous devons nous réincarner plusieurs fois pour évoluer; chaque nouvelle incarnation serait la conséquence de la précédente, la nécessaire rectification des erreurs du passé jusqu'à ce que nous atteignions la perfection.

Le karma ou *Loi de conséquences*, stipule que les événements de la vie présente sont nécessaires, voulus et programmés pour payer et comprendre nos imperfections. Cette conception est très ambiguë. Elle résulte d'une interprétation déformée qui place le MOI au centre de la spiritualité alors qu'il n'est qu'un véhicule d'emprunt passager. La réincarnation concerne uniquement l'Âme et s'appuie sur le *complexe émotionnel* hérité des JE précédents. Si l'Âme a l'éternité pour elle, le JE ne dispose que d'une seule vie. La réincarnation est donc pour l'Âme la conséquence d'une erreur de parcours, une remise à zéro qui signe une nouvelle promesse d'amour avec la vie dans l'espoir de trouver un JE assez éveillé pour la conduire au Monde des Maîtres. Le support humain de l'Âme n'a donc rien à payer pour les erreurs d'un autre; ce serait une injustice cosmique.

— Nous avons bien compris, répondit Guillaume, mais ton système tourne en rond. Tu démontres l'existence du karma en le niant. Le *complexe émotionnel* qui guide l'Âme en réincarnation, demeure la propriété de l'Âme, d'une vie à l'autre. Comme l'Âme transmet sa notion d'ÊTRE de Dieu à l'Homme, elle transmet également les aléas émotionnels des JE précédents. Le karma n'est certes pas la prédestination à vivre tel ou tel événement mais à subir les relents du *complexe émotionnel* enregistré par l'Âme. Où est la différence ?

— Et toc ! lança Jeannine.

— Toc quoi, ma chère ? Ce que dit Guillaume n'est pas toc-toc, mais au contraire très sensé.

— Expression de la fierté féminine devant son mâle», lança-t'elle, insolente.

Je traduisis pour mon propre compte : enfin un type assez fort pour me contrer et défendre sa théorie.

Lumière, je comprends le bilan sévère que tu as dressé hier à mon sujet : Tu apprends... c'est déjà un début. Je n'ai pas été à l'écoute des autres pour les informer. J'ai imposé mes certitudes et maintenant je paye.

— Faute avouée à demi pardonnée !

«Fierté justifiée Jeannine, repris-je. Je ne peux en dire autant. La spiritualité, ça se vit ! Avec ou sans karma ! Profitons du temps qui nous reste au lieu de donner dans la spiritualité de salon.

— Qu'est-ce qui te prend ?

— Il se défile, ironisa Jeannine.

— Pas du tout ! Mais je vous respecte trop pour vous imposer mes convictions. Hier, j'ai brûlé les planches, vous n'avez pas pu placer un mot. La nuit a décanté le magma d'informations que vous avez avalées. Vous les avez décortiquées, vous trouvez une faille, un oubli... Vous revenez à la charge pour vous convaincre que j'ai tort et vous raison. Normal ! Mais ce n'était pas mon but. Je ne veux convaincre personne. La matière, le MOI, tout ici est diversité. L'angle de vue, la lentille, l'éclairage du MOI perçoivent les images multiples d'une vérité unique. Je comprends ton agressivité, Jeannine. On ne va pas se crêper le chignon pour des mots ?

— Ho, l'artiste ! s'emporta Guillaume. Hier, tu m'as remué, mais c'était pour la bonne cause. Je sens, au fond, qu'il y a du vrai. Je ne me suis jamais défilé et la vérité ne me fait pas peur. Je pose le problème du karma pour faire le lien avec ce que tu as dit. Tu me respectes ? Alors assume! Si Jeannine tient mordicus au bellâtre de sa vie précédente, c'est son affaire.

— Quel karma ! coupa Gwenaelle pour détendre l'atmosphère.

— Touchée, gémit Jeannine. Je croyais avoir été un homme dans une autre vie parce que je pouvais au moins le mettre en cause, lui, le responsable inconnu. Que veux-tu, Kris, je résiste encore. Mais mes défenses sont fragiles. On ne change pas en deux minutes, hein ?

— Confession terminée ? s'exclama Gwenaelle. Voici la pénitence : écoutez-vous et cherchez à vous comprendre. Il fait beau, pas trop chaud. Installez-vous dans la véranda. J'ai un repas à préparer, moi. Ouste ! Mais qu'est-ce que j'ai fait au bon Dieu pour mériter un tel karma ?»

Bras levés, Gwenaelle implora le plafond. L'arrondi de son ventre... une mama italienne.

* *
*

«À vous de battre la mesure de votre sermon, maestro !

— Vous allez vous faire sonner les cloches si je monte en chaire, répondis-je. Bon, allons-y !

D'abord, une mise au point ! Le karma populiste me sort par les yeux. C'est devenu une religion, une foi obtuse qui engendre l'agressivité. Il explicite le moindre geste, la moindre pensée, la plus insignifiante difficulté et construit un système qui réduit tout à une équation simpliste : une cause, un effet. C'est faux. Aucun événement, aucun phénomène ne procède d'une seule cause, mais d'une multitude de facteurs. Le karma sert d'excuse à la fuite devant l'effort nécessaire pour se sortir de situations qui, d'évidence, n'ont rien à voir avec des vies antérieures. Il condamne à vivre et surtout à mourir à côté de la vraie réalité. Il alimente le défaitisme et le fatalisme : à quoi sert-il de vivre, de se battre, de grandir, d'avoir accès à la Connaissance, tout simplement de s'en sortir si la malédiction karmique foudroie impitoyablement tous nos efforts ?

Si je me brûle sur la cuisinière, c'est à cause du karma. Punition divine ! Je suis court sur pattes, je ne battrai jamais le record olympique du saut en hauteur : le karma ! Je suis pauvre, pas intelligent : le karma ! J'ai un accident qui m'arrache la moitié du cerveau : le karma ! Que dois-je comprendre ? Pas de réponse ! Mon Âme a décidé et planifié mon enfer. Il ne me reste que la liberté de subir et, éventuellement, de chercher à comprendre le comment du pourquoi de ce que j'ignore, donc, par définition, que je ne pourrai jamais comprendre. Je dois connaître la fin de l'histoire avant d'avoir ouvert le livre.

L'évolution karmique m'obligerait, paraît-il, à vivre des événements précis pour rectifier d'autres événements d'une autre vie, simplement pour qu'ils ne se reproduisent plus. J'ai crevé l'œil d'un voisin : je serai donc aveugle. Absurde, démentiel et con ! Quelle merveilleuse commisération du divin ! Pourquoi se battre et comprendre ? Après tout, mon propre questionnement est aussi voulu par le karma ! Comme cercle vicieux, on ne fait pas mieux. Il ne prête pas à rire, car le rire, c'est la liberté, le bonheur. Et ça, c'est interdit !

— Pourquoi donc, demanda Jeannine ?

— Ça tuerait le commerce, tiens ! Imagine : plus de karma, on en a la preuve ! Donc, plus de régressions, plus de sectes, plus de marchands d'amulettes, plus de numérologie karmique ! Plus de fric quoi ! C'est une vue de l'esprit, évidemment; il y aura toujours des zozos pour vendre leur camelote et des zozos pour l'acheter.

Le karma fait vivre. Haro sur l'audacieux qui tuera la poule aux œufs d'or ! Suppose que... tiens, j'écrive un livre. Je vois d'ici les fanatiques construire un bûcher et m'arracher les yeux en criant : "Qui es-tu pour intervenir dans mon destin et m'obliger à me voir en face ? Qui es-tu, toi qui m'enlèves la béquille qui me permettait de croire que tout pourrait être différent si je supportais ma misère ? Ce n'est pas toi qui élèveras mes mioches, qui supporteras un conjoint alcoolo, me donneras du boulot ou me permettras de voir à quel point ma misère est belle. Mais le karma le peut, lui. Il me donne une raison de demeurer misérable, alors que toi... que veux-tu ? Me voir rire, heureux de vivre et capable d'affronter la mort avec la fierté du Connaissant ? C'est trop fatigant ton histoire, disparais de ma vue, tu m'emmerdes !"

— Tu t'accordes trop d'importance, consola Guillaume. Ils vont simplement t'ignorer.

— Qu'à cela ne tienne ! insistai-je. Si un seul individu apprend la réalité de la vie, juste pour lui, ça vaudra le coup d'essayer. Le karma fataliste est une inanité. Ce n'est pas parce que j'ai été un prince fortuné qu'aujourd'hui je suis pauvre. Pourquoi serais-je pauvre ? Pour comprendre la valeur de l'argent ? L'argument est facile et flatte l'espérance de ceux qui rêvent de ressembler à l'objet de leur envie. Si un homme viole une belle rousse, devra-t'il se réincarner en femme violée pour maîtriser sa pulsion ? Il saura tout au plus ce que ressent une femme violée, mais ça ne supprimera pas sa pulsion. Je penche plus pour l'idée que son Âme se réincarnera dans un homme et qu'à la vue d'une belle rousse, sans savoir pourquoi, il éprouvera une envie de viol qu'il devra maîtriser. Avez-vous remarqué combien le karma populiste est négatif et contraignant ?

— Erreur, Kris, précisa Jeannine ! Le karma n'est pas toujours négatif. C'est une loi de compensation qui peut aussi être positive.

— Remarque pertinente, ma belle Jeannine, mais qui ne résoud rien. Positif ou négatif, ce karma n'a qu'une seule signification : soumission. Cette idée est un héritage des religions d'Extrême-Orient qui a été adaptée, transformée, digérée à la sauce occidentale. Le mot est d'ailleurs sorti de son contexte. Karma, en sanscrit, signifie *acte* : le karma permet de *prendre connaissance par l'expérience*. Chaque fois que je suis confronté à une situation qui me bloque, je prends conscience de ma véritable nature. C'est déjà plus intéressant, car ce karma est évolutif, transmutatoire et libérateur. Il implique la conscience dynamique et la vision globale de l'existence et non ce schéma réducteur : une cause – un effet.

— Tu ne réponds pas à ma question : Qu'est-ce que le vrai karma ? Si la réincarnation n'efface pas le *complexe émotionnel* incrusté dans l'Âme, il intervient obligatoirement dans l'existence. Comment ?

— J'y viens. J'ai dit hier que les émotions humaines sont toutes semblables, mais que leur intensité et leur expression variaient et modelaient la personnalité. D'un point de vue général, le *complexe émotionnel* d'une vie précédente se fond dans l*e complexe de la vie présente* et engendre *des états d'Âme*, merveilleuse expression qui illustre tout à fait les moments fugitifs ou persistants de mélancolie, de joie, de tristesse ou d'angoisse incompréhensible. En fait, une scène, un mot, une émotion, un visage, un détail particulier, semblable à ce qui avait déclenché le mouvement émotionnel dans une autre vie, ouvre par sa similitude, la porte à un état d'âme particulier, quelquefois mais rarement, à une image, un souvenir ou une impression de déjà vu. Le plus souvent, ça ne va pas plus loin.

— Plutôt maigrichon, ton karma ! dit Guillaume déçu.

— C'est pourtant le cas de figure le plus fréquent. Mais il existe un karma plus grave : l'ignorance et l'exploitation de la bêtise. Il n'y a pas de secret, pas de mystère... ou mieux, il n'y a de secret que parce qu'on ne veut pas les connaître et non par volonté délibérée des Connaissants de cacher la vérité. La Connaissance est ouverte à tous. Notre société moderne, il est vrai, privilégie la consommation et la satisfaction des sens et relègue la spiritualité aux oubliettes. Elle paraît plus responsable que d'autres de l'occultation des lois spirituelles. Mais l'Occident n'est pas le seul fautif puisque même en Extrême-Orient, la masse des croyants se réfugie derrière un concept vidé de sa substance. Toute société engendre son propre karma.

Le MOI de l'enfant n'est pas définitivement constitué avant trois ans. Avant, il vit en permanence avec son Âme. Les émotions des vies précédentes filtrent dans son esprit et provoquent des sensations étranges qu'il ne peut raisonner. Ces émotions sont stockées dans le subconscient. D'autres émotions, angoissantes parfois, surgissent de la mémoire de l'Âme au gré de ses expériences, mais voudra-t'il les partager qu'il devra les refouler sous la pression familiale et sociale. C'est connu, un enfant qui joue avec des amis *imaginaires* est une graine de débile.

Mais le subconscient est puissant et se chargera de restituer ces émotions dans un cadre événementiel ou ressenti où elles s'exprimeront après avoir traversé le filtre de la conscience objective. Le MOI les traduira comme une des multiples tribulations de la vie présente sans les comprendre, les reliera à des causes extrinsèques, ou les intégrera dans un système philosophique ou psychologique ou phénoménal. Il s'inventera même des vies antérieures où il projettera ses propres fantasmes en croyant puiser dans le passé d'un être historique ou mythique l'explication de son présent actuel. À l'extrême, il les plaquera sur un objet, un dieu ou un démon et sacrifiera aux cultes sectaires ou à la superstition. L'ignorance incite le véhicule humain à rechercher malgré lui un schéma similaire où des circonstances semblables à celles que l'Âme a vécues dans un précédent support et qu'il devra dépasser. Sans chercher si loin, il existe des personnalités prédisposées que connaissent bien les médecins rééducateurs; elles ont beau s'en défendre, elles accumulent les catastrophes, les accidents, les conduites à risques.

— Maldonne, petit frère ! Encore une fois, quelle différence entre le karma populiste que tu condamnes et celui que tu nous décris ?

— Une différence de taille : le faible lit son destin dans le livre de la vie, le fort l'écrit. La similitude apparente du résultat expliquerait en effet pourquoi la majorité adhère à l'idée d'un karma fataliste. À terme, que ce soit l'Âme ou le subconscient qui crée certaines situations particulières, c'est du pareil au même pour le faible. Mais le fort n'est pas soumis à une fatalité de l'Âme, mais à un mécanisme subconscient qu'il peut reprogrammer.

— Les psychiatres vont te damner. Tu fais peu de cas de la schizophrénie ou des grands troubles neuro-psychiques.

— Au contraire ! Certains sont mieux lotis que d'autres, je ne le répéterai jamais assez. La Matière est diversité, les *complexes émotionnels* également. Au demeurant, le traitement de telles affections pourrait, je dis bien, *pourrait* bénéficier des techniques alternatives nouvelles. Je n'ai pas de religion sur le sujet.

Quoi qu'il en soit, les émotions de l'Âme ne peuvent filtrer à travers un MOI rigide. De façon très schématique, un MOI rigide n'est pas à l'écoute de son intérieur; il n'a rien à refouler, c'est déjà fait. Il a déjà restructuré ses lignes de défense. Il ne peut donc subir les impulsions de la mémoire animique puisqu'il a reprogrammé son subconscient.

C'est sans doute pourquoi, à l'inverse, les sujets les plus perturbés et les plus fragiles émotionnellement adhèrent le plus au karma.

— Je ne comprends pas. Le MOI rigide supprime toute connexion avec son Âme. C'est le meilleur moyen d'empêcher son JE de la féconder et de rater le voyage final. Le faible se laisse dominer par ses émotions et imprime sa marque à l'Âme. Faut-il être fort ou faible ?

— Ni l'un ni l'autre... ou plutôt les deux !

— Branche-toi !

— Il faut être assez disponible pour écouter la symphonie émotionnelle qui bouillonne et assez costaud pour ne pas se laisser submerger par elle.

— Comment ? questionna Jeannine. La technique, le mode opératoire, je ne sais pas moi... pour dépolluer l'esprit des émotions karmiques sans en être victime ?

— Un jeune enfant fait pipi au lit parce qu'il ne peut pas encore se contrôler. Progressivement, il prend conscience de son besoin et apprend de lui-même à dominer le réflexe sphinctérien. C'est du pareil au même pour les émotions. Tant qu'il ne contrôle pas consciemment ses sphincters karmiques, l'individu reste dépendant de ses émotions animiques. Il lui suffit d'accepter l'émotion pour ce qu'elle est, pour que tout disparaisse à jamais. L'ayant assimilée dans sa conscience, elle ne pourra plus jamais la diriger inconsciemment.

— Un peu simpliste ! Et teinté d'une pincée de psychanalyse. Or, les émotions ne sont jamais univoques. Les facteurs déclenchants sont innombrables, les causes multiples. S'il faut passer son temps à chercher dans l'inconscient...

— Qui te demande de chercher les causes ? Je t'accorde que l'analogie des sphincters est commode et fait peu de cas des mécanismes d'élaboration assez alambiqués des *complexes émotionnels*. Je laisse la question aux bons soins des théoriciens de la psychologie des profondeurs. Je m'en tiens à une démonstration terre-à-terre et accessible à tous. Tiens, un exemple ! Un jour, j'écoutais un morceau de luth, je me suis senti envahi par une nostalgie incontrôlable, j'en avais les larmes aux yeux. Au lieu de la balayer, j'ai prêté attention à la musique. L'émotion a ressurgi. J'ai pleuré, vraiment pleuré, mais j'ai accepté de m'abandonner en conscience à cette musique. Progressivement, j'ai perçu des sensations particulières, puis des images. Je les ai regardées sans honte, sans chercher à les expliquer. Depuis, je peux écouter du luth sans problème mais je reste toujours sensible à cette musique héritée d'un autre et qu'il a léguée involontairement à l'inconnu du futur que j'étais : son héritage...

— Une belle histoire d'amour qui finit tragiquement, sourit Gwenaelle.

— J'ai accepté son héritage mais, croyez-moi, j'en ai refusé d'autres. L'Homme dépendant de ses *complexes émotionnels* construit son propre karma d'ignorance. Lorsqu'il apprend à les connaître, il se tient debout, la tête vers les étoiles et peut se dire : Je me donne le droit de les vivre mais aussi de les arrêter si besoin est. Adieu karma ! Mais contrairement au MOI rigide qui refuse tout, cet Homme se divinise.

— Ça ne colle pas, tempêta Jeannine. On tourne en rond. Le fait même de naître dans un milieu donné conditionne l'individu. C'est aussi un karma.

— Encore une conception erronée, largement répandue. L'Âme se réincarne dans un milieu semblable à ceux qu'elle a déjà connus, même pays, voire même famille, d'où les impressions de déjà vu, les affinités et les répulsions irraisonnées ressenties envers certains êtres. C'est aussi une sorte de prédestination, encore qu'elle n'ait rien de commun avec la prédestination karmique telle qu'on l'entend généralement. Tu peux aussi dire que tes gènes te prédestinent à avoir des yeux bleus. C'est tout dire et ne rien dire du tout. Personne n'est obligé de rester dans sa famille ou dans son pays alors que tes yeux bleus, tu nais et tu meurs avec. Les prétendues limitations du corps sont aussi fausses puisque l'objectif final est la mort, quel que soit le chemin parcouru. Mais tout le monde a la même chance et le même objectif : permettre à l'Âme qui EST de prendre conscience de son EXISTENCE par le JE d'un humain. Le reste est sans intérêt : à la mort, on laisse tout en arrière.

Les peuplades dites primitives ont tout pigé sans grande phraséologie, car ni le progrès technologique ni la réclusion volontaire dans l'ascétisme ne sont des signes absolus de progrès spirituel. Dans ces sociétés, l'enfant subit à la puberté, une initiation au cours de laquelle il choisit son nom et le chemin à parcourir. L'initiation le fait entrer dans le monde des adultes et le libère de tout karma.

— Autant pour l'Occident où l'on s'acharne à écarter les difficultés devant les adolescents. Il n'y a plus d'initiation.

— Plus d'initiation officielle, c'est vrai. Ça n'empêche pas les jeunes de s'initier autrement. Mais sans l'accompagnement d'adultes ouverts et responsables, ils fabriquent un karma démentiel au lieu de le supprimer : toxicomanie, conduite à risques, délinquance...

— Mais cela a toujours existé, objecta Jeannine. On appelait les choses autrement : brigands, pastoureaux, Grandes Compagnies... Et sans l'effet de loupe des médias, on les voyait peut-être moins.

— En effet ! C'est dire à quel point les phénomènes n'ont d'importance que par leur marquage sensoriel. Loin des yeux, loin du cœur ! Il n'en reste pas moins que tout adolescent subit, à un moment ou un autre, une ou plusieurs initiations, à travers des rituels plus ou moins socialisés — bizutage universitaire, service militaire — dont il se sort plus ou moins bien. La question est : L'initiation a-t'elle lavé toute trace karmique ? Au vu des rituels modernes, on peut en douter.

Les angoissés qu'un rien effraie stationnent sur un chemin balisé et subissent leur karma sans avancer. D'autres renient tout et subissent aussi un karma parce qu'ils troquent une prison contre une autre en quittant la route pour une voie de garage. Restent les originaux débordant d'harmonie intérieure et qui progressent à pas de géant. Au centre parfait, le masque ne lutte plus contre le miroir parce qu'il n'y a plus ni masque ni miroir. Il n'y a plus de karma.

Avez-vous remarqué combien de personnes se sont révélés à elles-mêmes dans des secteurs d'activités auxquels ni leur milieu ni leur éducation ne les avait préparées, comme s'ils avaient stoppé net une orientation ou une destinée toute tracée. Quand j'étais petit, j'avais certaines facilités pour la peinture. Un jour, on m'a demandé si je voulais faire du dessin industriel. J'ai retenu le mot "dessin" et j'ai accepté. Aujourd'hui, je suis ingénieur. Mais je commence à mettre cette orientation en cause et peut-être changerai-je de métier. J'ai envie d'écrire; je ne sais si je réussirai, mais ce sera mon choix et je reste convaincu que je m'y trouverai bien, car je l'aurai choisi consciemment et non subi. Il n'y a rien de karmique là-dedans. Découvrir sa force intérieure et éviter les pièges du MOI satisfont tous les désirs. *Ce que j'ai fait, vous pouvez le faire au centuple...* C'est dans l'Évangile.

Par contre, celui qui ne trouve pas son centre personnel est entraîné par une force centrifuge qui l'oblige à tourner autour du pot. La frustration émotionnelle résultant de son incapacité à trouver son équilibre polarise toutes les autres formes d'émotions et construit à sa mort, une ligne directrice forgée dans le regret de l'échec et qui draine l'Âme en réincarnation. Le nouveau support éprouvera des états d'âme le poussant inconsciemment à butiner sur des activités secondaires et souvent éphémères. Parfois, la ligne directrice de l'ancien support correspond au centre du nouveau support mais, le plus souvent, il y a déphasage, d'où l'apparition, sans que ce soit fataliste ou karmique, de goûts parallèles, d'activités ludiques, de loisirs, voire de réorientation professionnelle.

L'essentiel à retenir, c'est que le karma n'est que le sous-produit de l'ignorance. Nous sommes libres... en principe. Les émotions sont l'essence — du super-extra bien plombé et polluant — du moteur de la réincarnation. Parfois, les reliquats de la vie précédente perturbent la vie présente comme une brise de printemps soulève une feuille ou comme un ouragan défonce les masures. Mais où est-il écrit que la feuille paye la force du vent ? Elle la subit ! D'ailleurs, payer à qui ? Dieu, les Hommes de Dieu, les dieux des Hommes ? Jetons au chapitre des profits et pertes les superstitions foireuses et les pénitences sectaires : Dieu n'a pas besoin de salaire ! Surtout par personne interposée. Maintenant, je m'arrête. À vous de décanter tout cela.»

Je me levai d'un bond, entrai dans la cuisine, ouvris le buffet et sortis la bouteille de Bonal. Gwenaelle avait écouté en silence du fond de son antre culinaire. Je me sentais un peu trop mec, hâbleur et plein d'esbroufe, comme un bateleur de foire. Femme-cuisine contre mâle-social ! La Gwenaelle lisait dans mes cellules.

«Du balai, Kris. Ne cherche pas d'excuse ! Sers l'apéro. Je n'ai pas perdu un mot.»

Chaleur dans la poitrine, petite gêne en forme de soierie des Indes, toute froissée. C'est vrai, pas d'excuses inutiles. Ça me passera.

De retour dans la véranda, je trouvai Guillaume assis sur le muretin limitant le jardinet. Il se retourna, une moue dubitative au bord des lèvres.

«Tout à l'heure, Jeannine t'a demandé s'il y avait une technique pour atteindre à la Connaissance, sortir de la mort et ne plus subir le karma. Je reprends la question à mon compte.

— La technique ? C'est simple, trop simple même pour ceux qui cherchent midi à quatorze heure ! Il suffit de redevenir un petit enfant et d'être à l'écoute de soi.

— Ça suffit ! s'emporta Guillaume. Tu es une encyclopédie de morale, ou quoi ? *La simplicité doit présider à la recherche du JE !* Vaste programme ! Jeannine a demandé un mode opératoire pour extirper les émotions karmiques. Tu réponds qu'il faut rentrer en résonnance avec ses émotions et les laisser s'exprimer pour les empêcher de nous faire un petit dans le dos. Qu'est-ce que ça veut dire ? Que l'Occultisme révélatoire ou les initiations reposent sur la capacité d'aller vers le JE sans détour ? Je n'ai pas besoin de toi pour le savoir. Il suffit de lire des livres de philosophie ou d'ésotérisme. Tu les imites à la perfection en multipliant les détails qui satisfont un intellect curieux, quitte à le faire *réfléchir* mais sans lui donner un seul moyen *pratique* de dévoiler son Âme. Pourquoi tant de mots pour des choses si simples ? Attends, laisse-moi finir, merde ! Qu'est-ce que je te demande ? Un *modus operandi !* Qu'est-ce que tu me donnes ? Rien ! Nada ! Que dale ! Niente ! Celui d'être à l'écoute de l'enfant qui sommeille en nous ? Connerie !

Il n'a rien compris, songeais-je. *Rien ! Ou bien, il me pousse dans mes derniers retranchements.*

— La technique du Maître, la formule de la fée Morgane, la baguette du sorcier de la Grande Ourse, le truc qui permet de fabriquer de l'or, le machin philosophal pour te transmuter en *Être de lumière*, le passe-partout vers le Monde des Maîtres ? C'est cela ? Une recette ?

— Tu te fous de ma gueule ? Tu l'as bien trouvée, ta recette ! Monseigneur est-il trop présomptueux pour daigner nous la faire partager ?»

J'étais très calme parce que je savais qu'il jouait. Je sentais vibrer son sourire derrière son masque de colère.

«Désolé ! Il n'y en a pas. Ou plutôt, si ! Elle sont innombrales : autant que d'individus sur terre. Bien sûr, des groupes humains ont développé des techniques adaptées à leur culture. Selon la tradition, il y aurait douze types d'école — plus une — adaptées à l'esprit humain. Je suis mal placé pour porter un jugement parce que je ne les connais pas — **sauf une**. Tout ce que je peux dire, c'est que j'ai une peur bleue de l'endoctrinement et du fanatisme doctrinaire.

— *Sauf une*, dis-tu ? Laquelle ?

— La treizième, celle de la vie !

— Comme c'est malin !

— Tu vois. Je t'ai dit que c'était trop simple ! D'où viennent ces techniques que tu réclames ? Du Saint-Esprit ? Non, de l'observation, de l'expérimentation, du bon sens, **du gros bon sens** et de l'écoute de soi. En effet, c'est simple... **mais ce n'est pas facile !**

Fanchement Guillaume, à quoi peuvent servir des techniques vides de sens ? Un enfant forcé d'apprendre un instrument avant d'avoir découvert l'amour de la musique jouera sans Âme. Il abandonnera en cours de route. Mais rien n'arrêtera l'enfant amoureux de son instrument. L'astreinte deviendra un jeu et vibrer en harmonie avec son instrument le comblera de bonheur. Il comprendra très vite que la discipline est nécessaire pour atteindre à la perfection. Il ne comptera pas le temps. Il ne vivra que pour son art... mais l'objectif à atteindre est tellement fantastique que personne ne pourra l'arrêter dans sa quête de l'Absolu.

Pour l'être humain, c'est pareil. Tant qu'il n'a pas pris *conscience* de l'enfant qui sommeille en lui, il n'a pas besoin de suivre des cours prénatals expliquant les méthodes de relaxation, du contrôle périnéo-abdominal, de la respiration du *petit-chien* pour... accoucher de lui-même ? Accoucher quoi ?

La spiritualité est ainsi. Tu ne peux avoir totalement compris ce que nous avons échangé ces derniers jours. C'est impossible parce que je t'ai exposé un cheminement qui a exigé des heures de méditation, plus de vingt ans de recherche tant dans les bibliothèques que dans l'observation de la vie. J'ai souffert, j'ai dû refaire plusieurs fois les mêmes erreurs avant de comprendre ce qu'il fallait faire ou ne pas faire pour qu'enfin la *lumière* se fasse en moi.

On s'émerveille devant les exploits d'un sportif et on rêve d'en faire autant. Mais qui est prêt à tout sacrifier, à s'astreindre à des exercices éreintants pendant des heures et des heures tandis que le gros public se contente de consommer et d'envier l'exploit ? Le lecteur d'un ouvrage sur la spiritualité, un tantinet sérieux, a-t'il idée de la charge de travail qu'a dû s'imposer l'auteur : 25 heures par jour, 13 mois par année ? Le consommateur pense tout naturellement qu'un *sage* n'a qu'à se mettre au diapason méditatif de la divinité pour qu'un ange vienne lui faire la causette et lui apporter sa pitance quotidienne, ou que ses besoins élémentaires seront largement couverts par la manne céleste.

J'ai refusé la complaisance et les solutions de facilité. Je suis descendu aux enfers, je suis aussi monté au ciel. J'ai connu la mort. J'ai vécu ma quête dans ma chair, à tel point qu'aujourd'hui je sais qui habite mon cœur. Je ne suis qu'un homme... doté de spiritualité. C'est en acceptant d'être homme et non superman que je peux enfin vivre la divinité que tout le monde a le droit d'atteindre. Encore une fois, c'est tout simple, mais ce n'est pas facile.

Moi, je suis Kris et vous, Jeannine et Guillaume. Votre façon de penser, votre mode de vie ne sont pas les miens. Ma vérité n'est pas la vôtre, nos accrochages en sont la preuve. Chacun sa vérité. Mais j'en conviens, il existe des moyens de l'atteindre, sa vérité. À vous de trouver votre chemin personnel.

Des techniques, j'en connais, par exemple le voyage astral. Mais Guillaume, as-tu assez de constance pour t'exercer toutes les nuits pendant plus de six mois sans te décourager, et simplement comprendre que si tu n'y arrives pas, c'est parce que tu n'as pas compris le simple lacher-prise ? Puis te battre pendant six mois encore contre l'instinct de survie et réussir à mourir à toi et naître en astral ?»

Guillaume sourit, sincèrement cette fois.

«Ça paraît bien long, et puis la nuit, j'ai d'autres techniques à expérimenter, pas vrai Jeannine ? Mais si le jeu en vaut la chandelle, pourquoi pas ?

— Mais tu te le demandes, hein ? Pour que le ciel t'aide, commence d'abord par y monter. Tu n'as pas encore senti la nécessité vitale de le faire, comme le jeune musicien qui ne sait pas encore s'il aura vraiment envie de jouer de son instrument. **Tu veux bien essayer, pour voir ! Mais pas faire ce qu'il faut pour que ça marche**. Sois sans crainte ! Tu trouveras bien un palliatif payant que t'offriront des Maîtres de la béquille : musique relaxante, hypnose, concentration sur le troisième œil, vocalisation à journée longue de voyelles sacrées, sexe, drogue... Vas-y, fonce ! Mais n'oublie pas qu'à ton dernier voyage, aucune béquille ne t'aidera à mourir. Tu seras tout seul, quand bien même un sage t'accompagnerait. Encore dois-tu avoir compris *dans les tripes et non entre les deux oreilles* pour que cette aide soit efficace.

Il n'y a aucune technique magique, non pas parce qu'elles sont toutes valables, mais parce qu'elles ne sont utilisables qu'en fonction **d'un état d'esprit** sans lequel rien n'est possible. Pour l'acquérir, supprime d'abord le doute de ton esprit. Tant que tu ne prendras pas **conscience de toi**, c'est-à-dire de l'**enfant qui dort en toi**, la procédure technique sera une simple fiction, tout juste bonne à construire des scénarios d'Héroic Fantasy.

Je n'ai nulle envie de vous convaincre. À quoi bon ? J'ai cherché à communiquer avec des semblables, comme un homme qui aime la vie, même si elle n'est pas toujours facile à supporter. Ma sœur me disait que la vie était l'enfer à 90 % de malheur et 10 % de bonheur. Ça me semblait évident jusqu'à ce que je réalise que son bonheur à elle, c'était la passion, la possession. Son malheur avait un drôle de goût de frustration.

— Le bonheur ! Comme s'il n'y avait que ça, grinça Jeannine. On passe toujours à coté.

— Parce que ça fait niaiseux, cul-cul ou mièvre ! Bien oui ! Je m'étonne encore devant le coucher du soleil, le sourire d'un enfant, la présence d'un ami, le calme, la solitude, la quiétude d'une compagne, le silence, le vol d'un oiseau... tout ça, c'est le bonheur. Je n'ai rien à foutre de la frustration : je n'ai pas envie de me casser les surrénales à coups de décharges d'adrénaline si l'autre ne presse pas sur le bon bouton de Ma passion pour exulter mon trop plein de tension. Parce qu'alors, l'autre serait le diable, le méchant pas beau... et ça, ce n'est pas vrai !

— Un cri du cœur !

— Excusez-moi, mais j'aurais vraiment voulu vous satisfaire. Il est si humiliant de s'entendre dire : quand tu auras compris, tu reviendras me voir et je te donnerai les clefs. Ce n'est pas mon genre. Pourquoi une clef, si on ne sait pas dans quelle serrure la mettre ? Ouvrez votre propre porte et osez affronter votre vide intérieur pour en mesurer la profondeur et la richesse. Je ne cherche pas à péter plus haut que le derrière. Mes sorties verbales témoignent de ma révolte devant la bêtise humaine — preuve que j'ai encore beaucoup à comprendre — et le bonheur de chercher — preuve que je suis sur le bon chemin. Je m'émerveille comme un enfant de redécouvrir la vie en conscience, et ça, je ne veux plus le perdre : ça m'a permis de démystifier la prétendue connaissance populiste et d'acquérir une pensée autonome. C'est fantastique. Je saurai bien me servir de cet acquis au bénéfice des autres.»

— *Curieux,* songeais-je, *voilà que je m'exprime comme Lumière...*

* *
*

Nous avons dégusté le repas d'amour de Gwenaelle. Conversation en rompant des bâtons, en choquant nos verres d'amitié... Je songeais à mon livre. Il prenait corps après avoir pris Âme. Je commençais à l'entrevoir comme un héritage spirituel pour bébé qui s'en venait. Mais aurais-je assez de culot ? Et de technique ? Ah ! technique ! Où est donc mon MOI d'écriture qui dévoilerait les règles du JE ?

Jeannine et Guillaume nous quittèrent en fin d'après-midi. Promesses de nous revoir, souvenirs, baisers, *émotions*. Ils avouèrent n'avoir pas tout compris mais, avec le temps... Le temps ! M'est d'avis que le copain Jacques devra écarter les brumes du nord devant ses yeux et se caler bien au fond de son fauteuil avant d'entendre l'évocation que ses amis ne manqueraient pas de dresser de leur séjour savoyard.

Je réalisai alors, à ma grande surprise, que *Lumière* s'était retiré sans avertir, à l'instant précis où nous sommes sortis dans la lumière du soleil. Il avait laissé mon verbe animer la démonstration, comme s'il n'avait jamais existé, bien qu'il fût resté présent en moi en permanence.

Ça me donna une idée. Encore confuse. Mais une idée...

* *
*

19

LA RÉINCARNATION

IV - UN EXEMPLE VÉCU

Réincarnation et karma sont passés dans le langage courant, et pas seulement dans les cénacles ésotéristes. Je crois avoir suffisamment tordu le cou à l'idée simpliste d'un karma de prédestination, fondé sur la permanence éternelle d'un MOI pourtant bien mortel se baladant de corps en corps dans le cadre d'un voyage organisé par de gentils organisateurs célestes. Avec l'aide de *Lumière*, j'en étais arrivé à des conclusions opposées à la conception «grand public» mais, pourtant bien conformes aux révélations sacrées.

Il m'importe moins de convaincre que d'apporter des outils pour aider chacun à grandir vers sa propre lumière. J'ai transcrit le plus fidèlement possible les conversations avec Jeannine et Guillaume, car elles illustrent de façon exemplaire des comportements et des opinions communément répandus. Je pourrais raconter d'autres rencontres dont chacune remplirait des chapitres entiers. Point trop n'en faut. Nous sommes loin d'avoir épuisé le sujet.

Je reconnais cependant le caractère assez théorique de l'exposé et les esprits chagrins pourraient me faire grief de parler dans le vide si je n'apportais pas un exemple pratique. J'ai donc choisi un cas concret, reconnu pour son authenticité et dont j'ai pris connaissance en 1985, soit cinq ans après les discussions acharnées avec mes amis picards. Ce cas exceptionnel confirme, sans l'ombre d'un doute, le corpus théorique que j'ai décrit et précise également quelques points restés dans l'ombre.

Ce cas a été exposé dans la revue belge *Daïem*. J'ai obtenu de son auteur l'autorisation de le reproduire. J'ai pu également contacter la personne impliquée dans les faits exposés. Elle a eu l'amabilité de me transmettre des documents complémentaires et m'a autorisé à rapporter son expérience sous réserve de préserver son intimité, ce qui va de soi.

Les citations des diverses parties concernées sont en italique, complétées au besoin par mes propres commentaires.

* *
*

Le 6 juin 1979, le docteur Lyne m'écrivait et se situait pour ma bonne compréhension à son égard.

Elle avait suivi un cursus analytique à Genève durant plusieurs années. Pour cela, elle avait fait une thérapie individuelle, puis une analyse didactique la conduisant à commencer la pratique de la psychanalyse en tant que thérapeute.

«Au cours de l'analyse didactique, me précisait-elle, j'ai fait une série de séances dites de rêves-éveillés.

La plupart des séances se sont déroulées sur un plan symbolique normal. Mais il est apparu certaines fois une impression de dédoublement et d'apesanteur qui me plaçait dans une autre dimension, dont la nature ne me semblait pas être du ressort de la thérapie analytique.

Ces impressions sont en relation avec des fantasmes de mort qui sont latents en moi depuis l'âge de sept ans environ. J'ai vécu 23 ans à Grenoble, longtemps près de l'Église saint Bruno. Elle a toujours été pour moi une source de grande angoisse.

Le fantasme de me voir morte comme un gisant me terrifie : il est cause d'insomnies liées à la peur de me rigidifier en dormant. À cela est associée une corde, traînant sur le sol de l'église et dans laquelle je me prends les pieds.

Qu'en pensez-vous ?»

D'ordinaire, les *complexes émotionnels* d'une vie antérieure rejaillissent sur le support actuel dans ce que nous avons convenu d'appeler des états d'âme, c'est-à-dire des impressions fugaces à l'origine de moments de joie, de mélancolie, de bonheur, de nostalgie injustifiés, ou encore, chez certaines personnes, des attirances ou des répulsions diverses concernant des sujets de discussion, des activités, des lieux, des personnes. Parfois, ils surviennent dans des circonstances dramatiques engendrant un *stress* important. De plus, la structure psychologique très variable des supports humains explique la grande variabilité des réponses face aux pressions des émotions animiques.

Malgré sa formation universitaire et un intellect extrêmement fort et lucide, le docteur Lyne a su conserver la richesse d'une extrême sensibilité. La synthèse de la raison et du cœur lui a permis d'être à l'écoute d'elle-même sans se réfugier dans la fuite et de vivre de façon presque consciente la pression mnémonique de son Âme, sans en devenir folle.

Peu de personnes se souviennent des premières années de leur vie alors que le MOI n'est pas encore structuré. Les émotions latentes issues d'une vie antérieure provoquent chez l'enfant des cauchemars et de véritables terreurs contre lesquels il est démuni. La psychologie rationaliste affirme que les cauchemars signent le développement normal de l'intelligence de l'enfant. C'est tout à fait exact dans le cadre de l'adaptation de la conscience naissante à l'environnement matériel. Il serait toutefois judicieux de montrer aux parents comment être à l'écoute de leur enfant sans s'abriter derrière une explication passe-partout réduisant l'angoisse à un contrecoup de la croissance. On éviterait à l'enfant de refouler l'incompréhension et de nourrir le subconscient d'émotions étrangères à la vie du présent support, puisque le subconscient reproduit un schème émotionnel semblable à ceux des véhicules précédents. Un psychologue formé à l'école classique conclurait sans difficulté — quoique je l'admets de façon un peu caricaturale — que les symptômes décrits par le docteur Lyne sont typiques d'un sujet qui a peur de grandir. En effet, le docteur Lyne affirme elle-même qu'à sa connaissance, ses angoisses remontent à sept ans alors que, de toute évidence, elles existaient bien avant.

Néanmoins, son angoisse de mort est liée exclusivement à une impression obsessionnelle : une église, une corde qui risque de la faire trébucher. Or, le docteur Lyne ne craint ni la mort en soi, ni les églises, ni les cordes. Les obsessions habillent l'angoisse de mort et non l'inverse, car l'Âme enregistre l'émotion éprouvée lors du décès et non la mort en tant qu'événement.

Le 14 juin, j'écrivais à mon tour :

L'enchaînement des circonstances n'est jamais qu'une suite subtile découlant de l'effet primaire d'une cause unique. Les phénomènes dits «rêves à l'état de veille» de vos années d'études prennent leur substrat obsessionnel dans le souvenir subconscient (venu d'ailleurs) d'une mort antérieure qui influence votre JE transcendantal.

Je prendrai pour archétype le rêve du 8 décembre 1977.

Sur ce principe, il est possible de remonter votre temps biologique jusqu'au phénomène responsable du fantasme de morbidité morphéïque que vous subissez.

Voici, en conséquence, quelques questions :

L'église qui porte le nom de saint Bruno, fondateur de la Grande-Chartreuse en 1084, où il demeura jusqu'en 1090 avant d'être appelé à Rome par Urbain II, contient-elle un tombeau ou un gisant ?

Évidemment pas celui de saint Bruno qui mourut en 1101 à la Chartreuse Della Torre en Calabre, près de Catanzaro, mais peut-être celui de son disciple «Landruin» qui prit la direction de la Chartreuse à son départ. Tout dépend de la date de construction de cette église.

Autre demande apparemment fantaisiste : pouvez-vous vous procurer une corde grosse comme le pouce et d'environ 1 mètre 50 cm de long ? Lorsque vous l'aurez, je vous prie de faire l'expérience suivante :

Seule chez vous, nouez cette corde à votre taille mais de telle façon qu'en marchant dans la nuit elle glisse sur vos jambes. Faites ceci sans idée préconçue et veuillez me faire part de vos observations.

L'auteur abonde dans le sens que le subconscient hérite des émotions animiques et influence le JE et, par ricochet, le MOI. Cette approche est intéressante pour deux raisons :

Première :

L'auteur envisageait, à l'évidence, d'effectuer un dédoublement. Or, tout voyage astral en vue de remonter les vies antérieures et de puiser dans la mémoire universelle — plus connue des ésotéristes sous le terme d'*archives akachiques* — exige auparavant de bien cerner le sujet. Le voyage astral donne accès à la Connaissance intégrale, sans doute... *mais la connaissance intégrale des domaines connus.* On ne peut s'interroger sur des sujets dont on ignore l'existence puisqu'on ne peut même pas poser la question exacte. Cela revient à manipuler un ordinateur sans savoir qu'il contient des dossiers secrets.

Deuxième :

La mise en scène demandée rejoint, dans l'esprit et dans la forme, l'expérience de la musique de luth qui avait provoqué chez moi un vague à l'âme larmoyant. N'importe qui peut tenter cette expérience en fonction de ses états d'Âme et découvrir le meilleur exorcisme contre les relents des vies antérieures.

Le 20 juin, le docteur Lyne m'écrivait une lettre, dont voici l'essentiel :

«L'église saint Bruno date de 1874. Elle ne contient aucune tombe ni gisant. Il y a deux grands tableaux se rapportant à saint Bruno, c'est tout.

L'expérience de la corde fut assez angoissante. Le déclenchement obsessionnel m'a apporté plusieurs sensations et images : être enlisée — être prisonnière et enchaînée... j'avais une longue robe bleu-foncé... à un moment, il m'a semblé que je me voyais de dos... puis une marche sur un chemin aride... un paysage de montagne en hiver, escarpé, blanc de neige...»

La mise en scène a eu pour effet de faire ressurgir des images telles qu'un spectateur les aurait observées.

Une telle expérience ouvre la porte à une mémoire enfouie et laisse toujours émerger, les jours suivants, d'autres images, rêves ou sensations complémentaires. Le rêve est le moyen idéal à l'expression des souvenirs d'une vie antérieure; pendant le sommeil, la conscience objective ne freine plus la marée d'images du subconscient. L'intellect rationnel n'impose plus ses critères normatifs forgés par son savoir personnel et son contexte social même si, au réveil, il reprend ses droits pour habiller a posteriori les impressions morphéïques.

Le 17 juin, je répondais au docteur Lyne.

«Laissons l'église saint Bruno dont le seul intérêt est celui d'avoir lié vos angoisses subconscientes au fondateur des Chartreuses.

En ce sens, j'ai tenté deux projections astrales sur votre ligne idéo-spatiale, remontant l'imperceptible trace laissée dans ce millénaire par votre Âme incarnée.

J'y ai rencontré une Béatrice d'Ornacieu, née le lundi 10 novembre 1273 — vous êtes née le lundi 10 novembre 1947. Elle est morte le jeudi 8 décembre 1303. Elle avait 30 ans et 28 jours, et vous aviez exactement le même âge le jeudi 8 décembre 1977.

En cette nuit du 8 décembre 1977, vous vous êtes allongée sur un tapis et... subconsciemment vous êtes entourée du linceul rituel (cf. vos propres mots : «Je me suis entourée dans une couverture pour faire ce voyage.»).

Alors que vous aviez deux ans, le jeudi 8 décembre 1949, vous avez fait EXACTEMENT le même rêve et les mêmes gestes dans votre lit d'enfant. Évidemment, le souvenir conscient ne vous en est pas resté, contrairement à celui du 8 décembre 1977. Pourtant, il a marqué votre enfance et vous marque encore.

Que vient faire saint Bruno dans tout cela ?

Lui-même, rien ! Il était mort 172 ans avant la naissance de Béatrice d'Ornacieu. Mais il est le fondateur des Chartreuses et le fil conducteur de la ligne idéo-spatiale de vos incarnations.

Béatrice d'Ornacieu était une fille noble et riche dont la beauté se doublait d'une complexion amoureuse sans scrupule. S'étant trouvée grosse sans paternité définie, elle fit secrètement enterrer vivant le bébé dès sa naissance. Par la suite, elle conçut une telle horreur de sa criminelle conduite, un tel remords, qu'elle se voua à la vie érémitique la plus rigoureuse que les moniales pratiquaient en cette ascèse mystique des règles chartreusines de saint Bruno (nous revoilà à lui). Elle fonda elle-même le monastère d'Eymeux dont le Pape Boniface VIII reconnut la fondation.

Revenons à Béatrice d'Ornacieu, déclarée bienheureuse par Alexandre VII en 1660, lequel ne risquait rien en se trompant, étant donné que la béatification n'engage pas l'infaillibilité du Pape. Elle fut aussi excessive dans la pénitence qu'elle le fut dans ses débordements amoureux, ne ménageant point ses heures de prières nuit et jour devant les morts avant qu'ils ne soient mis en terre.

Le 8 décembre 1303, par une froide nuit d'hiver, alors qu'elle se mortifiait dans la chapelle qui s'édifiait, elle se prit les jambes dans des cordages bordant un trou béant dans les dalles et que nécessitaient les travaux. Dans sa chute, elle se brisa la colonne vertébrale et mourut quelques heures plus tard.

Vous avez bien voulu vous prêter à l'expérience de la corde, et je vous en remercie. Cela me permet de vous resituer ce lointain souvenir de votre Âme spirituelle :

«... j'ai ressenti une angoisse de me sentir prisonnière sans pouvoir m'enfuir.»

«... plusieurs images me sont venues : être enlisée, être prisonnière et enchaînée» : sensation liée à la brisure de la colonne vertébrale.

«... j'avais une longue robe bleu-foncé.»

«... à un moment donné, il m'a semblé que je me voyais de dos» : sensation consécutive à la torsion du corps durant la chute.

«... une marche sur un chemin aride... un paysage de montagne en hiver, escarpé, blanc de neige.» : vision se rapportant au lieu de construction de la chapelle.

Pour conclure, je vous précise que vous, docteur Lyne, n'êtes pas Béatrice d'Ornacieu, mais que l'Âme spirituelle dont elle fut le support est réincarnée en vous.

Apportez donc à cette Âme la paix et l'oubli en la portant vers les horizons de la spiritualité cosmique. Le seul moyen qu'avait cette Âme de se manifester à votre intérêt de froide logicienne (je parle de votre plan intellect et non des autres) n'était-il point de vous faire peur ?

Ceci n'a plus lieu d'être, la cause étant connue, les effets dans ce domaine de l'intemporel cessent d'eux-mêmes.

À première vue, il y a de quoi être surpris par la correspondance de dates entre Béatrice d'Ornacieu et le docteur Lyne. Cela provient de la combinaison de deux facteurs :

Premier :

Le docteur Lyne est un sujet particulièrement sensible, entièrement tourné vers l'écoute intérieure de ses angoisses — qu'elle ne refuse pas — et le désir profond de comprendre objectivement, sans parti pris, justification ni fuite.

Deuxième :

Les émotions d'une vie antérieure ressurgissent dans la vie actuelle sur deux modes.

1 – Un *mode dominant* qui s'appuie sur le regret de ne pas avoir trouvé le centre d'équilibre de soi correspondant à ses capacités et son vécu personnel. Ce mode dominant, expliqué au chapitre 17, justifie l'obsession de permanence, et donc la réintégration dans un support, alors que la mort a déjà commencé son œuvre. Un sujet ramené à la vie après une E.M.I. (Expérience de Mort Imminente) reporte cette justification sur une phrase venue d'ailleurs, alors qu'en fait, c'est lui qui l'énonce. Ce *mode dominant* qui marque l'Âme comme ligne directrice, *peut* rejaillir sur le support suivant. Dans notre exemple, Béatrice d'Ornacieu «ne peut extirper de sa conscience la culpabilité de la mort de son enfant». Pour elle, la mort n'est pas libératrice car elle polarise l'angoisse qu'a dû éprouver, *selon elle*, son enfant enterré vivant et l'horreur de devoir subir le même supplice : elle est paralysée par le désespoir de ne pas recevoir de l'aide et est convaincue qu'elle ne pourra expier sa

faute de son vivant. Elle va s'accrocher de toutes ses dernières forces à la matière, cristallisant dans son Âme la peur de mourir qu'amplifiait sa croyance religieuse, persuadée qu'elle irait en enfer.

2 – Un *mode chronologique* consécutif à l'évolution mentale, psychique et physique du support. On imagine mal une petite fille de sept ans manifester des préoccupations physiques d'une femme de trente ans. Les émotions animiques ressurgissent de façon plus aiguë lorsque le sujet se trouve confronté à des endroits, des individus ou des circonstances analogues.

Au vu de ces considérations et de la puissance créatrice du subconscient, il serait *compréhensible de croire* que l'existence est programmée à l'avance pour tout le monde. Mais si l'exception confirme la règle, elle ne l'impose pas toujours. Or, c'est en fonction de l'exception que fut *inventée* la loi de fatalité, dite karmique et que la métaphysique «grand public» généralise à la majorité. Quand ce chapitre sera terminé, il deviendra évident que le docteur Lyne, n'a pas eu à payer quoi que ce soit pour Béatrice d'Ornacieu. Elle aura pour elle-même libéré son esprit d'une possession chronique qui empoisonnait sa vie personnelle et qui relevait plus de l'exorcisme conscient que de la soumission aux effets de la loi de compensation karmique.

La coïncidence des dates de naissance s'explique facilement lorsqu'on sait que Béatrice d'Ornacieu a passé sa vie à regretter son existence de fille noble et qu'en tentant de racheter sa *faute*, elle a toujours souhaité ardemment tout recommencer plutôt que d'affronter l'enfer religieux en se disant que tout aurait été différent. Ce regret profond se cristallisant sur les mortifications continuelles a marqué son Âme du besoin de renaître dans un corps équivalent, soit le même jour du même mois. Quand aux dates relatives aux autres événements de la vie de Béatrice, elles ne rejaillissent dans la vie du docteur Lyne que sur un plan symbolique, sous forme de rêves ou d'angoisse et *non en termes d'événements*... Pourtant, ses angoisses refoulées vont — comme nous le verrons plus loin — provoquer un événement pour le moins déconcertant : une fausse couche.

Relevons au passage un jugement de valeur dangereux :

«Le seul moyen qu'avait cette Âme de se manifester à votre intérêt de froide logicienne (je parle de votre plan intellect et non des autres) n'était-il point de vous faire peur ?»

C'est en contradiction avec la phrase suivante sur le libre choix :

«Ceci n'a plus lieu d'être, la cause étant connue, les effets dans ce domaine de l'intemporel cessent d'eux-mêmes...»

L'Âme ne se manifeste pas au MOI pour lui dire : «Bouh ! je vais te faire peur !» Plus simplement, le docteur Lyne a manifesté, dès son plus jeune âge, une tendance spontanée à l'introversion et donc à rentrer en résonance avec son JE. La prise de contact avec le JE ouvre les portes de la mémoire de l'Âme et ramène des impressions diverses, angoissantes dans ce cas. Le plus étonnant, c'est qu'en dépit de ses pulsions inconscientes et de la crainte de voir au fond d'elle-même, elle n'ait pas tourné la page. Au contraire, elle a développé jusqu'à la mortification une attirance morbide pour la mort, tout comme Béatrice a dû subir des cauchemars persistants reliés à la fin tragique de son enfant. La grande fragilité psychologique du docteur Lyne enfant pourrait expliquer sa démarche analytique, et peut-être aussi — mais elle seule pourrait le confirmer — certaines appréhensions au regard de ses relations avec les hommes.

Quant à saint Bruno, il constitue le fil d'Ariane de la réincarnation, reliant le vécu de la religieuse à celui du docteur Lyne, alors qu'en fait, il n'a rien à voir, à proprement parler, avec Béatrice d'Ornacieu. Je serais tenté de croire que Béatrice a dû prier souvent Saint Bruno pour qu'il vienne à son secours, adoptant à cet égard un comportement fréquent dans les communautés où l'invocation de leur fondateur fait naturellement partie des oraisons. L'émotivité dans l'expression de son repentir a amalgamé saint Bruno à ses remords. L'Âme ne juge pas, elle prend ce qu'on lui donne et ce fil conducteur lui a été imposé.

Cette lettre recevait en retour une réponse du docteur Lyne, le 3 juillet. Elle me disait, entre autres :

«... j'ai eu un choc salutaire qui a éveillé beaucoup d'échos en moi, tout d'abord par les analogies avec ma propre existence.

... j'ai l'impression qu'une force très grande m'a poussée à ramener au jour cet aspect angoissant de mon existence...

... pourquoi ces révélations me sont-elles faites actuellement ?»

Cette lettre confirme les commentaires précédents, à savoir que la prise de conscience viscérale d'éléments inconscients amène sur le plan de la révélation une foule d'autres connaissances. Il est toujours surprenant de découvrir qu'une mauvaise herbe ramène tant de terre avec ses racines.

C'est à cause de cette phrase : *j'ai eu un choc salutaire qui a éveillé beaucoup d'échos en moi, tout d'abord par les analogies avec ma propre existence*, que j'ai écrit au docteur Lyne pour avoir de plus amples informations. Sa lettre et mon commentaire sont reproduits en fin de chapitre.

Sa seconde réflexion ne doit pas être prise au sens de payer, mais au contraire, dans celui de *prendre conscience.* Elle a constamment tout refoulé depuis son enfance; tôt ou tard, elle devait affronter son refoulement.

La troisième réflexion correspond à un sentiment de libération. Cela se conçoit aisément, pour deux raisons :

- C'est son subconscient qui a déclenché ces révélations.
- Le docteur Lyne ne peut accepter que maintenant l'origine de ses perturbations, même si elles ont toujours été latentes. On aurait beau jeu de ne parler qu'en fonction exclusive de Béatrice d'Ornacieu. Ce

serait oublier que le docteur est une femme — comme son dernier support — de notre époque, éprouvant des émotions spécifiques, dont la plupart sont sans rapport avec l'incarnation précédente. Toutefois, la véritable possession par les rémanences nauséabondes de Béatrice a mobilisé sa vie dans un sens unique. Il s'agissait d'un transfert pur et simple dont la prise de conscience devenait une question de survie en vue de sa propre libération.

À cette lettre, faisait suite la mienne du 16 juillet, dont voici l'essentiel :

Il est bien évident que la coïncidence entre le 10 novembre 1273 et le 10 novembre 1947 (votre naissance) marque pour votre Âme le point zéro du recommencement.

Cette relation déclenche chez vous une série de conséquences dont les analogies sont troublantes. Par le fait que vous connaissez mieux que quiconque les actes de votre vie, vous êtes amenée au ressouvenir d'une foule de moments, de lieux, qui confortent en quelque sorte le vouloir d'une Âme spirituelle réincarnée en vous.

N'en doutez pas, ce vouloir tend vers un but précis : faire de votre futur passage post-mortem l'ultime et dernière formalité d'une Entité incarnée en vous.

Votre JE, en se sublimant pour y parvenir, n'a rien à y perdre puisqu'au lieu de s'annihiler, il conservera la personnalité : ÊTRE VOUS au-delà du vivant mortel.

Néanmoins existe pour vous un conditionnel présent : celui qui se rapporte à l'arbitrage du corps de chair qui concède ou refuse la pression mentale exercée par l'intelligence spirituelle. Aussi demeure le «libre choix» en votre corps et votre conscience.

Un point à préciser : *le «vouloir» d'une Âme spirituelle réincarnée en vous.*

Le terme «vouloir» présuppose une volonté consciente de la part de l'Âme. J'aurais utilisé «le pourquoi» pour éviter tout malentendu. Le *pourquoi* de l'incarnation de l'Âme, c'est la prise de conscience d'elle-même qui EST par un JE qui EXISTE. Le moteur, c'est à dire le *comment*, c'est le *complexe émotionnel*. L'Âme réincarnée repart à zéro, mais certains éléments du *complexe émotionnel* peuvent perturber la vie du nouveau support, comme dans le cas du docteur Lyne. C'est possible, mais non inéluctable.

Autrement dit, l'Âme ne peut pas *vouloir* extirper à tout prix les émotions d'une vie passée pour sortir de la mort. Cette position conduit au jeu fataliste : karma = dette !

Prendre conscience de son JE, c'est prendre conscience de son Âme. Il n'y a que ça... sous réserve que le MOI accepte, condition expresse pour devenir un *Être de lumière*. Pas besoin d'un bagage ésotérique purement intellectuel ! Il suffit de rester honnête avec ses sensations et d'accepter d'être à l'écoute de soi. Le MOI se corrige alors de lui-même pour devenir ce qu'il n'aurait jamais dû cesser d'être : un simple outil.

C'est en octobre 1979 que le docteur Lyne m'écrivait à nouveau :

«Trois mois ont passé depuis votre lettre du 16 juillet. Elle a eu sur moi de profondes résonances et a marqué mon été. Je suis allée à Eymeux, et aussi au monastère où Béatrice d'Ornacieu a fini ses jours.

J'ai découvert stupéfaite qu'elle était l'objet d'un culte local encore vivace. J'ai vécu cela appuyée sur un face à face avec MOI-MÊME !

Mais je me sens aujourd'hui poussée en avant par quelque chose de neuf. J'ai l'impression que des mécanismes psy-

chologiques et des angoisses qui me bloquaient ont disparu à tel point que j'ai du mal à me souvenir que j'ai pu être perturbée.

Les deux derniers paragraphes résument parfaitement le mécanisme des influences du *complexe émotionnel* hérité des vies antérieures, sans aucune référence à une dette ou à un dépassement de quoi que ce soit. La dédramatisation d'une obsession ramenée à sa juste dimension laisse le sujet surpris qu'une si petite brise ait pu déclencher une telle tempête.

Conclusion :

L'Âme spirituelle de Béatrice d'Ornacieu était enchaînée au Corpus-Homo à la fois par la sensation de la faute non expiée de celui-là au sens de son JE transcendantal non évolué, et par la vigueur latente de sa jeunesse.

L'accident a précipité un choix encore possible si elle avait vécu. Mais en plus de sa propre action d'enchaînement sur elle-même est venue se greffer l'influence des esprits, des désirs, de la retenir en ces lieux, issue des vivants qui lui portent un culte et viennent se prosterner sur sa tombe.

Des siècles de tourments à cette Âme, furent nécessaires à son élévation suffisante au sein du Marais astral.

Puisse aujourd'hui l'esprit du support qui en a la charge laisser au JE la voie libre vers cette indispensable sublimation qui lui permettra de conduire l'Âme de Béatrice d'Ornacieu vers les fins de l'Ordre Sidéral (le Monde des Maîtres par delà la mort).

J.R., Janvier 1980

Plusieurs observations !

Première :

Que l'Âme de Béatrice d'Ornacieu fut enchaînée au Corpus-Homo ne change rien au fait que l'Âme *séjourne* dans le Marais astral ou spatio-temporel, pour la bonne raison que le Marais astral n'est pas un endroit, mais un état : celui d'une Âme SANS son guide JE. Il en est de même pour le Monde des Maîtres qui est l'état de fusion d'une Âme avec son JE. Par conséquent, ces deux dimensions sont consubstantielles au vivant.

Le Marais astral et le Monde des Maîtres se trouvent partout où il y a de la vie, dans cette pièce où j'écris ou ailleurs sur la planète Terre. Le temps et l'espace n'ayant aucune existence réelle, le concept dimensionnel est un non-sens qui permet, au mieux, une approche *raisonnable* du sujet : les *Êtres de lumière* n'ont pas besoin de se réunir ici ou là, suivant un hypothétique planning, pour se manifester auprès des vivants. L'anthropomorphisme transpose sur les morts ou les *Êtres de lumière* la ressemblance des humains comme de leur mode de communication, alors que ces entités coexistent et communient dans une forme de pensée particulière accessible à tous, à la condition d'ouvrir les yeux pour voir et les oreilles pour entendre. Affirmer que les morts ne sont jamais revenus nous dire ce qui se passe de l'autre côté ne changera rien au fait que les *Réalisés* nous parlent tout le temps.

Une Âme emprisonnée par l'obsession de son défunt support, peut nous *sembler* vivante et fixée sur un lieu particulier, alors qu'elle se trouve dans un Monde parallèle sans dimension.

Cette observation nous fait entrer de plain-pied dans le Monde des spirites. Sans fouiller dans les détails, on peut dire qu'une Âme enlisée en un lieu particulier par un *complexe émotionnel* figé dans l'obsession aspire à la vie par projection sur un nouveau support. Ne pouvant remonter en elle pour se réincarner, elle fait une fixation — induite par l'obsession du défunt — qui se nourrit de la faible vie résiduelle du corps en décomposition. On dit que l'Âme *hante* les lieux de *sa* mort. Il suffit qu'un sujet témoin, doté d'une bonne dose de vitalité, pénètre dans ces lieux pour qu'il donne à l'Âme — mais à son corps défendant, si je puis dire — l'énergie de vie qu'elle réclame pour reprendre forme en vue d'exister. Ce processus qui évoque une relation quasi vampirique déclenche des effets poltergeist provenant, non de l'Âme, mais du *complexe émotionnel* redynamisé par le sujet témoin lui-même. Que le témoin se retire et les effets cessent aussitôt. Les enfants, dont l'énergie vitale est entière, sont particulièrement disposés à provoquer ces phénomènes d'une vigueur insoupçonnée. De plus, les fixations qui emprisonnent l'Âme sont souvent violentes ou profondément enracinées dans la matière : culpabilisation, meurtre, suicide, argent — un clin d'œil aux fantômes écossais. Les fantômes prennent forme dans les légendes populaires : vengeance des morts dérangés dans leur tranquillité, visiteurs victimes d'une malédiction séculaire... En ce qui concerne notre malheureuse Béatrice, l'auteur relève avec justesse que sa *vigueur latente* a amplifié l'enchaînement de l'Âme.

Deuxième :

Le deuxième paragraphe pose par ricochet la question de l'efficacité de la prière des morts. La messe des morts constitue une pratique excellente. Mais elle dégénère malheureusement en l'expression d'un regret égoïste : on reproche au mort d'être... mort, on lui réclame son aide. Pas de problème si le défunt est devenu un *Être de lumière*; il peut même se manifester auprès du vivant. Dans le cas de Béatrice d'Ornacieu, au contraire, la béatification a eu pour effet d'enliser l'Âme dans le Marais astral et de retarder* sa prochaine incarnation.

La prière accélère le processus de réincarnation — en temps terrestre — si elle est pratiquée effectivement pour le défunt. Les pensées d'amour qui trouvent leur correspondance

---

* *Retarder* en temps terrestre, car pour l'Âme, le temps n'existe pas. Le passage à l'état de conscience méditatif astral équivaut à l'éternité, soit une fraction de seconde... puisqu'elle EST un présent constant, même si elle intègre en elle le passé et le futur, du fait même du *complexe émotionnel* qui l'imprègne.

énergétique avec la mémoire de l'Âme, l'élèvent — au sens métaphysique — au sein du Marais astral et favorisent sa réincarnation.

Troisième :

Certaines écoles soutiennent que l'Âme passe en moyenne un temps déterminé dans cet état de conscience... Va pour une moyenne qui n'a en fait aucun sens, étant donné que si le temps n'existe pas pour l'Âme, les émotions vécues et leur intensité forcent le constat que chacun est un cas particulier : de quelques jours à des siècles, comme ce fut le cas de Béatrice d'Ornacieu.

Voici le courrier que le docteur Lyne m'adressa le 15 mai 1991. Il est révélateur et confirme l'exposé des chapitres précédents.

Cher Kris Hadar,

Je viens de me replonger dans ce passé, apparemment lointain, mais réellement présent, qui relie ma vie actuelle à celle de Béatrice d'Ornacieu.

Je suis née à Grenoble, dans le quartier saint Bruno. J'ai été baptisée dans l'église de ce nom, y ai fait ma communion, et reçu mon éducation religieuse par les prêtres de cette paroisse. J'ai suivi sept ans le cursus d'études secondaires, au lycée de mon quartier, situé place saint Bruno.

Toute la vie subconsciente de mon enfance a été marquée par cela. Car cette corrélation avec la vie érémitique de Béatrice d'Ornacieu dans la confrérie des Chartreux (Patron saint Bruno) n'était pas seulement pour moi un fait vécu de manière anodine. Mon enfance reste marquée par un climat d'angoisse et d'obsession de la mort. J.R. me dit que le jeudi 8 décembre 1949, j'ai fait un rêve qui m'a remémoré ces faits passés et a imprimé ma vie subconsciente. Je n'en ai pas souvenir; mais j'ai vécu dans l'angoisse de la mort [...]

J'ai commencé à faire des rêves morbides : en fermant les yeux, je voyais des cercueils, ou bien je me voyais enchaînée aux pieds à un pilier de l'église saint Bruno, de gros cordages m'empêchant de sortir de l'église. Il y avait dans mon esprit une association saint Bruno = mort = angoisse. Ce climat contaminait toute mon enfance et mon adolescence. Cette association était renforcée par le fait que lors des enterrements à l'église saint Bruno, les cloches sonnaient régulièrement le glas, ce que l'on entendait très bien depuis le lycée voisin d'où l'on voyait aussi passer les cortèges funèbres. J'étais très secrète et ne parlais donc à personne de ces phobies.

Mes parents ne suivaient pas vraiment de religion mais ma Mère était imprégnée de christianisme, ayant dans son enfance passé plusieurs années dans un pensionnat tenu par des sœurs et fait ultérieurement quatre ans de noviciat.

Béatrice d'Ornacieu était née à Tullins (Isère), Ornacieu étant le nom d'une de ses terres. Mais le château se ses parents était situé sur un axe qui va en direction de Romans. Si vous consultez une carte de la région, vous constaterez que de Grenoble à Tullins, il y a environ 30 kilomètres à vol d'oiseau, séparés par une barre montagneuse, le Vercors. Or, ma Mère est originaire de ce plateau. J'y ai fait maints séjours et promenades. En somme, Grenoble est d'un côté de cette montagne et Tullins de l'autre. Des deux localités, on voit le Vercors, mais sous deux côtés différents.

La vie de Béatrice d'Ornacieu se déroule dans un petit triangle géographique d'environ 15 kilomètres de côté. D'abord à Tullins, puis elle entre chez les Chartreux à Parménie. Trois ans avant sa mort, elle est chargée de fonder un nouveau couvent à Eymeux.

Une de mes meilleures amies a vécu à Tullins de 25 à 28 ans. Mais je ne peux pas dire qu'aller en ce lieu éveillait en moi un sentiment particulier. Par contre, à tort ou à raison, je reliais cette amie à ma vie passée.

Parménie est une colline, à la pointe du massif du Vercors. La vue y est magnifique : d'un côté, on aperçoit la vallée de Grenoble, de l'autre, la région de Tullins et au loin, les monts du Lyonnais. Le couvent n'est plus aujourd'hui tel qu'alors, bien qu'un centre de rencontres catholiques existe encore. Il était alors construit dans des remparts d'où il tient son nom : Parménie qui vient de para menia *: contre ou autour des remparts, ce qui a donné Parmeigne, puis Parménie. Or, cette étymologie m'a beaucoup frappée, car un mot tournait dans ma tête depuis mon enfance :* paremonia. *Longtemps, je me suis demandé ce que cela signifiait... jusqu'au jour où je suis tombée sur cette étymologie. C'est comme un lointain souvenir, à la fois vague et insistant.*

Ce qui me touche, dans ces lieux, c'est surtout l'environnement montagneux. Certains endroits me donnent une impression de familiarité. Je me souviens qu'un jour, vers l'âge de 17 ans, je voyageais en train de Lyon à Grenoble. Mon attention était détendue, lorsque soudain, le paysage extérieur m'a fait une drôle d'impression de déjà vu, bien qu'il ne me rappelait rien du tout. Lorsque j'ai eu l'occasion d'y repasser, la même impression m'est revenue. Autre mystère, jusqu'au jour où, étant allée voir le site de Parménie, j'ai remarqué que c'était exactement le site que je voyais au pied de cette colline, en direction de Lyon : la même montagne, la même intersection de vallées.

La troisième époque de la vie de Béatrice d'Ornacieu, de 1300 à 1303, est celle qui verra le drame de sa mort accidentelle, à l'âge de 30 ans et un mois. Je suis allée à Eymeux mais le lieu exact est inconnu, le monastère en question n'ayant eu qu'une très brève existence. Une église a été construite à son intention, mais à un endroit ne correspondant pas au lieu originel, selon mon impression.

Le sentiment d'une sorte de possession a duré chez moi jusqu'à l'âge de 30 ans. Vers 18 ans, j'ai commencé à réagir, mais face à quelque chose de très diffus. Je crois que cette angoisse de la mort m'a donné le goût des études philosophiques. Devant mes difficultés existentielles, à l'âge de 22 ans, j'ai commencé une psychothérapie analytique. Elle a guidé ma vie jusqu'à 30 ans. C'est grâce à cela que j'ai pris l'habitude de noter régulièrement mes rêves. Voici ci-joints quelques uns d'entre eux. Vous pouvez les reproduire si vous le souhaitez. Celui du 8 décembre 1977 est le plus important, car il n'est pas un rêve nocturne, mais un voyage de l'imaginaire, fait spontanément.

C'est le souvenir de la mort antérieure. Il marque déjà, en soi, une forme de libération. Ce jour-là, j'avais exactement l'âge de Béatrice au moment de sa mort.

J'ai eu deux grossesses; elles n'ont pas abouti : la première en décembre 1973 : 1273 ! La seconde en juillet 1987. Alors que la première me paraît évidemment être en relation avec ma vie antérieure, cela me paraît moins net pour la deuxième.

De décembre 1973 à décembre 1977 : cinq années très difficiles pour moi où le thème de la maternité non réalisée m'a beaucoup travaillée. En juillet 1977, j'ai assisté une amie dans son accouchement, alors qu'elle avait conçu cet enfant seule. Ce fut déjà une revanche sur la vie; j'en ai tiré une grande joie.

J'ai été mise en relation avec J.R. en 1979 : à partir de ce moment, ma vie a complètement changé : en l'espace de deux ans, j'ai commencé une nouvelle vie (déménagement, rencontre sentimentale). J'ai eu l'impression de devenir un être nouveau : moi-même en fait. Progressivement, les fantasmes morbides ont disparu.

Voici donc l'essentiel de ce qui m'est venu à l'esprit [...]

Amicales pensées.

Conformément à la loi de la réincarnation, l'Âme de Béatrice d'Ornacieu s'est réincarnée dans la même région où elle s'était précédemment manifestée. Il faut avoir vécu dans la région de Grenoble pour savoir que la mentalité et les coutumes des habitants sont uniques en France, et comprendre pourquoi l'Âme ne pouvait pas trouver ailleurs un endroit similaire, même si, comme le précise le docteur Lyne, à peine 30 kilomètres à vol d'oiseau séparent Grenoble et le Vercors où avait vécu la précédente incarnation. Les montagnes, l'esprit religieux, la dureté de la vie, l'histoire chargée d'invasions — Annibal en 218 av. J.C., Napoléon Bonaparte en 1796 — sont autant d'arguments en faveur de sa réincarnation dans un périmètre fort restreint.

Le docteur Lyne dit assez peu de choses sur sa famille. On peut, au passage, s'étonner de son silence concernant son Père. Par contre, sa Mère révèle sans l'ombre d'un doute pourquoi l'Âme de Béatrice s'est réincarnée dans cette famille. Cette femme, fervente pratiquante et un temps attirée par la vocation religieuse, a finalement opté pour la vie familiale. La forte ambivalence qui existe entre ses premières aspirations et sa sexualité a créé pour sa fille un climat analogue à celui vécu par le précédent support. Les racines maternelles portent l'empreinte de celle qui fut originaire du même terroir : Béatrice d'Ornacieu.

Le docteur Lyne est un sujet d'étude remarquable par la conscience qu'elle a de ce qui se produit en elle. Elle souligne à juste titre l'impression qu'elle éprouve à l'égard d'une amie dont l'Âme aurait connu Béatrice d'Ornacieu. C'est vraisemblable puisque la réincarnation étant propice à survenir dans un *milieu émotionnel* de même type, il y a de fortes chances pour que, malgré la différence des supports, les Âmes se soient côtoyées au-delà des siècles.

L'échec de sa première grossesse ne résulte pas d'une dette karmique, mais de l'action d'un *complexe émotionnel* transposé par l'Âme dans le support actuel et forgé dans la peur inconsciente de la maternité, l'angoisse de ne pouvoir la mener à terme. Ceci confirme encore que les effets des *complexes émotionnels* d'une vie antérieure atteignent leur apogée quand les conditions sont réunies pour les faire éclore. Ici, la culpabilisation s'articule autour des deux dates : 1973 = 1273.

Il s'agit en fait, d'une *anomalie chronologique* qui confirme a contrario que c'est bien le docteur Lyne — et non le *vouloir* d'une Âme — qui calque inconsciemment sa vie sur celle de Béatrice d'Ornacieu. En effet, la date de l'avortement spontané correspond à celle de la naissance de Béatrice d'Ornacieu (1273) et *non à celle du meurtre* du nouveau-né.

Si notre Monde avait développé une conscience éclairée de la réincarnation, le docteur Lyne aurait pu exorciser les émotions résiduelles de sa précédente incarnation. Dégagée d'un climat fataliste qui la forçait à subir, elle aurait eu le bébé tant attendu. Sa soumission était telle qu'elle a dû participer à l'accouchement d'une amie avant d'être enfin libérée d'une faute qui lui était complètement étrangère. Ce genre de sentiment, normal dans son contexte, donne *en apparence* raison à la loi de compensation karmique. En fait, si le docteur Lyne n'avait pas été victime de ces fortes émotions animiques, rien ne se serait produit. Elle aurait éprouvé seulement le plaisir de donner ou de participer à la naissance de la vie avec, en plus, une impression de bonheur plus profonde que la moyenne et qu'elle aurait mise sur le compte de l'émotion présente.

Sa personnalité, l'intensité et la profondeur de ses angoisses depuis son enfance, sa dépendance vis-à-vis de ses émotions, par le fait même qu'elle voulait les comprendre, a favorisé chez le docteur Lyne une passivité qui ouvrait la voie à une véritable osmose de dépersonnalisation avec la mémoire de Béatrice d'Ornacieu, fort heureusement interrompue... faute de combattants. On peut en effet se demander comment le docteur Lyne aurait conquis son indépendance si Béatrice d'Ornacieu n'était pas morte à trente ans. Tout arrive à son terme en 1977 quand, définitivement affranchie, elle peut quitter la région et connaître un amour véritable avec un homme qui, je l'imagine, lui procure le bonheur d'être enfin une femme libre en tant que docteur Lyne.

L'Âme de Béatrice d'Ornacieu n'en était pas à sa première incarnation. Certains rêves éveillés du docteur Lyne en apportent la preuve. Ces impressions, assez banales, se mêlent bien sûr, à celles héritées de Béatrice, les plus marquantes... *mais elles n'interfèrent pas de façon aussi dramatique dans sa vie actuelle*. Tout est maintenant rentré dans l'ordre. L'histoire du docteur Lyne-Béatrice d'Ornacieu reste exceptionnelle; elle s'apparente à celle des sujets qui, après avoir présenté les signes d'une mort clinique, ont réintégré leur corps sous l'effet de la réanimation, comme s'ils se réincarnaient dans le même support. Rien de karmique à cela ! Il s'agit seulement de l'application d'un Principe absolu qui aspire à se connaître et à exister par l'Homme. L'enseignement de *Lumière* anéantit peut-être une illusion merveilleuse, mais il dévoile surtout un merveilleux fantastique : la vie en état de conscience, objet de ce livre pour quiconque veut grandir à SOI.

Les textes suivants sont des transcriptions fidèles, effectuées par le docteur Lyne elle-même, de ses rêves éveillés. Notez que toutes les dates sont antérieures aux avis formulés en 1979 par J.R., l'auteur de l'article. Le docteur Lyne n'a donc pas été influencée a posteriori dans sa narration. Ce point ajoute de la crédibilité à son témoignage et met en exergue les coïncidences, confirmées par les recherches historiques de J.R., entre elle et Béatrice d'Ornacieu.

1– Voici le récit du rêve éveillé spontané que le docteur Lyne a fait le jour de ses 30 ans 28 jours, correspondant exactement à l'âge de Béatrice d'Ornacieu au moment de sa mort à 30 ans 28 jours. C'est à cet instant précis que l'ombre de la religieuse, douée d'un charisme certain, libère de son emprise le support présent, marquant pour lui l'an 1 du renouveau. Mais il faudra attendre encore quelques années pour que tout soit consommé, grâce à l'intervention de J.R.

Ce rêve décrit le départ de l'Âme du corps de Béatrice d'Ornacieu vers la Clarté informelle alors que son JE est toujours conscient.

Rêve éveillé spontané, le jeudi 8 décembre 1977.

Je suis dans l'église saint Bruno à Grenoble, sur une table, morte, entourée de quatre cierges allumés. J'ai froid. Pourtant, je me sens respirer. C'est une veillée funèbre. Il me semble qu'il y a des ombres autour de moi, mais je les distingue mal. J'ai les jambes un peu raides et crispées... impression de décoller partiellement du sol, en fait de m'envoler dans l'église. J'ai peur. Je suis dans une sorte de trou noir, j'ai l'impression que mon schéma corporel se morcelle. Je fais un mouvement alternatif de droite à gauche, dans l'air, un peu au-dessus du sol. Maintenant, j'ai l'impression de voler tout à fait. Je suis sur le dos. J'ai froid. C'est toujours noir. Je sens des fourmillements dans le corps. Je suis toujours dans cette espèce d'espace de l'église, mais à quelques mètres au-dessus du sol. Je tourne, je vole, j'oscille de la droite vers la gauche. Je distingue toujours mal les ombres autour de moi. Maintenant, je sors de l'église, je n'ai pas l'impression de marcher. Tout le paysage est imprécis et gris. Je suis sur la place, je ne distingue rien de vraiment précis. Je perçois comme une vague lumière au fond. Je suis maintenant à une quinzaine de mètres au-dessus du sol, toujours sur cette place. Je vole. J'ai froid, très froid. Je dis que c'est la place parce que je le sais. Je me déplace bien dans cet espace mais je ne vois qu'une lumière grise. Je m'éloigne un peu dans la direction de ce que je sais être l'Isère. Je vois toujours des formes vagues, c'est vaguement lumineux, tout paraît vide. Il me semble distinguer des rues désertes dans une lumière blafarde du petit jour. Ça devient plus lumineux. Je distingue comme un bord de mer avec une ville. Je suis à une centaine de mètres à peu près. Je survole cette ville qui paraît assez lumineuse. Il y a notamment une avenue. Je distingue mieux maintenant. J'ai l'impression d'être très haut puis très bas. C'est très lumineux et la mer est d'un bleu-turquoise foncé. Ensuite, je vois, en haut, comme un large trou lumineux de la même couleur que la mer, vers lequel je suis aspirée. Je m'en approche mais je n'entre pas dedans.

2– Rémanence de l'infanticide commis par Béatrice d'Ornacieu et naissance de l'obsession qu'il engendre.

Rêve éveillé, le 1er avril 1974

On s'apprête pour une cérémonie. Je me rends compte qu'il s'agit d'un enterrement. On va enterrer un petit bébé vivant. Quand on le met dans son cercueil, je pense aux souffrances qu'il va connaître. Dès qu'il est placé, il se retourne et s'endort. Au bout de quelques mois, on ouvre le cercueil. Je m'attends à trouver un petit squelette mais, à ma grande stupéfaction, il n'est pas mort, il a grossi et grandi. Il court autour de moi et a maintenant 6 ou 7 ans.

3– Rêve décrivant l'angoisse qui enchaîne l'Âme de Béatrice d'Ornacieu à son corpus-homo et qui l'oblige à hanter ce lieu.

Rêve éveillé, le 19 avril 1974

Mon frère vient de mourir de façon accidentelle. Toute la famille est désespérée. J'ai très peur et je me demande ce qui s'est passé et ce que signifie vraiment mourir. Je ne vais pas voir le corps par peur, mais je me demande comment je pourrais entrer en contact avec mon frère [...] Je crois comprendre qu'il me dit que mourir est une chose très difficile et que le moment qui précède et suit la mort est une chose très difficile. Je suis angoissée et je me demande comment je pourrais aider mon frère à mourir tout à fait, comment je pourrais l'aider à dissiper cette souffrance qui risque de le conduire à hanter ces lieux pendant longtemps. Je décide de retourner au lieu où nous avons passé une partie de notre enfance [...]

4– Rêve sur l'infanticide et l'angoisse qu'il engendre en pensant au bébé qui se meurt. L'enfant de Béatrice était un garçon, comme celui du docteur Lyne lors de sa première grossesse.

Rêve éveillé, le 20 octobre 1974

Ma Mère meurt et mon Père décide de se faire enterrer vivant pour ne pas se séparer d'elle. Je suis très fortement émue en pensant à ce que cela doit être de se sentir mourir à petit feu. Je demande à mon Père quel effet il a connu. Il me répond qu'il s'était fait donner des calmants, ce qui a rendu le passage plus facile. En même temps, c'est à moi que cette chose arrive, et je me vois me réveillant dans mon cercueil. Je pense que cela a dû arriver à beaucoup de gens de se réveiller dans leur tombe.

5– Le rêve suivant décrit l'emprisonnement du docteur Lyne dans le *complexe émotionnel* hérité du support précédent — rappelons que c'est le docteur Lyne qui rêve... et non Béatrice d'Ornacieu . Il résume les principales émotions qui ont marqué l'Âme lorsque le JE décorporé de Béatrice a revu toute sa vie. Parallèlement, l'Âme enregistre l'impuissance du JE à assumer son rôle de guide ainsi que l'enlisement dans l'endroit où le corps est mort.

Rêve éveillé, le 2 juin 1978

Souvenir du lieu où est morte Béatrice d'Ornacieu.

Je me trouve dans une église : impression de me trouver à l'église saint Bruno, à Grenoble. C'est très calme. Au départ, vision nette, puis qui s'estompe et qui devient très floue. L'image se perd, ensuite tout devient noir. Je suis assise sur un banc ou sur un prie-dieu. Je suis à la fois inquiète et rassurée. Au plafond, je vois un gros trou noir; dessus passent des formes mauves et violettes ayant la consistance d'un nuage. Ce trou s'agrandit et se renferme. J'ai l'impression d'être rivée au sol. Ensuite, je me sens couchée sur le sol de l'église en position fœtale. Je sens le froid de la dalle qui est une pierre tombale ou une plaque commémorative. J'ai l'impression que le sol n'est pas complètement plat mais fait de dalles en forme de coquilles Saint-Jacques convergeant vers moi. Il y a une petite grille au centre pour que l'eau s'écoule par temps de pluie. Je regarde au fond. On voit apparaître un trou semblable au trou du plafond mais aux volutes plus roses.

Souvenir du JE décorporé, après l'accident de Béatrice d'Ornacieu.

L'église est très vague. J'ai l'impression qu'il s'agit plutôt d'une grosse nature avec des formes ressemblant à celle d'une église, avec des piliers voûtés. Il y a même une sorte de rosace. Une lumière bleutée semble passer d'un vitrail de pierre. Ensuite, je vois une sorte de bassin d'eau claire. Au fond, on voit, à 20 mètres, des pierres aux couleurs gris-beige. Puis je vois un trou qui s'ouvre au fond. J'ai envie de descendre, mais j'ai peur de mourir. Il y a une grosse corde dans l'église, j'en attache une extrémité à un pilier et je commence à descendre en tenant l'autre. Les deux ou trois mètres sont faciles, car il y a un peu de lumière. Je continue à descendre ensuite mais doucement, car j'ai l'impression de n'être pas assez lourde. Je m'aide en fait de la corde pour descendre. À un moment, je m'arrête, je ne sais même pas si j'ai un corps. J'ai l'impression d'être une forme vague.

> Souvenir du JE qui *croit* aller vers la Clarté informelle.

Je ressors. J'ai maintenant un corps. Je m'étends par terre, les bras en croix. Je me sens parfaitement détendue, abandonnée. Les formes de l'église sont vagues mais il me semble qu'il y a des autels tout autour. Je cherche s'il y a des représentations du Christ. Non, il n'y en n'a pas. Je sens un vide, je me sens triste. Je suis maintenant dans un état d'apesanteur, je vole dans l'église, ou plutôt, je flotte dans l'air. Je m'élève beaucoup et je vois maintenant un gros trou en bas avec un bord lumineux et changeant. Je ne sais d'ailleurs plus si je monte ou si je descends. J'ai l'impression de tourner dans l'air. Il y a une source lumineuse vers le haut de l'église. Je m'en approche.

> Souvenir du JE de Béatrice d'Ornacieu qui refuse la grande Clarté marquant le départ vers le Monde post-mortem.

Le refus du JE d'aller vers la Clarté informelle provient du désir de revenir sur terre et non d'entrer dans le Monde des *Êtres de lumière.* Béatrice veut revenir. On voit comment son Âme vient s'enliser au lieu de sa mort.

Près de cette source, je vois un gros trou mais je m'en éloigne. Je me trouve ensuite dans l'église, debout. J'ai l'impression de grandir de plus en plus, tellement que je touche presque le plafond. J'ai soudain l'impression que tout est vague, qu'il n'y a pas de Christ parce qu'il s'agit en fait d'un lieu désaffecté et délabré. Malgré cela, je ne peux pas sortir. L'église semble soudain s'effondrer et se plaquer sur moi comme une sorte de toile. Je suis obligée de me recroqueviller et de m'agenouiller. Je sens très fort son poids, comme une sorte de carapace de tortue. Je suis convaincue que ce n'est qu'à l'intérieur que je pourrais trouver le Christ. J'aimerais qu'il y ait au moins quelqu'un à rencontrer.

Ces rêves ne sont évidemment pas une description fidèle des événements, car les émotions de Béatrice d'Ornacieu sont traduites par le mental du docteur Lyne qui les reçoit et les déforme à la lueur de sa propre sensibilité. Ils tissent la trame d'une ambiance émotionnelle correspondant au ressenti de Béatrice, transposé sur le docteur Lyne, et non le *réel* du passage per et post-mortem puisque l'Absolu ne peut prendre forme *permanente* dans le relatif.

* *
*

20

LE BEL AMOUR

Beaucoup de mouvement, d'agitation publique et d'enthousiasme : Chambéry se parait de la frivolité des festivals qui, en ce début d'été, répandait une épidémie frénétique dans tout le sud de la Loire. Le commerce prend de ses détours... Chambéry, comme Angoulême, avait épousé la bande dessinée. Les échoppes des éditeurs paraient la place Saint-Léger et les colonnades de la rue De Boigne comme les étals d'une foire du Moyen Âge. J'ai toujours aimé la BD et lors de mes fastes années étudiantes, j'avais même envisagé de tâter de la ligne claire, du Canson et du Rotring. Jacques, élevé dans son Québec natal aux délices de Tintin et du *Mystère de la Grande pyramide*, s'était engouffré dans le précipice de la création que j'avais ouvert devant lui. Mais les obligations alimentaires et les charges familiales naissantes avaient trop tôt détourné les élans d'une vocation tardive. Pour rembourser à la muse le trop-plein d'imaginaire inassouvi, nous consacrions notre maigre pécule à l'achat de quelques nouveautés, échangions des albums rares avec des correspondants aussi fous que nous et courions les manifestations publiques où nos idoles d'opéras de papier et leurs maîtres, dessinateurs et scénaristes, attendaient, sous l'œil vigilant de l'éditeur, la page de garde immaculée, toute prête à la dédicace.

Jacques avait profité d'une accalmie professionnelle — vacances obligées par l'administration hospitalière — pour opérer une descente dans les Alpes à l'occasion de l'ouverture du festival. Je le cueillis à la descente du train et nous nous jetâmes dans la foule bigarrée pour réciter de mémoire tout l'élan de notre période universitaire. Mais nous n'étions pas encore si vieux pour abandonner aux démons de l'âge adulte les passions que l'on dit adolescentes. Nous avons traîné longtemps dans les rues, parlé, conversé, discuté avec les champions du trait et du pinceau de martre, ripaillé dans un restaurant près de la Dent du Chat qui piquait le crépuscule à l'aplomb d'Aix-les-bains. Rire, joie, bonheur de nous retrouver comme frères, souvenirs...

Nous sommes rentrés à Albiez, les douze coups de minuit largement sonnés. Gwenaelle dormait. Jacques se coucha sans bruit et j'en fis autant.

Je frôlai le sommeil dans un engourdissement passager. Je ne pus accepter l'invitation, car Gwenaelle posa sa main sur mon épaule et soupira doucement.

«Kris ! Je crois que ça y est. Bébé frappe à la porte.»

J'eus une réflexion stupide.

«Déjà ?»

— L'invité arrive quand il veut.»

Mais quinze jours avant terme ! La nature, indifférente à notre fatigue humaine, avait décidé dans son livre à elle qu'il était temps qu'une nouvelle Âme prenne conscience de la biologie terrestre. J'allumai et écartai les draps; le matelas se parait d'une auréole incolore... le bouchon muqueux !

«Un médecin, vite !»

— Tu n'as qu'à te servir !» répondit Gwenaelle en tendant le pouce vers le mur.

Course panique ! J'investis la chambre de Jacques, le jetai à terre et le traînai près de Gwenaelle qui, détachée et sereine, attendait sans frémir la consultation. Je croisai les bras et attendis. La bouche empâtée, le regard givré de sommeil, titubant sous l'assaut d'un épouvantail frénétique, Jacques reprit ses esprits et réalisa soudain la mission que je lui imposais.

«Vas-y !

— Vas-y, quoi ?

— Examine ! C'est pour quand ?

— Ici ? tu n'es pas sérieux. Ça fait des lustres qu'on n'accouche plus à domicile. Pousse-toi.»

Il se pencha, appliqua ses paumes sur le ventre rebondi de Gwenaelle. Un temps de silence, puis...

«Contractions aux dix minutes, régulières. Ça semble bon ! Kris, il vaut mieux la conduire à la maternité.»

On a beau se préparer à la merveille, on se retrouve toujours démuni et complètement dépassé. Je piaillais, fouillais ma mémoire pour ne rien oublier des gestes mille fois préparés, virevoltais comme une mouche près du coche, dévalisais la commode — le carnet de maternité, bon sang ! —, cherchais sous le lit cette maudite valise... Gwenaelle, coquette, se refaisait une beauté et, sans daigner m'accorder un regard, désigna du doigt la valise toute prête sur un siège. Vaincu, je dus constater derechef mon impuissance à n'être autre chose qu'un simple donneur de semence. Je retrouvai mon Jacques assoupi dans le fauteuil du salon : il avait l'habitude, lui ! Il ouvrit un œil torve :

«Je vous accompagne ?

— Tu n'y penses pas, doc ! Ça, c'est mon affaire.

— Ne vous plantez pas dans les sapins !»

J'entraînai Gwenaelle dans la voiture. Je dévalai la route à flanc de montagne : dix kilomètres de toboggan, plusieurs feux rouges grillés bien mûrs et Gwenaelle qui chantonnait : «rien ne presse, rien ne presse !» Si, moi ! J'allais être papa. Imaginez ça, les gars !

La maternité de Saint-Jean-de-Maurienne !

La nuit, témoin du mystère, se demandait en clignant des étoiles qui de nous deux devait accoucher. Déshabillée de sa robe de nuages, elle contemplait tout à sa guise la lune pleine de son pouvoir maternant régissant les naissances. Elle avait pris le parti de travailler l'enfantement à son rythme, et pour cause : bébé mettra une nuit entière pour pousser sa chanson.

La sage-femme procéda à l'examen. On avait tout son temps : le col dilaté à *petite paume* s'obstinait à rythmer les contractions avec la régularité d'un métronome, sans forcer son talent : adagio cantabile ! Gwenaelle s'endormit. Inquiet, j'entamai une longue veille, montre en main, chronométrant les contractions tant pour me sécuriser que pour renseigner au besoin la sage femme de garde et éviter qu'elle ne réveille la mère qui économisait ses forces en vue du véritable travail. L'accouchement demande un effort équivalent à celui d'un coureur de marathon : combien de mâles y survivraient ?

Une veilleuse ombrait le visage de Gwenaelle et atténuait les crispations qui creusaient son visage. L'aura qui entoure une femme enceinte m'émerveillera toujours. Une calme chaleur de force tranquille épanouit sa beauté et sa plénitude. Oserais-je imaginer que la maternité obéit à des mécanismes secrets qui illuminent à jamais la féminité ? C'est une richesse, ça. Et unique ! La femme seule peut la ressentir avec la même intensité qu'elle peut souffrir de l'angoisse de la stérilité.

Il est parfois de bon ton de se voiler la face devant la fonction biologique au profit d'une sensiblerie rose-bonbon. On admire le produit de la conception en passant sous silence le travail cellulaire et hormonal. Doit-on avoir si honte de la génitalité pour la séparer à ce point de l'enfantement ? Le sexe-commerce n'a rien à voir avec la maternité mais le sexe-biologique y mène pourtant tout droit. Le raccourci d'une telle pensée sacrilège heurtera nos compagnes; qu'elles la considèrent plutôt comme l'expression d'une joie élémentaire d'un futur Père et du bonheur dont ses yeux parent l'élue de son cœur. Que mes collègues en *mâlitude* en prennent de la graine ! La maternité, ça se vit de l'intérieur biologique. Je répète : biologique ! Ça, les hommes ne le comprendront jamais. Encore peuvent-ils bêtifier par anticipation devant la petite boule toute fripée, quitte à développer par la suite le sens d'une curieuse possession à double sens — bébé sur papa et papa sur bébé. On se fabrique un monde de complicités, d'assurances, de prévisions sur l'avenir, on voit déjà l'adolescent pousser son ballon, singer les adultes, décrocher ses diplômes...

Je ne refuse pas une certaine naïveté de langage. Je ne serai pas le premier à m'émouvoir. Je tends alors la main à mes ancêtres bourrus de la préhistoire qui sentaient dans la naissance un mystère qui les transcendait. Le culte de la fécondité hante les fouilles archéologiques. On y projette, selon ses orientations, le souci de la descendance ou la permanence de la lignée qu'accrédite l'histoire, de Sumer à nos jours : elle n'est qu'intrigues politiques et querelles de pouvoir. Mais le mythe archétypique de la Déesse-Mère dont témoignent les Vénus callipyges de pierre ou d'ivoire puis, plus tard, les Vierges noires bien avant la Vierge Marie, atteste de la primauté de la fonction spirituelle de la sexualité sur la fonction animale, même si l'une et l'autre se superposent avec une telle précision qu'il est toujours difficile de les distinguer. La fécondité recèle la magie de la naissance de l'être divin, tout comme la génitalité conduit à l'enfant humain. Il s'agit de rien de moins qu'un processus philosophale, qui transmute les amants en *lumière* et leur confère le pouvoir de créer la vie.

Dans la pénombre de la chambre, je laissais vagabonder mon esprit, à peine distrait par les visites de la sage-femme qui, la main armée d'un gant stérile, fouillait toutes les heures les entrailles de Gwenaelle, poussant un doigt inquisiteur dans la filière du col utérin et déclenchant sans mauvaise grâce un léger gémissement comme critère d'une bonne progression de la tête fœtale.

J'étais là et ailleurs. La pensée de *Lumière* se moulait très exactement dans la mienne. Nous n'étions plus séparés, lui et moi, mais unis MOI-LUI en une seule personnalité qui orientait ma conscience cérébrale vers une formulation lapidaire : JE SUIS LUI ! La *Lumière* m'habitait, je n'étais que son véhicule. Notre enfant allait naître, voilà que son Père naissait à lui. Je réunissais les éléments de l'événement à venir.

Ainsi, il devenait clair, à observer le visage détendu de Gwenaelle, que la fonction sexuelle participait à la fois de la nature et de la spiritualité. Comment faire le lien ?

Contrairement à l'animal, le désir féminin ne dépend pas directement du cycle ovulatoire. Certaines femmes sont plus sensibles à l'acte d'amour pendant les règles et non au moment de l'ovulation. L'humain ne s'accouple pas poussé par le besoin de reproduction, mais par besoin d'amour. Sinon, il ne copulerait qu'une fois par mois. Et encore !

L'Âme communique à l'individu son caractère androgyne provenant de l'Absolu. L'Âme est asexuée, même si elle est polarisée par les émotions de type féminin ou masculin. Une parcelle d'Absolu est elle-même Absolu. L'Âme originelle, ou Immanence, se dédouble en deux Âmes sœurs lors de la première incarnation et prend forme à la naissance; elle n'en perd pas pour autant son caractère absolu. Mais le phénomène d'actuation de la forme, en tant que manifestation de l'essence de l'Absolu en une Âme double qui prend forme en deux Âmes distinctes incarnées dans deux supports différents, provoque chez tout individu le besoin de retour à l'unicité afin de recomposer l'Unité androgyne originelle. Ce besoin se traduit par la recherche d'une complémentarité idéale au moyen de la sexualité. Cet appel inné issu de l'Âme exerce sur l'Homme, par l'entremise du JE, une pression sur le MOI qui engendre à son tour les comportements affectifs qui rapproche deux êtres et aboutit à l'acte sexuel qui transmute le JE vers sa sublimation.

Quelle est donc la nature de l'acte sexuel ? L'aboutissement, la conclusion, la finalité de l'instinct sexuel extériorisé, pénétrant chez l'homme, pénétré chez la femme. L'homme devient crispation, la femme ouverture. L'ouverture est un lâcher prise vers l'autre alors que la crispation relève plus de l'ego animal.

Une image rameuta les souvenirs de mon voyage en Irlande. À Newcombe, un tertre mégalithique semble fendu par un couloir que le soleil du solstice d'hiver, lors de la renaissance de la nature, pénètre directement dans son axe. Le principe mâle de l'énergie solaire pénètre le principe féminin creux de la terre nourricière. Les Anciens avaient vu juste. Dans la mythologie grecque, la première déesse, Gaïa (la Terre), impose son organisation au Chaos. Tous les dieux de l'Olympe procèdent de Gaïa, car elle les contient déjà tous en son sein. *Le principe féminin récepteur préexiste au principe masculin.* Étrangement, les poètes grecs ont relégué Gaïa dans un rôle subalterne et ont préféré célébrer les frasques des dieux qui singeaient les hommes comme des cabotins. Le père Zeus était un sacré phallocrate, non ? Et Gaïa, silencieuse et parfaite en essence, n'intervenait plus. Comment aurait-elle pu ? Ce n'était plus son monde.

La femme a été vénérée non seulement pour sa fonction de reproductrice, mais aussi en tant que symbole de la perfection. Toute en courbes, réceptive, intuitive, à l'image de l'Univers absolu symbolisé par le cercle, elle s'oppose à l'homme taillé à coups de serpe en angles et en droites, symboles de l'Univers physique dont les dimensions mesurent le cercle. Faut-il voir dans les rites funéraires des premiers hommes la trace immémoriale de leurs origines ? Le guerrier était enseveli avec ses armes — la force — en position fœtale — le retour aux sources. Retour également dans ce fantasme propre à certains adolescents qui rêvent de recommencer leur vie de façon consciente en *réintégrant l'utérus de leur mère.*

Un schéma de cercles et de droites s'ordonna en moi. Il m'émut et me fit frissonner : selon les Anciens, la femme était parfaite en soi *mais ne le savait pas.* S'arrêter à ce point m'exposait à contredire mes propres recherches : je devenais macho ! Ou bien... il fallait pousser la réflexion plus loin en la complétant par... l'homme ! La femme ne le sait pas *et...* l'homme l'éveille à elle-même, comme le JE *réveille* l'Âme. En contrepartie, la femme dévoile la féminité en l'homme, c'est-à-dire l'abandon en elle pour elle, la délicatesse réceptive à l'intériorité et à la perfection. *L'homme doit redevenir femme. La femme, la Vierge-Mère-Marie écrase le serpent qui sommeille en nous.*

L'Absolu prend forme par la révélation, tout comme l'Immanence de l'Absolu s'incarne en une Âme qui se révèle à elle-même par le JE humain. Sur le plan physique, je constate d'étranges analogies qui combleraient d'aise Rudolph Steiner. Le clitoris de la femme se tend vers le bas, la verge de l'homme se dresse vers le haut. Sur le plan physiologique, le plaisir féminin dure plus longtemps que celui de l'homme. La femme doit apprendre à accélérer la montée de son plaisir et l'homme à le retarder, ce qui implique, bien entendu, de se préoccuper du plaisir de l'autre avant le sien. La femme se conscientise en allant à la rencontre de l'homme, donc à travers lui, et l'homme s'oublie pour le plaisir de sa partenaire, pour devenir elle. La rencontre alchimique des énergies féminine et masculine libère une énergie-plaisir sacrée, secrète et encore tabou, la force la plus puissante de l'humain, la Kundalini des traditions orientales qui prend naissance dans le chakra fondamental. Sa montée peut éveiller tous les centres spirituels jusqu'au chakra coronal à mille pétales, au sommet de la tête, correspondant à la glande pinéale, équivalent anatomique du troisième œil, siège de la densification du JE vital dans lequel est incarnée l'Âme.

Si la montée de la Kundalini stagne au niveau du chakra fondamental, l'être humain n'éprouve qu'un désir animal. Si elle atteint la glande pinéale, elle conduit au septième ciel des poètes. Que se passe-t-il vraiment ? L'énergie sexuelle, aspect de l'énergie vitale animant le corps, *aspire* l'énergie vitale du conjoint dans son lieu de densification, le JE, conscience d'exister propre à une monade, et donc propre à chacun de nous. Le JE conscientisé devient le Maître intérieur dont la flamme illumine notre esprit conscient. La *montée conjointe* de Kundalini alimente brusquement en énergie pure la flamme du JE des deux partenaires qui embrase en un éclair leur esprit vers la transcendance. L'explosion fusionnelle des JE aspire dans le même élan les deux Âmes, de même nature par leur origine absolue, mais complémentaires du fait de la différenciation sexuée de chaque support, et recompose alors de façon éphémère l'état achevé d'un *Être de lumière*.

L'extase amoureuse n'est pas qu'un plaisir physique, mais surtout un état de plénitude où le bien et le mal n'existent plus. En étant plein de l'autre, on devient l'autre en étant soi. C'est un état de non-temps, de révélation transcendantale et transmutatoire où rien d'autre n'existe que la conscience d'ÊTRE conscient. Parfaitement réalisé, il submerge les partenaires qui ne pensent guère au sommeil mais à la douceur de demeurer en l'autre comme s'ils avaient obtenu une révélation, une prise de conscience d'eux-mêmes, hors de tout doute, au même titre que l'illumination à la Connaissance qu'il faut faire partager à tous.

La montée réciproque et simultanée de Kundalini entre deux partenaires serait, paraît-il, exceptionnelle. Il en est de la fusion spirituelle comme d'une saine gestion économique, c'est-à-dire l'organisation et la répartition des choses rares. Dilapider ruine, cacher, stagner et investir à bon escient enrichit.

Les effets de la montée de la Kundalini s'accroissent avec les niveaux atteints. Confinée dans la cave du chakra fondamental — animalité —, ou à peine parvenue au chakra splénique ou ombilical — nombrilisme égocentriste —, elle tord le corps d'un spasme primitif, simple équivalent physique de la jouissance comme détente de tous les muscles. Lorsque le courant transite par le chakra solaire du cœur, dont l'organe correspondant manifeste à n'en pas douter les premiers signes ressentis des émotions — je renvoie aux indications données sur le *stress*, d'où le raccourci affirmant que le cœur est le siège des émotions —, il enflamme l'amour en l'autre. Au chakra de la gorge, il s'exprime. Au chakra frontal, il conceptualise les forces de création, d'intellection, de forme pensée. Enfin, au chakra coronal, il transfigure l'Homme en Dieu. Lorsque les partenaires s'aiment d'*Amour*, la Kundalini est transportée et sublimée en réciprocité, elle embrase le désir de fusion des deux Âmes dans un tourbillon extatique qui ajoute à la plénitude d'être plein de l'autre, celle d'être l'autre en SOI.

Ce cas de figure est idéal. Est-il fréquent ? Certes, des amants sincères et attentifs l'un à l'autre peuvent le reproduire plus facilement que d'autres.... mais certainement pas tous les jours, car il nécessite une préparation et une disponibilité au partage. L'observation du cycle sexuel spontané chez l'Homme semble indiquer une périodicité moyenne d'une à deux semaines. Le reste du temps consiste en échanges de jeux de tendresse et de muguetage qui préludent à la fusion. Ça ne se fait pas en deux minutes, avec l'esprit pollué par les soucis, histoire de se relaxer, comme ça, en passant !

Et d'ailleurs, il faut être assez artiste pour affiner la technique — je songe en souriant aux délices du *Kâma-soutra* — et je n'exigerais pas de ma constitution de tels exploits quoique rien n'interdit d'essayer... Bref, la fusion totale rejoindrait-elle les châteaux en Espagne dans la foire aux fantasmes ? On croit pourtant l'obtenir, quand bien même la Kundalini n'est pas polarisée par l'énergie du conjoint. Le flux passe de fait par tous les centres énergétiques — sans réciprocité, cependant — et aboutit au chakra coronal où il enflamme le JE, guide de l'Âme, et procure la révélation parfaite du SOI, c'est-à-dire la fusion du JE et de l'Âme révélée.

Je me résume en silence. L'acte sexuel permet :

- La montée de la Kundalini individuelle réalisant la fusion du JE et de l'Âme sur le plan de la conscience, dans un état identique à celui d'un dédoublement astral. Hors du corps et du MOI, on prend conscience de son identité profonde qu'il faudra retrouver de façon permanente après la mort.
- La montée de la Kundalini de couple réalisant d'une part, la fusion du JE et de l'Âme individuelle de chaque partenaire, d'autre part et surtout la fusion totale des partenaires eux-mêmes où la conscience atteint l'état intemporel d'un *Être de lumière*, un Maître réalisé recomposant la genèse de l'Univers absolu par l'union androgyne des deux parcelles de l'Absolu — Immanences de l'Immobile — et l'union androgyne des deux JE en osmose avec la Matière — Émanences du Mouvant.

La montée de la Kundalini jusqu'au chakra coronal délivre donc un véritable passeport pour l'au-delà et ouvre sur le plan terrestre la porte du Monde des *Êtres de lumière*. Le voyage est éphémère, certes, mais donne un avant-goût de la fusion ultime après la mort. Pour éviter le piège de la Clarté informelle et devenir un *Être de lumière*, il suffit de chercher à retrouver l'état de plénitude connu au cours de l'acte sexuel. Le voyage astral procure le même état de Connaissance, il est lui aussi un passeport pour demeurer SOI après la mort.

Évidemment, si les deux partenaires ne s'aiment pas, la fusion ne peut avoir lieu. L'union purement biologique croupit au plan animal et relève plus du brassage des gènes et du sexe fonctionnel tant vanté par notre angoisse de libération sociale que de l'union métaphysique. Sans aller si loin, après les premiers émois de la vie commune où s'élaborent la découverte progressive de la sexualité et l'apprentissage de la jouissance mutuelle, l'habitude prend souvent le dessus et la routine établit des rituels dépourvus de recherche. Qui est vraiment à l'écoute de l'autre ? Le conjoint reste trop souvent l'outil de son propre plaisir. Le simple contact des corps déclenche un désir physiologique et, plus prosaïquement, hygiénique qui consomme l'élan en quelques minutes, témoignant du galvaudage d'une grande richesse qui se tarit, faute de renouvellement. Il s'agit bien d'économie et, en la circonstance, de perte d'un capital insoupçonné.

L'acte sexuel compensateur pour l'Âme dans son désir d'unicité, est passager dans la vie de chacun. On a pu remettre en cause son utilité : puisque l'Univers baigne dans l'Absolu, ne vaut-il pas mieux se fondre directement en Lui ? D'où cette forme de mysticisme axé sur l'illuminisme, la béatitude et la contemplation, pour tendre à l'oubli de SOI et se fondre dans le Tout.

Piège subtil et dramatique ! Car l'oubli de SOI entraîne aussi la déstructuration du MOI et freine le contact avec l'Absolu. L'adepte perd le seul moyen de prendre conscience de SOI et de marier l'Âme et le JE. Il redevient le nourrisson vierge de toute imprégnation qu'il était avant que se développe son MOI. Rien inconsistant et sans originalité, il se fond dans l'Absolu comme une goutte d'eau qui rejoint la mer, indifférenciée, confondue dans le Tout, s'écartant du but suprême, la prise de conscience autonome. L'adepte de la béatitude, privé de volonté et d'identification, risque fort de sombrer dans la Clarté informelle, persuadé qu'elle est l'expression de l'Amour tant recherchée dans cette quête à sens unique de l'Absolu.

On a même érigé ce piège en Loi : *Tu aimeras ton prochain comme toi-même pour l'amour de Dieu !* Funeste extrapolation de la pensée christique qui mettait plutôt, dans *Aimez-vous les uns les autres*, l'accent sur la nécessité de ne pas faire de différence, d'aimer l'autre pour ce qu'il est et non pour ce qu'on en attend. Le Christ n'a jamais levé le petit doigt de *lui-même* pour donner son aide. Il n'était disponible, mais alors là totalement, que si on le Lui demandait.

Or, on ne fait pas le bonheur des gens contre eux ! L'amour ne peut pas, ne doit pas reposer sur un commandement incontournable. L'obligation est une perversion des paroles du

Christ, car elle exige d'aimer l'autre malgré lui, sous peine de perdre l'amour de Dieu. C'est de l'amour sur commande personnelle, diantrement égoïste, au fond : aimer *l'autre* comme on s'aime ! Qui s'aime vraiment ? On transpose sur l'objet de sa passion ses attentes et ses problèmes, ses crises et ses guéguerres internes. Et s'il refuse, s'il ne veut pas de cet amour-là qui l'oblige à écouter, à subir ? Frustration ! Dépit, haine, agression ! Il ne m'aime pas, je lui en veux ! Comme l'expression de l'amour transite par les émotions et les sens, la connotation sexuelle est évidente, car l'amour appelle le geste, le besoin de donner de la chaleur, de toucher, de caresser, de communiquer sensuellement, sexuellement. Seulement, il faut d'abord que *l'autre* le veuille. Viol des consciences, viol tout court... Crois ou crève ! Et je retrouve ici des vérités qu'ont pourtant bien décrites Freud et Henri Laborit. La libido et l'intérêt priment sur tout.

Le mot *Amour* a perdu à tel point son sens originel que lorsque, mû par une sollicitude que l'on voudrait universelle ou encore pour se conformer à un règlement *ex cathedra* , on envoie des pensées d'amour pour la paix dans le monde, on projette sans s'en rendre compte SA conception personnelle de l'amour. On s'aime comme on l'a décidé. Comment s'étonner qu'on aboutisse à un résultat contraire à celui qu'on attend ?

Au fond du cul-de-sac, il reste tout de même l'espoir de la communication, ou mieux, de la COMMUNION. Alors on se retourne vers une pensée d'amour dépourvue de mise en scène, de faux-fuyants implicites : aimer sans contrainte, sans intérêt, sans jugement, sans crainte de Dieu, de la condamnation ni du rejet éternel. On y trouve quelque utilité a posteriori : que chacun trouve SA paix en lui afin d'entrer à l'écoute de SOI, de son JE et de son Âme. À terme, transparaît la tolérance pour l'autre et non pour soi et la disponibilité suffisante pour exercer un libre choix de réciprocité.

Ce libre choix s'exerce facilement dès lors que l'on admet que :

- L'Âme est une parcelle de l'Absolu. Donc, les Âmes de tous les Hommes sont identiques.

- Le JE est la cristallisation individuelle d'un Principe unique, propre à une monade. Donc, tout le monde sans exception a le même JE, la même conscience d'exister, sans besoin d'en faire l'analyse intellectuelle ni même d'y penser.

- La divergence majeure provient du MOI qui donne l'illusion de la différence, puisque sa fonction essentielle est de saisir la relation qui existe entre l'illusion de la matière instable et la constance de la réalité intérieure.

L'humanité tout entière est nantie d'une même Âme et d'un même JE. Cette affirmation signe un contrat de réciprocité entre *tous ceux qui savent* que l'Âme est de même nature immanente. Ce contrat n'entrave pas la liberté du MOI individuel de quiconque ne souhaite pas y adhérer et n'atténue en rien, ni sa spiritualité et ni le respect qui lui est dû. Une telle conception efface le besoin de trouver un être complémentaire idéal et mythique qui relève plus des préférences et des aspirations du MOI développées par un modèle de société que du besoin inné d'unicité transmis par l'Âme.

Ainsi s'effacera cette trompeuse illusion d'un être idéal parfait pour considérer CHAQUE individu de l'autre sexe comme naturellement et nécessairement un élément complémentaire de son Âme. La multiplicité exclut les passions de l'idéalisation personnelle. Et, mieux encore, chercher à lire la réciprocité en l'autre, c'est déjà trouver la complémentarité, tant il est vrai qu'apprendre à connaître l'autre, c'est l'aimer, et chercher à aimer l'autre pour ce qu'il est, c'est apprendre à le connaître.

L'idéalisation d'une beauté mythique, la soif d'absolu et le désintéressement des adolescents est une force vierge et foudroyante que savent bien canaliser les faiseurs de mirages et les spécialistes du marketing publicitaire : L'adolescence est une période assez artificielle, au fond, spécifique d'une civilisation de consommation qui exige à la fois des compétences plus étendues pour assurer sa propre permanence et, partant, une période d'adaptation — d'études donc — plus longue. Il n'y a pas d'*ados* chez les Pygmés ou les Boshimans. Leurs enfants deviennent adultes sans intermède, par l'initiation obligatoire du groupe. Il ne s'agit pas de juger le phénomène mais de le constater : les jeunes occidentaux sont jeunes plus longtemps et, comme tels, ils constituent un public — des proies — de premier choix. L'initiation et les rituels de remplacement n'en seront que plus pénibles : les mouvements de jeunesse toutes options confondues, les idoles, la défonce en motos et, au pire, la délinquance et les toxicomanies.

L'adolescent pubère subit plus qu'il ne comprend l'orage hormonal qui modifie sa perception de l'existence. La mise en action du chakra fondamental éveille tranquillement les autres chakras et lui fait ressentir inconsciemment le besoin de retour à l'unicité de son Âme. L'éveil à la spiritualité survient de façon parallèle aux transformations du corps et à l'éclosion de son besoin d'autonomie. Il cherche à lire la perfection en l'autre, par-delà le MOI qui s'affirme. Il ressent un besoin de pureté, d'extase et croit le trouver dans la première image qui s'offre à lui, une forme stéréotypée qui peut l'aider à s'identifier mais, le plus souvent, à le soumettre de façon plus ou moins intense. Là commence la duperie, les pièges de la passion et la loterie de l'amour. Quand la réalité éclate, l'objet du désir surfait dévoile un vide transparent et engendre la déception plus souvent que la quiétude.

Plusieurs esprits éclairés dénoncent ouvertement l'exploitation du besoin d'amour, exploitation qui n'en continue pourtant que de plus belle. Au-delà des conceptions pédagogiques ou philosophiques qui détiennent toutes, dans leur sincérité, une part de vérité, il importe de respecter le besoin d'indépendance de l'adolescent. Il reste à l'adulte, s'il est lui-même assez mûr, le souci de lui faire comprendre que l'être complémentaire ne doit pas assumer la projection de ses défauts ou de ses qualités égocentristes — quand l'un tombe, l'autre tombe —, mais qu'en lui, il pourra lire la réciprocité en fonction de la spiritualité dont il témoigne : quand l'un tombe, l'autre peut le relever.

Au risque de paraître ringard et vieux jeu, je rappellerai cette phrase de Saint-Exupéry, que connaissent tous les adolescents et qu'ont bien oubliée les adultes que nous sommes, hélas ! parfois devenus : aimer, c'est marcher main dans la main en regardant dans la même direction.

Lire la réciprocité en l'autre, c'est trouver quelqu'un qui sait que l'Âme est de même nature immanente et qui ressent viscéralement la nature du véritable amour :

JE SUIS TOI.

Formule magique qui permet à la fois de vivre l'échange du corps et de l'esprit sur le plan terrestre et, sur le plan spirituel de dépasser la Clarté informelle pour atteindre le Monde des *Êtres de lumière* qui la transmuteront en :

JE SUIS NOUS.

Voilà l'Amour authentique : je réalise par mon Âme que JE SUIS, parce que j'ai pris conscience de mon JE, de mon existence en tant que moi et pas un autre. J'ai vu que TOI aussi, tu existes en tant que JE SUIS. JE SUIS donc comme toi TU ES. JE peux alors te dire : JE SUIS TOI dans une véritable *empathie* avec TOI, sans déborder par des jugements sur les comportements de ta vie publique. Mon libre choix me permettra d'accepter ou de refuser tes comportements. À moi d'en assumer les conséquences. Mais quoi que je fasse, quoi que tu fasses, je ne pourrai jamais dire que JE ne SUIS pas TOI.

L'amour sur commande repose sur une maxime autrement plus directe, objective, puissante d'agressivité, recelant le corollaire de la haine :

TU ES MOI.

Summum de l'égocentrisme, cette maxime affirme que l'autre est comme MOI, que la manifestation de sa pensée, donc de son MOI — par définition différence — est comme MOI. TU ES MOI... TU-EZ MOI ! Pas de problème ! L'instinct de survie aidant, JE TE TUE le premier si tu n'es pas MOI. Adeptes de toutes les croyances et de tous les fanatismes, votre amour, c'est ça ! Un jeu de mots construit sur le carnage !

JE SUIS TOI impose, par la découverte de JE SUIS, le détachement dans le respect. Détachement et non indifférence ! Ça implique la disponibilité à l'autre en fonction de ce qu'il attend pour grandir en son JE SUIS, et non de ce que nous jugeons indispensable pour son MOI, en fonction des attentes que notre MOI a de lui.

Je souris pour moi-même; je me triturais la cervelle à force de jouer avec les phrases. Mais les faits sont là ! Si on apprenait à EXISTER DANS SON ÉTAT D'ÊTRE, on deviendrait *Lumière*. L'ombre ne couvrirait plus la terre, seulement le courant de la communion universelle qui distingue l'Homme de l'animal par l'approche diversifiée d'une chose unique : la spiritualité de l'AMOUR authentique porte à la création de l'enfant d'amour avec l'autre, et fonde la quiétude d'exister en tant que JE SUIS TOI.

Je sentis soudain un frôlement. La sage-femme secoua gentiment mon épaule.

«Nous en avons encore pour un petit moment. Il est cinq heures, vous devriez vous reposer dans la salle d'attente. S'il se passe quoi que se soit, je vous appellerai.»

* *
*

J'aperçus un téléphone... Parler à quelqu'un ! Ma Mère ? Elle aura bien le temps de se faire des cheveux blancs. Je composai mon propre numéro :

«Ouais !

— Tu dormais, demandai-je avec innocence.

— T'as vu l'heure ? hoqueta Jacques.

— Un peu plus de cinq heures.

— Bon, où en êtes-vous... Ça y est, elle a accouché, s'écria-t-il soudain. Un garçon ! C'est ça, un garçon ?

— Non, c'est le calme plat et je suis fatigué. Il fallait que je parle à quelqu'un, tu comprends ?

— Ben voyons ! fit-il en baillant. Je t'écoute.»

Je me suis trouvé tout bête. Je n'avais rien à dire. Je proférai des banalités auxquelles il répondit par les grognements sourds d'un mauvais dormeur. Je raccrochai en lui promettant de le tenir au courant.

Je retournai près de Gwenaelle. La fatigue gagna sur ma patience et je m'endormis dans le fauteuil, la tête sur le pied du lit. Endormi ? Le corps sans doute, mais pas l'esprit qui creusait de façon chaotique les brumes de l'avenir à la recherche de l'enfant à naître.

Soudain, un médecin ouvre la porte et m'annonce que ma femme a accouché. Je me précipite. Où est Gwenaelle ? «Elle vient de sortir avec l'enfant», me dit la sage-femme en robe rose. Pourquoi ne pas m'avoir réveillé ? Dehors, l'aube bouleverse un paysage flou et irréel. Gwenaelle m'attend près de la voiture, soutenant d'un bras une merveilleuse petite fille, poussant de l'autre un panier de supermarché. Elle me tend l'enfant. Je l'observe : elle se tient toute droite entre mes mains, elle a trois ans. Ses cheveux mi-longs glissent entre mes doigts, sa bouille souriante me fait fondre. Je me retourne, Gwenaelle a disparu. Je demande :

«Où est maman ?

— Elle est allée magasiner, répond l'enfant.

— Mais tu parles ?... Tu viens à peine de naître.

— Normal ! Il faut que je te dise un secret. Je sais qui est *Lumière*.

— Ah, bon ! Qui est-ce ?

— TOI PAPA, TU ES *LUMIÈRE* ! *Sauras-tu m'informer* pour je le devienne à mon tour ?

— OUI, mon amour, je te le promets, à toi et à tous mes semblables à qui je pourrai dire : JE SUIS VOUS, parce que je les aime avec *Lumière*.»

Une bouffée étincelante m'envahit. L'État christique ! Tout va très vite. Trop vite ! Je crois que je me lance à la poursuite de Gwenaelle pour lui dire que notre petite fille parle et pour lui faire partager le secret que je cherchais depuis de si longues années : *Lumière, c'est moi !* Je le crie à l'écho qui me renvoie mes paroles lorsqu'une main se pose sur mon visage.

Gwenaelle caressait mon visage avec une délicatesse toute maternelle. Elle souriait :

«Tu m'as réveillée. Tu faisais un cauchemar ?

— Un cauchemar ? Au contraire ! Je sais qui est l'enfant qui est dans ton ventre : c'est une petite fille adorable et elle vient de me parler pour me dire un secret.

— Je sais. *Lumière,* c'est toi.»

Une contraction plus forte tordit son visage. La dernière phase de l'enfantement commençait, en même temps que la mienne sur le plan spirituel.

* *
*

L'accouchement fut long et difficile. J'assistais Gwenaelle comme un homme : un peu d'eau sur le front, humecter les lèvres et rester à ma place.

Dans le miroir suspendu au-dessus de la table, le périnée distendu s'épanouissait comme une fleur de lotus. Il s'allongea démesurément comme un tore bombé. L'orifice minuscule dévoilait un noir obscur de cheveux englués de mucus qui s'élargit rapidement sous une poussée d'une violence inouïe... l'irruption du liquide amniotique, le curieux glouglou dans la bassine. Présentation du sommet classique. Les lèvres de la vulve serraient le front exsangue. À l'aplomb des orbites, une contraction découvrit le nez et les lèvres. Le sang libéré afflua au visage et l'irrigua d'un violet intense. Rotation de la tête, dégagement de l'épaule, l'obstétricien empauma l'enfant sous les aisselles, la dégagea — une fille — et la déposa comme une fleur sur le ventre de Gwenaelle qui riait, riait... Le cordon palpitait.

Pas un cri quand l'air gonfla ses poumons, mais un gazouillis chantant. Le médecin aspira dans les voies respiratoires, ses menottes arrachèrent le tube. Sourires. Du caractère ! Nous allions nous entendre. Je l'aimais tout entière pour l'avoir déjà appréciée. Je n'avais pas rêvé.

J'observai ma compagne qui caressait le dos de sa fille. Les larmes dans son rire ! Rien d'autre n'existait pour elle que cet enfant qui reposait tranquille sur son sein, récompense de huit mois et demi d'attention, d'écoute, de patience et d'inquiétude. Le sourire qu'elle adressait à l'enfant rayonnait d'un bonheur que je ne lui connaissais pas. Je me tenais en retrait, sans songer une seconde que j'étais de trop. Je ne saurai jamais ce que ressent une mère qui donne la vie. L'homme pense la vie, la femme la réalise. Je devais me cantonner à la reconnaissance de mon maigre apport et à la fierté d'avoir contribué, par un acte d'amour, à la réalisation du mystère de la maternité. Je pouvais au moins prendre l'enfant par le regard, à défaut de le porter dans mes bras de peur de le casser. Je lui souris à mon tour. Gwenaelle croisa mon regard et me dit :

«Elle est belle, hein ? Merci de me l'avoir donnée en faisant de moi une MAMAN. Je t'aime, PAPA.»

* *
*

ÉPILOGUE

La boucle était bouclée. Harassée, Gwenaelle s'était endormie dans son lit de jeune accouchée. Après avoir réglé les formalités, je suis sorti dans le matin clair de Saint-Jean-de-Maurienne. La lumière des cimes m'enivrait. Et d'autre chose encore. Je trouvais le monde beau, même les passants ordinaires à la grise mine, les venelles sales, les fenêtres opaques fermées sur l'habitude et le train-train sans intérêt. Tout bouge, rien n'est définitif, la matière ! Près de la voiture, une silhouette déambulait de long en large en humant nerveusement le devant de son nez.

«Qu'est-ce que tu fiches ici ?»

Jacques s'approcha avec la démarche de celui qui ne sait pas toujours où il va mais qui y va quand même et qui y parvient toujours.

«Je cherche mon inaccessible étoile. Comment va-t'elle ?

— Gwenaelle ? Elle dort...

— Je me doute bien. Et ELLE ?

— Comment sais-tu ? fis-je, abasourdi.

— Plus tard ! Ce n'est pas l'heure des visites et tu as des valises sous les yeux. Je t'offre un café.»

Nous avons investi une banquette dans le premier bistrot venu.

«Avant toute chose... !» fit-il en extirpant de sa poche un paquet violet et blanc.

Il arracha le papier de cellophane et tira un long cigarillo qu'il lança sur le formica.

«Tiens ! Ce n'est pas un havane mais c'est tout comme. Pour la fête !»

Je portai le cigare à mes lèvres.

«Mais il est sucré ! fis-je, étonné.

— Parfumé au raisin... enfin, il paraît ! Une cochonnerie *made in Québec*, le bout trempé dans le rhum, à ce qu'on dit ! J'en rapporte à chaque voyage. Dégueulasse et fameux ! À la tienne !»

En effet, il fallait s'y faire. Le goût sucré s'anéantissait rapidement dans la saveur fadasse et assez chimique. Mais après peu, on se laissait bercer par la fragilité de l'arôme qui, sans atteindre le grand cru, se laissait siroter comme un vin de pays. Un avant-goût, songeai-je, sans m'imaginer un instant que les tout petits signes annonçaient de grands changements.

«Ton coup de fil, reprit Jacques. Pas pu m'endormir ! J'ai décidé de venir te casser les pieds. Un autochtone qui descendait à Saint-Jean, m'a pris à bord de sa camionnette...

— À d'autres ! Comment sais-tu que c'est une fille alors que cette nuit, tu m'annonçais un garçon ?

— Ça ne s'explique pas, répondit-il d'un air énigmatique. Raconte !»

Retour en arrière, évocation de l'attente, du travail, de mes réflexions dans une logorrhée intarissable enrichie par la fatigue qui broyait les muscles de mon dos et jetait ma tête dans l'étourdissement. Je parlais pour me donner la force de rester éveillé et réactiver par la magie du verbe humain la puissance de la nuit. Un cigare plus tard, j'abordais mon rêve et la révélation de ma petite fille :

«Jacques, sais-tu qui est vraiment *Lumière ?*»

Sa réponse me cloua sur la banquette.

«Bien sûr ! C'est toi, moi, l'autre... c'est tout simplement le *Maître intérieur* de chacun.»

Je bredouillai :

«Comment le sais-tu ? Depuis quand ? Pourquoi tu ne m'as rien dit ?

— Du calme, moustique ! ELLE me l'a dit !» fit-il, le geste large, le doigt tendu vers la porte de la maternité.

Sous des dehors froids, un parler sec et des yeux d'un sérieux à faire frémir, Jacques est un garçon hypersensible. Il m'avoua qu'après mon appel, il avait dans sa somnolence subit l'assaut d'une curieuse production onirique :

«J'ai voyagé dans mes fantasmes habituels, compté de 1 à 22 puis de 22 à 1, je me suis concentré sur les chakras... des clous ! Et puis des images... toi, Gwenaelle, un bébé, une fillette de trois ans. Ça te dit quelque chose ?

— Tu as fait le même rêve ?

— La même confidence aussi. Du coup, j'ai décidé de venir... histoire de vérifier.

— Toujours sceptique ?

— Interrogateur plutôt ! Je me questionne tout le temps. Aucun champ de la connaissance ne devrait être étranger au savoir. Mais de la théorie à la pratique... Ce rêve, par exemple ! Qui l'a fait ? Toi ? Moi ? Le JE ? J'ai toujours eu du mal à distinguer l'état du JE conscientisé de celui du MOI objectif. Maudites frontières ! L'information passe de l'un à l'autre à la vitesse de la lumière... tu vas me dire, plus vite que la lumière. Admettons ! Notre rêve n'est pas une preuve, pas encore, mais comme présomption, ça se place un peu là. Bref, le JE et le MOI sont deux facettes du même Principe vital.

— Il faut le vivre pour le savoir. L'animal cérébral n'explique pas tout. Cette bête furieuse doit être domptée, elle doit lâcher prise. Tant que persiste le doute envers SOI et que n'apparaît aucune certitude, on demeure dans le MOI. Il suffit d'en prendre conscience pour conscientiser le JE : un doute s'évanouit, à croire qu'il n'a jamais existé. Une écaille tombe devant les yeux... d'autres la remplacent. Elles s'éparpillent une à une et le troisième œil s'ouvre de façon imperceptible. Le processus s'accélère, car plus rien ne peut retenir la lumière qui chasse les ombres de l'esprit. On devient *Lumière*, car la révélation du JE coïncide avec la fusion du JE et de l'Âme en conscience de SOI. Alors là, on a la vision claire, la vue profonde, le regard qui fait agir.

— Il y a toujours une curieuse dichotomie de pensée avant cette sublimation. On est tellement pris dans la mentalisation du MOI qu'on ne soupçonne pas un instant la *Lumière* du JE associée à l'Âme.

— Tiens, une image ! Le MOI est une haie qui fait de l'ombre au jardin du JE. Il faut bien la tailler pour laisser passer le soleil mais pas trop pour qu'elle continue à le protéger de la tempête. Dans le jardin, une rose, l'Âme, est nourrie par la vitalité du JE et donne naissance à un enfant qui grandit sous la lumière du soleil.

— Un chou serait mieux adapté, ironisa Jacques. L'Âme est chou...ette.

— Tu donnes dans la mystique potagère ? Manque plus que la cigogne. Tu réviseras ta biologie, doc !

— Allégorie ! Les enfants nous sont prêtés. Dixit Kris ! Ils se développent dans la chaleur des *Êtres de lumière*. À trois milliards de watts !

— Remarque : l'enfant qui grandit en nous reste très naïf. Il a assez de candeur pour transmettre ce qu'il apprend à travers le mental par une intuition, une réflexion, une illumination. *On croit recevoir un message étranger alors qu'il provient du Maître intérieur. La méditation installe un dialogue avec SOI, entre Lumière et l'entendement du mental.* Si on ne trouve pas ce centre lumineux, on reste dans l'ombre de soi-même, jusqu'à ce qu'on accepte que la lumière chasse la nuit. Alors, on devient en conscience *Lumière*.

— Bruxelles, tu te rappelles ? coupa Jacques. Nous étions persuadés que l'illumination de la cérémonie venait d'un Maître. En toute innocence, nous nous sommes crus privilégiés alors que nous avions vécu une simple révélation de nous-mêmes. Si nous avions su, si on nous avait donné les moyens de comprendre, si quelqu'un *nous avait informés*, nous n'aurions pas perdu notre temps sur des voies parallèles.

— Maintenant, je sais. J'ai définitivement enfanté de ma *Lumière* en même temps qu'ELLE est née. Je LUI ai promis — tu en as été témoin — de l'informer à mon tour. Elle et les autres, tous les autres. Il leur faudrait des outils pour atteindre leur *Lumière*. Il faudrait démystifier le Maître intérieur, dire que l'État christique n'est pas accessible qu'à des élus mais à tous ceux qui, du fond de leur Âme, aspirent à la VRAIE LUMIÈRE. Il le faut, tu comprends ?

— Qu'est-ce que tu attends ? Assume, vieux !

— Je ne sais pas comment ! Je sens une richesse intérieure énorme et je suis incapable de la traduire.

— *Ses ailes de Géant l'empêchaient de marcher*. L'albatros !

— Ça me fait mal, Jacques. Je suis bloqué parce que mon mental n'a pas développé la technique de la communication. Tu te souviens de ce prof de philo à Amiens, champion d'échecs ? Richard, je crois. À l'époque, je parlais mal, je tricotais la guitare comme une araignée et je peignais comme un arracheur de dents. Il m'a dit : "Une richesse cachée sous le boisseau reste lettre morte si elle ne peut fructifier au bénéfice du monde entier. Donne-toi les moyens de dire et tu découvriras une plus grande richesse encore : celle que tu reçois en donnant." Dis, tu ne voudrais pas m'aider ?

— À quoi ?

— Je ne sais pas moi... me donner des trucs. À écrire, par exemple.

— Je n'ai pas l'Âme d'un missionnaire ni d'un philosophe.

— Qui te parle de ça ? J'ai les idées... tu as la main !

— Un nègre, quoi ?

— Prends-le comme tu veux, mais j'en ai besoin.

— Disons! Tu es le JE, je suis le MOI ! Ouais ! Ça vaudrait le coup d'essayer. L'important, c'est d'aller au bout de ce que la mort t'a appris et que tu as résumé dans cette question :

SAURAS-TU LES INFORMER ?

— Ça pourrait faire un beau titre.

— Un peu ringard à mon goût. Je te dis ça... il faut que je prenne du recul, moi ! Question de jauger la syntaxe et la cohérence sémantique. T'inquiète, je frime ! Une chose quand même ! Souviens-toi de ton copain quand tu auras passé la Frontière.»

Nos deux têtes dodelinaient pour encenser l'idée. Jacques mâchouillait son cigare éteint et aux trois-quarts déchiqueté. Il souffla un bout de tabac qui s'échinait à rester collé sur sa lèvre et soupira :

«Enseigner — à ceux qui veulent bien apprendre avec nous — à aller vers leur *Lumière intérieure*, c'est bien ! Leur donner le moyen d'ouvrir la porte qui donne accès aux *Êtres réalisés*, c'est mieux ! Un livre ne suffira pas.

— Eh bien ! il y en aura un deuxième... et on l'intitulera :

LES ÊTRES DE LUMIÈRE !

* *
*

Comme suite et complément à ce livre :

Kris Hadar anime des ateliers de connaissances ésotériques, ouverts sur une démarche spirituelle concrète et solide, permettant d'affronter la vie et la mort, ainsi que l'apprentissage du voyage astral *conscient*. Il donne également des cours sur la pratique de l'Art divinatoire par le Tarot et la Numérologie à 22 nombres. Pour tout renseignement, écrire à l'éditeur ou téléphoner à Montréal (Canada) au :

(514) 677-1803 ou (514) 276-3413
ou (514) 641-2387

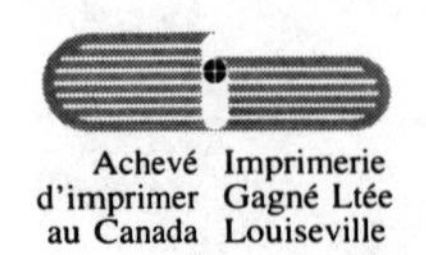
Achevé d'imprimer au Canada
Imprimerie Gagné Ltée Louiseville